Personalidad, cáncer y sobrevida

Personalidad, cáncer y sobrevida

Diana Marjorie Suárez Vera

Editorial Científico-Técnica, La Habana, 2002

Edición: Lic. Neyda Izquierdo Ramos
Diseño interior: Julio Víctor Duarte Carmona
Diseño de cubierta: Jorge Álvarez Delgado
Composición computarizada: Idalmis Valdés Herrera
Corrección: Lic. Neyda Izquierdo Ramos

ISBN 959-05-0300-4

Instituto Cubano del Libro
Editorial Científico-Técnica
Calle 14 no. 4104 e/ 41 y 43, Playa, Ciudad de La Habana, Cuba.

"... Porque yo siempre muy feliz vuelo
tanto si vivo, como si muero..."

El Tábano

A mi hermana Dora

A Marugenia y Casal
Al Profesor Dujarric

A quienes como ellos no lograron sobrevivir, y a quienes
lo han logrado.

A mi esposo, quien inspiró y alentó este estudio cuando
era apenas una aspiración, y me ha sostenido con valentía
y optimismo en los momentos más difíciles.

PRÓLOGO

No sería sincero si no manifestara la satisfacción que me produce poder escribir estas palabras sobre la obra Personalidad, cáncer y sobrevida, de la licenciada Diana Marjorie Suárez Vera, persona por la que siento orgullo en llamar discípula, compañera de trabajo y amiga tanto por su calidad humana, como por su modestia, capacidad y el rigor científico con que desarrolla su labor.

Como se podrá ver, la autora parte de la concepción en la cual el modelo biopsicosocial constituye el enfoque adecuado para la prevención, diagnóstico y tratamiento del cáncer. De acuerdo con esta hipótesis, ofrece una serie de evidencias que le sirven de base o fundamento empírico lo que le permite realizar algunas consideraciones teóricas constitutivas de su ya mencionado enfoque, cuyos variados matices, dentro del mismo hilo conductor, le permiten poner en duda las tipologías al uso.

No voy como es frecuente en estos casos a intentar hacer una sinopsis del libro, ya que la autora ha realizado un excelente resumen del mismo, en lugar de ello, me parece mejor poner de relieve algunos de sus puntos más importantes, así como señalar ciertas consideraciones básicas del pensamiento de la autora.

Henri Poincaré en su ensayo, La hipótesis en la física, enuncia una serie de ideas que son generales para todas las ciencias y de las cuales me parece oportuno, en relación con estos comentarios, señalar las siguientes: "El sabio debe ordenar; se hace la ciencia con hechos como una casa con piedras; la acumulación de hechos no es una ciencia, lo mismo que un montón de piedras no es una casa". Y en un párrafo posterior nos dice: "Por tímido que se sea es indispensable que se interpole; la experiencia no nos da más que un cierto número de puntos aislados, es preciso reunirlos con un trazo continuo; es esa una verdadera generalización. Pero se hace más, la curva que se trace pasará por esos mismos puntos. Así no nos limitaremos a generalizar la experiencia, la corregimos..." Para finalizar con los enunciados de las ideas del gran matemático y filósofo francés que transcribo, debo señalar: "... gracias a la generalización, cada hecho observado nos permite prever otros en gran número;

únicamente que no debemos olvidar que solo el primero es cierto y que todos los otros son probables".

La tesis que se propone en este trabajo, se fundamenta en las evidencias que le proporciona esa actual manifestación dialéctica constituida por la integración de tres ciencias, y que recibe el nombre de Psiconeuroinmunología, a partir de la cual pasa a desarrollar todo un conjunto de consideraciones teóricas en el campo de la Psicooncología, aunque sin caer en exageraciones siempre perjudiciales. De aquí propone un enfoque en el que sin menoscabar en absoluto el papel de lo biológico, aporta evidencias y razonamientos que ponen de relieve algunos factores psicosociales que intervienen en la prevención, diagnóstico y tratamiento del cáncer.

No hay dudas de que los biologistas puros recibirán un shock ante lo que para ellos constituirá una osadía imperdonable. Unos "ignorarán" la existencia de la obra, otros la mirarán con desprecio y otros la atacarán, pero al hacerlo estarán olvidando que el hombre es uno, por más que se le separe en partes, sistemas, elementos, órganos y no sé cuántas cosas más para profundizar en su estudio.

No hay duda que la naturaleza es una unidad y el hombre forma parte de ella. Ante su extraordinaria complejidad, la podemos dividir, por ejemplo: en sistemas. Así consideramos a esta como un gran sistema en cuya composición entran otros grandes sistemas o subsistemas: unos naturales, artificiales otros; pero todos, en última instancia, con un origen común. De este modo, todo lo que afecta una parte del sistema, repercute en su conjunto.

Hoy, más que nunca antes, es posible percatarse de la interdependencia que existe entre esos sistemas que separadamente llamamos hombre, naturaleza y sociedad.

En la actualidad, mediante los distintos medios de información, día tras día nos llegan noticias de los efectos de la actividad de los hombres o de la propia naturaleza sobre la capa de ozono y sus repercusiones para la vida, así como también las consecuencias del estrés sobre la salud, todo esto sin contar el infinito número de factores psíquicos, sociales y biológicos que condicionan el diario vivir.

Piénsese en las repercusiones psíquicas de un simple dolor en cualquier parte de nuestro cuerpo o en el efecto somático por la pérdida de un ser querido o simplemente un fracaso en nuestro trabajo y se podrá tener una idea de lo antes expresado.

Estos hechos que a cada momento se presentan ante nosotros han permitido que la autora realice algo poco frecuente en la actualidad, es *decir, que teorice. Como bien se ha señalado anteriormente, "el sabio debe ordenar" y esto solo es posible hacerlo cuando se teoriza. Nos encontramos con gran frecuencia trabajos donde se acumulan una gran cantidad de hechos, pero en los cuales no se arriesga ni la más mísera hipótesis. No, no es que los hechos puedan despreciarse, ellos tienen su valor pero no bastan para hacer ciencia. La ciencia demanda: orden, interpretación, previsión y ello, solo es posible mediante la teoría.*

Ahora bien, este trabajo que nos ofrece Diana M. Suárez Vera, no solo proporciona las bases que fundamentan sus ideas al respecto, sino que señala un camino a seguir. En efecto, ella, hace un recuento de los trabajos que se han hecho en el campo de la Psicooncología y, además, hace una presentación de los métodos que se han seguido tanto en la investigación como en el tratamiento psicológico aplicado a estos enfermos, pero al hacerlo pone de manifiesto, con rigurosa mirada crítica y con gran honestidad, aquellos aspectos que aparentemente, al menos, contradicen sus hipótesis.

Algo que me parece uno de sus grandes aciertos, es el llamado que realiza a la unificación de conceptos, criterios y métodos a utilizar en el campo de la investigación psicooncológica a fin de hacer comparables los resultados de muchos de los trabajos que se hacen hoy día en ese campo.

Llama la atención la cuidadosa revisión que la autora ha llevado a cabo en el campo de la Psiconeuroinmunología, así como el rigor y la modestia que se aprecian a todo lo largo de su trabajo.

No quiero terminar estas reflexiones sobre la obra sin expresar que la misma será lectura obligada para los que se dedican a combatir esta terrible enfermedad, pero, además, será de gran interés para todos aquellos que de una u otra forma hayan tenido relación con la misma ya sea directa o indirectamente.

Un mérito excepcional de la obra y su autora, es que la última "conoce el monstruo porque ha vivido en sus entrañas". Sí, Diana Marjorie Suárez Vera padeció de una neoplasia, aunque hoy existen suficientes evidencias que permiten decir que está curada.

Esta obra, escrita por una joven mujer que ama la vida y la cual fue cuestionada seriamente por la enfermedad, constituye sin duda, una muestra más de su extraordinaria calidad humana, así como también de su espíritu de lucha y su amor al trabajo profesional.

No es fácil en momentos cruciales de la vida, entregar cuanto se tiene a los demás. Ella comenzó la preparación de este libro cuando aún no tenía seguridad en su curación, que afortunadamente para todos ha podido llevar a feliz término.

Casi me parece innecesario decir que aspiro a que estas palabras sirvan como un modesto homenaje a esta mujer, cuyo valor, entereza y bondad, le han permitido entregarnos esta muestra de sus conocimientos, pero, además, lo exquisito de su amor a la humanidad.

RAFAEL DUJARRIC PULLÉS
Dr. Ciencias Psicológicas

INTRODUCCIÓN

Por el lugar que ocupa el cáncer como causa de muerte en el mundo desarrollado y en algunos de los países en vías de desarrollo y atendiendo, además, al impacto que la sola mención del término en calidad de diagnóstico provoca tanto en quienes lo padecen como en sus familiares, y aún en la mayoría de la población libre de esta enfermedad, en especial porque "los avances en el diagnóstico precoz, en la radioterapia, en la quimioterapia, en la inmunoterapia y en la cirugía han aumentado considerablemente la expectativa de vida de las personas que cada año son diagnosticadas como enfermos de cáncer en todo el mundo"[1] se decidió abordar uno de los problemas actuales de mayor relieve en el campo de la Psicooncología: ¿Desempeñan los factores psicosociales un rol determinado en la sobrevida del enfermo de cáncer?

Existe un interés creciente por parte de muchos investigadores con respecto al papel que supuestamente asume la personalidad, sus mecanismos autorreguladores y moduladores del comportamiento y su estilo de vida en la iniciación y progresión de las enfermedades terminales y consecuentèmente en el pronóstico del enfermo.

En su gran mayoría, las tendencias actuales al analizar el complejo proceso salud-enfermedad, en el hombre desde una perspectiva amplia, toman en cuenta las variables psicosociales que al menos como condición necesaria deben estar presentes en toda enfermedad.

A partir de una determinada conceptualización sobre la personalidad, así como de una concepción concreta de la enfermedad, basadas tanto en la actualización de hechos como en teorías anteriores, se establece una posición teórica.

Desde dicha posición se explican nuevos hechos y se elaboran hipótesis sobre las relaciones directas e indirectas que dentro de ese marco conceptual, reflejo más o menos exacto de la realidad, podrán esperarse entre los factores psicosociales y los sistemas biológicos que median la salud y la enfermedad.

Cuando se habla de factores psicosociales se está haciendo operacionalmente referencia a las relaciones y valoraciones sociales interiorizadas en el hombre.

Se concibe que dichos factores son portadores necesarios de la dialéctica de lo interpsíquico y de lo intrapsíquico, en tanto lo social se interioriza y participa en la autorregulación de la psiquis individual y lo psíquico se exterioriza y participa, fundamentalmente en la regulación del comportamiento del hombre.

Los factores psicosociales son producto de la actividad del sujeto dentro de un determinado sistema de relaciones sociales, al mismo tiempo que dependen del funcionamiento de los diferentes sistemas biológicos del organismo y especialmente del funcionamiento del sistema nervioso central.

Ellos comportan la esencia del mundo interno, personal y subjetivo del hombre. Justamente, por ser expresión de la psiquis individual y reguladores de la actividad externa, pueden actuar modulando las funciones nerviosa, endocrina, y metabólica en general, bioquímica e inmunológica en particular, tal y como parecen demostrar los hallazgos más recientes de la Psiconeuroinmunología.

Este último componente de modulación funcional de los sistemas biológicos del organismo, inducido por factores psicosociales, ha sido sustentado en el desarrollo del trabajo.

El propósito más general de este estudio, el que al mismo tiempo expresa la motivación personal exteriormente más fuerte para su realización, se focaliza en la búsqueda de una respuesta científica a la cuestión que inicia el trabajo. Es un hecho conocido que a pesar del desarrollo alcanzado en materia de salud dentro del país, pocos estudios han sido consagrados a investigar las posibles repercusiones de los aspectos subjetivos de la calidad de vida del enfermo de cáncer en la duración de la sobrevida, ya sea concebida esta, en calidad de supervivencia libre de enfermedad o de supervivencia total.

Para muchas personas, sanas o enfermas, el cáncer es una enfermedad física, social y psicológicamente aplastante. Mantiene sujeta a su víctima, a veces durante años, en tanto el individuo con frecuencia se autopercibe a merced de ella, indefenso y desarmado para combatirla eficazmente, no pudiendo tampoco escapar de la enfermedad.

El cáncer es mucho más temido por los estragos físicos y mentales que provoca que las enfermedades cardiovasculares, a pesar de que aún es desplazado por estas en el cuadro de morbi-mortalidad de numerosos países.

Una panorámica del contenido de este trabajo, resultará la mejor evidencia de la convicción personal que el mismo encierra sobre el hecho, de que aún temiendo al cáncer, es imprescindible lograr que el enfermo se sienta capaz de enfrentarlo con responsabilidad, utilizando todos los recursos disponibles.

El capítulo I constituye el sustento teórico que pretende avalar la cientificidad del problema en análisis. En él se trata de actualizar la tradicional controversia sobre las relaciones soma-psiquis, y se realiza un análisis de las variables psicosociales más utilizadas en calidad de neuromoduladores, de endocrinomoduladores y en particular de inmunomoduladores en numerosas investigaciones empíricas.

Se ha tratado de enfatizar en el análisis de aquellas variables psicosociales que supuestamente asumen un rol en la iniciación, promoción y progresión del cáncer, sobre la base de las experiencias de distintos autores.

De igual forma, los hallazgos contradictorios de los estudios experimentales con esas mismas variables, son expuestos para ser sometidos al juicio de los lectores y con la pretensión de que sirvan de estímulo para la réplica de algunos de los trabajos en este campo científico.

Es sometido a investigación un aspecto que se considera ha recibido comparativamente poca atención en la literatura psicooncológica. Se está haciendo así referencia al rol, que de acuerdo con diferentes evidencias, parecen asumir los factores psicosociales en la prevención y promoción de la salud, a través de su influencia sobre los sistemas vinculados directa e indirectamente con los procesos del organismo responsables de la regeneración biológica.

Al finalizar el capítulo I se realizan tres consideraciones centrales que pretenden brevemente resumir la labor de búsqueda realizada a lo largo del mismo.

La primera de estas consideraciones se refiere al carácter de las relaciones que existen entre las variables biológicas, psicológicas y sociales en el hombre, específicamente en el análisis de las complejas interrelaciones que establecen en el proceso salud-enfermedad.

La segunda, aborda el papel que parece asumir la inmunidad en la iniciación y control de las enfermedades, que como el cáncer son "rechazadas inmunológicamente".[2]

En la tercera se pone de relieve el papel que de acuerdo con los hallazgos más recientes de la Psiconeuroinmunología,[3] asumen los factores psicológicos en el control del cáncer.

Resulta de interés destacar que es incompatible con la concepción sistémica adoptada en este trabajo, analizar el funcionamiento armónico o disarmónico de un sistema determinado obviando la participación de algunos de los subsistemas que lo integran y de otros sistemas con los que inevitablemente entra en relación.

Es por ello que no es posible concebir la salud, la aparición de enfermedad o ambos procesos, excluyendo algunos de los eslabones esenciales integrantes del sistema biopsicosocial, cualitativamente superior que es el hombre.

Este razonamiento, aunque muy general, puede ser absolutamente aplicable aún cuando se trate de enfermedades que parecen estar determinadas a nivel molecular, y constituye el punto de partida de algunas hipótesis expuestas al final de este capítulo.

Estas, entre otras valoraciones, hacen que la segunda parte del libro esté centrada en la conceptualización de la calidad de vida del enfermo oncológico, así como en las variables que de hecho se ha asumido pueden incrementar o deteriorar la calidad de su vida, y presuntivamente influir de forma favorable o no en la supervivencia de estos enfermos.

En el capítulo II, aspectos de reconocido valor en la literatura, como son el apoyo social, el enfrentamiento a la enfermedad, el papel de la capacidad residual entre otros, son tratados y revalorados a la luz de las repercusiones que puede tener la acción sinérgica de dichos factores con otros indicadores, sobre el estado y funcionamiento del organismo.

Cualquier enfermo de cáncer puede cuestionarse a si mismo si hay algo que él pueda personalmente hacer por ayudarse, por tratar de vivir a plenitud algunos años más de los que globalmente más o menos ofrecen las cifras estadísticas pronósticas y por tratar de ser más útil durante ese tiempo.

Es otra de las preguntas que el trabajo intenta responder. Es por ello que algunos problemas, tales como el rol que asume la percepción de la autoeficacia en el afrontamiento a la enfermedad, en el encaramiento con los eventos vitales, en el control del dolor por cáncer, así como la atención al enfermo en fase terminal y a la familia de este, son abordados desde ángulos diferentes en los últimos capítulos.

Se brinda especial atención al enfoque cognitivo-conductual en el tratamiento psicológico del enfermo de cáncer, así como a algunas de las técnicas más utilizadas con este enfoque. El mismo descansa básicamente en un tipo de relación médico-paciente oncológico de colaboración, dirigida en gran medida a incrementar y fortalecer el sentido de responsabilidad del enfermo con su enfermedad, el sentido de autoeficacia percibida en el enfrentamiento y en el control de las consecuencias del cáncer, entre estas el dolor como una de las más temidas. La terapia psicológica orientada para tratar el dolor por cáncer, no pretende eliminar absolutamente el dolor, no es posible. El cáncer es una enfermedad real y en un porciento relativamente alto de casos, realmente dolorosa, incluso en algunos enfermos, desde los estadios iniciales. El propósito de esta terapia es contribuir a que el paciente aprenda a controlar su dolor, a atenuarlo dentro de los límites posibles, a evitar las consecuencias nocivas y desmoralizantes del dolor. Estos propósitos pueden lograrse con ayuda de recursos y de intervenciones psicosociales, combinadas con reforzamiento externo y soporte social y con los tratamientos tradicionales para el dolor que sean de elección.

En el último capítulo se resumen un conjunto de consideraciones teóricas y se brindan conclusiones personales sobre el problema en cuestión.

En lo personal se considera que el hombre sano o enfermo para ser dueño de su futuro ha de responsabilizarse con este, al decir de Victor Frankl: "El hombre responde o tiene que responder ante las fatalidades psíquicas, lo mismo que responde ante las fatalidades fisiológicas y sociales. El hombre se enfrenta con un destino y tiene que moldearlo o aguantarlo para que sea suyo".

Antes de iniciar el desarrollo del trabajo, quiero testimoniar mi agradecimiento al Profesor, doctor en Ciencias Psicológicas Rafael Dujarric Pullés, por su insustituible colaboración, sus oportunos consejos y su sabia crítica. A mis colegas las licenciadas Ma. Dolores Romillo y Mayda Rancel. A las licenciadas Olga H. Iglesias, Dunia Túñez y Elsie Rábago, al licenciado Omar Rodríguez. Al doctor Rolando Camacho, por su ayuda profesional. Al doctor Armando García y a su esposa, la cual realizó una muy eficiente labor en la traducción de la literatura en francés. A los amigos de siempre José Estrada y Rosa Elena Blanco, quienes contribuyeron con desinterés y generosidad a que este trabajo se hiciera realidad. A la licenciada Neyda Izquierdo, por su insustituible colaboración. A los autores consignados en la bibliografía, los que hicieron accesibles sus valiosas experiencias y a todos los que de una forma u otra han hecho posible la elaboración de este trabajo.

BIBLIOGRAFÍA

1 Turk, D. C. and E. Fernández: "On the Putative Uniqueness of Cancer Pain: Do Psychological Principles Apply?" *Behav. Res. Ther.*, 28(1):1-13, 1990.

2 Solomon, G. F.: "Psychoneuroimmunology. Interactions between Central Nervous System and Immune System." *J. of. Neuroscience Research*, 18:1-9, 1987.

3 Kemeny, M. E. and T. L. Gruenewald: "Psychoneuroimmunology Update." *Sem. Gastrointest Dis.*, 18(1):20-9, Jan. 1999.

CAPÍTULO I

PERSONALIDAD Y ENFERMEDAD VS. PERSONALIDAD Y SALUD

Cáncer. Relación soma-psiquis: una breve revisión del estado actual del problema

Antes de exponer en detalle los objetivos específicos de este capítulo resulta necesario hacer unas breves reflexiones sobre el estado del problema concerniente a los vínculos entre los factores psicosociales y el cáncer.

Atendiendo precisamente a uno de los propósitos fundamentales del estudio resulta esencial significar que la creación o adecuación de una filosofía de tratamiento psicológico para los enfermos de cáncer, debe ir precedida de un cuidadoso análisis de los más recientes aportes de la ciencia, en torno a una cuestión cardinal: ¿Existe algún vínculo entre los factores psicosociales y la iniciación y progresión del cáncer?

De aceptarse dicho vínculo, se podría preguntar: ¿Resulta válido a la luz de las evidencias científicas considerar que los factores psicosociales desempeñan un rol causal o por el contrario facilitador, o ambos, alternativamente en la aparición y control del cáncer?

Estas cuestiones centrales a las que este estudio intentará aproximarse a sabiendas de que no podrán ser resueltas totalmente, orientan la dirección del mismo y delimitan algunos de los problemas más esenciales que han de ser resueltos a fin de utilizar científicamente los recursos de la Psicología en beneficio de los enfermos de cáncer.

Es por todos conocido que desde los tiempos de Galeno y más aún, desde Hipócrates se especuló sobre las características psíquicas de las personas en términos de temperamento y predisposición a las enfermedades.[1] En la época de Galeno se consideró que las mujeres melancólicas eran más propensas a enfermar de cáncer de mama que las sanguíneas.

Sin detenerse en todo el largo y fructífero recorrido, presente en la historia de las ciencias que desde posiciones diferentes abordan al hombre, con respecto al problema en análisis, aparecen dos posiciones extremas, recíprocamente excluyentes, aún y cuando entre ellas se intentan con éxito posiciones intermedias.

Una de ellas asume que los factores psicosociales no tienen vínculo causal con la iniciación del cáncer,[2] de lo que puede derivarse, como corolario, que cualquier psicoterapia con enfermos de cáncer que se apoye en la concepción opuesta es estéril y condenada al fracaso en términos de poder contribuir a la prolongación de la sobrevida.

La posición extrema opuesta sostiene que los factores psicosociales pueden tener un vínculo causal con la iniciación y progresión del cáncer[3-12] y por tanto la terapia psicológica es susceptible de influir en la supervivencia de forma directa e indirecta, esta última a través del estilo individual de vida.[13-17]

Esta posición, que asume que los factores psicosociales tienen un peso específico de consideración en la carcinogénesis, propone tres variantes fundamentales:

1. La tipológica, concibe que existe una personalidad predispuesta al cáncer, la llamada personalidad Tipo C [4-6] o personalidad Tipo 1.[7-9]
2. Se focaliza en la historia emocional del sujeto, y en los eventos adversos de la vida.[18-19]
3. Plantea la hipótesis sobre los factores psicosociales que pueden favorecer la iniciación y desarrollo de las enfermedades en general y en particular del cáncer, pero que la enfermedad resultante está en función de factores genéticos, de la vulnerabilidad del sujeto, de su respuesta fisiológica y de factores psicosociales.[20-21]

En uno de los trabajos de referencia[20] se propone que los factores psicosociales pueden ser tanto causa como consecuencia de la iniciación del cáncer.

Con el propósito de resumir parcialmente algunos de los resultados alcanzados en el análisis del problema, se expondrá una consideración general que tiene su fundamento en las complejas interrelaciones bidireccionales que han sido demostradas entre el sistema nervioso central, el que como es sabido constituye un mediador de procesos psíquicos y biológicos y del sistema inmune. Este último tiene la responsabilidad de defender al organismo frente al ataque de las enfermedades, entre estas de las infecciosas y del cáncer.[22-23]

En este trabajo[24] dedicado justamente a evidenciar las referidas interacciones, haciendo alusión a la Psiconeuroinmunología, se ratifica que: "Este campo refuerza la concepción de que toda enfermedad es multifactorial y biopsicosocial en su iniciación y curso; es el resultado de interrelaciones entre factores etiológicos específicos, genéticos, endocrinos, nerviosos, inmunes, emocionales y conductuales".

Resulta de interés precisar que la Psiconeuroinmunología, en el momento actual incluye dentro de su objeto, el estudio del impacto de los estados psicológicos, no solo sobre las infecciones, el cáncer, la enfermedad arterial coronaria y el VIH, sino también se dedica a la investigación de las implicaciones que tienen los trastornos psiquiátricos en el rechazo de órganos en pacientes postransplantados.[25] De esta forma, ha ganado un espacio en el promisorio campo de la Transplantología.

Psicooncología: nueva rama del conocimiento

La Psicooncología a veces llamada Oncología Psicosocial es una disciplina muy nueva y sus investigaciones por largo tiempo han sido ateóricas. En la gran mayoría de los estudios ha faltado una estructuración de los conocimientos obtenidos y la integración de estos en teorías y leyes que unifiquen tanto las variables de la investigación, la formulación de hipótesis, como los resultados esperados entre ellas.[26] No obstante, no puede ser negada la existencia de determinados hechos, evidencias y problemas vinculados al ajuste psicológico del enfermo de cáncer a su enfermedad, al cumplimiento con el tratamiento, a la prolongación o al menos a la duración de la sobrevida media, entre otros. En una palabra, no puede ser obviado el problema de cómo la personalidad puede mediar el impacto del diagnóstico de cáncer,[27] y lo que es más importante aún, si la personalidad puede modular o no el impacto de la enfermedad.

Una valoración más actual y un tanto diferente se asienta en la consideración de que sí bien la investigación relativa a la significación de los factores psicosociales y conductuales en la aparición y curso del cáncer en la década de los cincuentas del siglo pasado, sufrió un cambio al confrontar debilidades metodológicas y por la no disponibilidad de instrumentos de medición válidos, actualmente estas dificultades se han superado con el diseño y realización de un gran número de estudios bien conducidos en el campo de la Psicooncología.[28-29]

En este trabajo Holland[29] define que la investigación psicooncológica se desarrolla en dos grandes dominios vinculados entre sí por la investigación conductual. Uno dirigido a la prevención, al control primario y a la epidemiología del cáncer, otro abarca los aspectos psicológico, social, psiquiátrico y psicoinmune. De acuerdo con este criterio la investigación conductual y psicosocial en el cáncer es realizada en cinco áreas fundamentales, en las que se registran similarmente hallazgos controversiales. Estas áreas son:

1. El estilo de vida y conducta.
2. El ambiente social.
3. La personalidad, sus rasgos y estilos de enfrentamientos.
4. Los estados afectivos y los eventos de la vida.
5. Las intervenciones psicosociales, conductuales y de soporte.

Cada una de estas variables ha mostrado por lo menos en una o más investigaciones, tener determinada participación en la morbilidad, en la mortalidad por cáncer o en ambos procesos. Este hecho, como fue esbozado, no excluye en ningún caso la presencia de hallazgos negativos con relación a estas variables, en otros estudios.

Una breve revisión del recorrido histórico de la Psicooncología,[29-31] servirá de evidencia del creciente desarrollo y de la importancia que dentro del ámbito científico la misma adquiere.

Los primeros estudios focalizados en los aspectos psicosociales del cáncer comenzaron en los Estados Unidos, en la década de los cincuenta del siglo XX con posterioridad a la Segunda Guerra Mundial.

En los años sesentas del siglo pasado, con el incremento en la sobrevida, se produce un cambio en la relación médico-paciente oncológico que contribuyó a que el diagnóstico fuera informado más frecuentemente al paciente, en particular en los Estados Unidos. En el Reino Unido, se produjo un aumento notable en los esfuerzos por brindar a los pacientes oncológicos en etapa terminal un trato más humano, representado por el movimiento de hospicios. En general se pudo observar un marcado interés por parte de oncólogos, enfermeros, trabajadores sociales, psicólogos y psiquiatras por los aspectos psicosociales del cáncer.

Sin embargo, los progresos en Psicooncología no comenzaron realmente hasta la década de los setenta del siglo XX en Europa y los Estados Unidos, al centrarse la atención en dos de los aspectos psicosociales más relevantes en esa fecha con relación al cuidado del enfermo de cáncer. Estos aspectos fueron: la demora en la búsqueda de atención médica una vez que se observaron síntomas sospechosos y las quejas del enfermo con respecto al tratamiento.

Desde los años ochentas del siglo pasado, aproximadamente, diferentes organizaciones en Europa y Norteamérica, participan y contribuyen en la formación de especialistas dedicados a la Psicooncología. En los referidos trabajos[29-31] se explica que la Psicooncología u Oncología Psicosocial ha sido definida como "... una subespecialidad dentro de la Oncología" que se interesa primordialmente por dos de las dimensiones psicológicas del cáncer:

1. La psicosocial, referida a la respuesta emocional del paciente, sus familiares y la de sus cuidadores, en todos los estadios de la enfermedad.
2. La psicobiológica, relativa a los factores psicológicos, conductuales y sociales que pueden influir en la morbilidad y en la mortalidad.

No obstante, el enfoque actual de la Psicooncología ha ampliado considerablemente su espectro. Se ha dirigido "...a la atención, investigación y cuidado total del paciente oncológico en los aspectos físico, psicológico, social y espiritual lo que redunda en el mejoramiento de la calidad de vida". La proyección futura de esta subespecialidad es hacer asequible a todos los pacientes de cáncer este enfoque integrado.[31]

El fundamento de una de las críticas más generalizadas que se ha formulado a los estudios psicosociales realizados con enfermos de cáncer, es precisamente el carácter retrospectivo de tales trabajos.

Se presupone que el deterioro de los sistemas biológicos y las repercusiones fisiológicas consecuentes afectan el funcionamiento a nivel psicológico y social del enfermo. Esto es presumiblemente cierto. Es una hipótesis que ha sido probada empíricamente y por tanto, aceptada en calidad de ley.

Algo diferente ocurre sin embargo, cuando se formulan hipótesis en relación con la influencia de los factores psicosociales sobre los sistemas biológicos vinculados a la aparición de enfermedades y especialmente en el caso específico de una enfermedad del crecimiento y multiplicación celular como el cáncer.

El concepto de esta enfermedad y en consecuencia su filosofía de tratamiento, excluye para algunos la posibilidad de que la misma pueda ser influida positiva o negativamente por vía psicosocial. Esto en otros términos podría significar: Que la personalidad es concebida como un reservorio de cualidades, rasgos o de procesos sobreañadidos aditivamente a un conjunto más o menos armónico de sistemas biológicos que pueden afectarla, pero sobre los cuales la personalidad no puede incidir en modo alguno. Como corolario: La personalidad constituye solo un receptor pasivo de influencias somáticas.

La anterior conceptualización dicotómica sobre la enfermedad, la personalidad y las relaciones entre los factores psicosociales y los sistemas biológicos del hombre, asumida por algunos oncólogos como una verdad autoevidente, resulta totalmente ajena a la concepción que se sustenta en este libro.

El problema en cuestión podría ser resumido con la respuesta a la siguiente pregunta: ¿Existen realmente evidencias científicas de este supuesto divorcio entre lo somático y lo psicosocial en el estudio del cáncer? ¿O es, por el contrario, que el desarrollo de la propia Oncología, de la Inmunología, de las ciencias médicas en general, de la Psicología, y de la reciente Psicooncología, así como de muchas otras ciencias comprometidas con la investigación del cáncer, no han encontrado aún una respuesta satisfactoria para la definición y el tratamiento de la enfermedad o con más exactitud, de ese grupo de enfermedades denominado genéricamente cáncer?

Para algunos investigadores toda enfermedad es definida como una ruptura del equilibrio del ser vivo con su ambiente en respuesta a la acción de agentes endógenos, exógenos o de ambos.

El cáncer, como fue señalado, se incluye dentro del grupo de enfermedades del crecimiento, de la multiplicación y de la reproducción celular, y es, "... en sentido bioclínico una neoformación tisular que se origina a partir de un grupo celular localizado en un área determinada de tejido, producto de una multiplicación celular progresiva y aparentemente autónoma". Las características más importantes de malignidad en un crecimiento tumoral están dadas, en lo esencial, por la biología que muestra el mismo.[32-33]

Se han realizado diferentes estudios prospectivos que sugieren con fuerza la asociación entre determinados estados emocionales y la aparición de cáncer.

Uno de ellos[34] tuvo como propósito investigar longitudinalmente, si la depresión psicológica medida a través del MMPI podría asociarse con un incremento del riesgo de muerte por cáncer.

Después de iniciado el estudio se hizo un seguimiento a los 17 años con los individuos incluidos en este, los que fueron inicialmente sanos, de sexo masculino, con edades comprendidas entre 40 y 55 años y empleados por un tiempo no menor de 2 años en la Western Electric Company's Hawthorne Works. Los resultados permitieron confirmar la hipótesis sobre el carácter predictivo de la depresión y el incremento de riesgo de muerte por cáncer de distintos tipos en la muestra inicial. Dichos resultados fueron independientes del consumo de cigarrillos, del uso de alcohol, de la historia familiar de cáncer y del estatus ocupacional de los individuos estudiados. En la opinión de los autores de la investigación, la vía que vincula la depresión psicológica con el incremento de muerte por cáncer, parece estar dada por el deterioro de los mecanismos que previenen el establecimiento y la diseminación de las células malignas.

En un seguimiento posterior del mismo grupo de sujetos, realizado a los 20 años de iniciado el estudio,[34-35] se reportó:

1. Una significativa asociación entre los valores de la depresión psicológica y la incidencia de cáncer, a los 10 años de seguimiento.
2. Una asociación igualmente significativa entre la depresión psicológica y la mortalidad por cáncer a los 20 años.

Las dimensiones de la población estudiada no permitieron, sin embargo, detectar diferencias entre los diferentes tipos de cáncer diagnosticados.

Otro estudio de carácter prospectivo fue realizado en una población supuestamente sana de 2 264 personas de ambos sexos. Tuvo el propósito de determinar la posible asociación entre la depresión psicológica, caracterizada por sus autores en términos de "humor depresivo premórbido" y el desarrollo del cáncer.[36] A los 12 años de seguimiento, solo se encontró una ligera asociación entre la depresión y la aparición del cáncer en dicha población. Cuando esta variable psicológica se asoció con un alto nivel en el consumo de cigarrillos, mostró ser un factor de riesgo más fuerte con respecto a la aparición de la enfermedad.

Se valora que en estos hallazgos en apariencia tan contradictorios se involucran discrepancias metodológicas evidentes, como son: la utilización de distintos instrumentos de medición de la depresión, la utilización de períodos de seguimiento notablemente diferentes, entre otros. A lo anterior hay que añadir, la imposibilidad de establecer equivalencias entre los resultados obtenidos sobre la depresión con los referidos instrumentos.

Es interesante destacar, que en ninguno de los trabajos[36-38] a que se hace referencia, se establece ni siquiera implícitamente una clasificación de los tipos de depresión que de acuerdo con los resultados, en unos estudios, parecen promover la iniciación de neoplasias malignas y en el otro no demostraron ejercer influencia alguna con respecto a la aparición de enfermedad.

La definición operacional de la depresión psicológica, la utilización de criterios clasificatorios y la subsecuente clasificación, tanto de los distintos tipos de depresión, como especialmente de los efectos diferenciales de cada uno de ellos sobre el funcionamiento biológico del individuo, sin duda proporcionarían claridad, sobre el problema en análisis, tanto desde el punto de vista teórico como metodológico.

Resulta difícil aceptar la hipótesis, de que cualquier variante de depresión psicológica puede afectar por igual la economía, comprometer los mismos indicadores neuroendocrinos y hormonales en general, bioquímicos e inmunológicos en particular. Igualmente difícil resulta aceptar la existencia de una incondicional relación entre una depresión psicológica indiscriminada y la iniciación de diferentes tipos de cáncer.

Desde el punto de vista psicológico, tampoco puede ser asimilado el estudio de las consecuencias psicobiológicas de cualquier estresor que de forma directa o indirecta provoque o favorezca la aparición de una u otra modalidad de depresión psicológica sin tomar en cuenta un conjunto de variables. Dentro de estas deben ser destacadas por su importancia, la calidad de los afrontamientos del sujeto al estresor causal, condicionante o favorecedor de la depresión, y en especial la autoeficacia que el sujeto percibe en sus afrontamientos con la propia depresión.

Las valoraciones que el individuo realiza sobre la calidad del apoyo social que recibe, es otra de las variables psicosociales que parece actuar como mediadora de los efectos diferenciales que los distintos tipos de depresión por una parte, y los estresores psicosociales en general, pueden ejercer sobre el organismo.

Una serie de cuatro estudios prospectivos de gran valor,[7-8, 11] fueron iniciados varias décadas atrás, con individuos sanos y con el objetivo de estudiar la predisposición de la personalidad a enfermedades tales como el cáncer y la enfermedad arterial coronaria. Utilizaron períodos de seguimiento entre 10 y 20 años y arribaron a la conclusión de que existe un tipo de personalidad predispuesta al cáncer, llamada por ellos personalidad Tipo 1. Conceptualmente esta personalidad se caracteriza por reacciones de desamparo/desesperanza y depresión frente al estrés, las que involucran el fracaso de estos sujetos para enfrentarse con tales situaciones, así como una racional y antiemocional reacción depresiva frente a los eventos de la vida que normalmente producen en otros individuos emociones fuertes como la ira y el miedo.

Por su parte Eysenck[10-11] llegó a la conclusión de que los factores psicosociales y en particular la personalidad y el estrés son más importantes en el pronóstico del enfermo de cáncer que otros factores conductuales de riesgo, tales como la dieta y el hábito de fumar. Este autor basándose en los resultados de uno de sus estudios prospectivos, metodológicamente riguroso[11] el que incluyó un seguimiento de 10 años a personas en un inicio saludables, confirmó que las variables de personalidad son también mucho más predictivas de muerte por cáncer o por enfermedad cardiovascular que lo que resultó ser el hábito de fumar.

Estudios quasiprospectivo,[39] y prospectivos[40-41] parecen confirmar la existencia de una clara relación entre las características de personalidad y las patologías mamarias. Estas relaciones resultaron más relevantes entre las mujeres con enfermedad maligna de la mama. Desde el punto de vista psicológico, las enfermas de cáncer de la referida localización se caracterizaron por ser menos competitivas, menos apresuradas, menos ambiciosas, menos capaces de expresar sus sentimientos, más lentas o moderadas en su lenguaje, por ser, en resumen, significativamente menos Tipo "A", que el resto de las mujeres estudiadas. En general, se encontró que las mujeres con algunas de las enfermedades de la mama, y que fueron incluidas en este estudio, difirieron significativamente en los rasgos de personalidad de las mujeres saludables, aún después de realizado el ajuste por la edad, el que trajo consigo una discreta reducción de las diferencias.[37] Se comprobó[38-39] que las variables psicológicas tuvieron un impacto desfavorable, estadísticamente significativo, sobre el número total de linfocitos y de los subsets de estos.

En enfermos con melanomas malignos de piel se estudiaron una serie de variables psicosociales en relación con un conjunto de indicadores inmunológicos.[3] Se pudo corroborar que la demora en la búsqueda de atención médica fue la variable que correlacionó más positiva y significativamente con la severidad del tumor, definida en términos de grosor de este y de nivel de invasión. La demora fue definida como "... la inacción después que se observan síntomas sospechosos o un cambio de la lesión" por parte del individuo. Entre los hallazgos más significativos encontrados está la evidencia de que la tendencia del enfermo a suprimir la expresión de sus emociones podría ser asociado con una más rápida mitosis tumoral, peor infiltración linfocítica en el sitio del tumor y en general, con mayor gravedad de la enfermedad tumoral.

En el propio trabajo proponen Temoshok y colaboradores la definición operacional de la personalidad Tipo C o predispuesta al cáncer, la que de acuerdo con los referidos autores constituyen "... una constelación de (a) actitudes; (b) tendencias emocionales y cognitivas; (c) patrones expresivos verbales y no verbales; (d) estrategias de enfrentamiento específicas y (e) estilos de carácter más general".[3]

Estos individuos en términos conductuales podrían definirse como poco afirmativos, excesivamente cooperativos, con tendencias a suprimir la expresión de emociones negativas, en particular la ira, aceptan/complacen las autoridades externas, en una palabra, el polo opuesto de los individuos Tipo A. En el grupo estudiado se comprobó que los factores psicosociales y conductuales característicos de la constelación Tipo C en los sujetos menores de 55 años se asociaron más fuerte y significativamente con la severidad del tumor. Este hecho en el criterio de los autores del trabajo sugiere que los factores psicosociales y conductuales desempeñan en los individuos jóvenes, un rol de mayor trascendencia que en los individuos de mayor edad.

La tendencia a la supresión de las emociones, y particularmente de la ira, ha sido considerada como el componente nuclear o "tóxico" de la constelación Tipo C [3-6] así como un atributo esencialmente importante de la personalidad Tipo 1.[7, 11, 40]

Morris y colaboradores[41] compararon mujeres con antelación a ser sometidas a biopsias de mama. A una parte de estas posteriormente le fue diagnosticada enfermedad benigna de la mama y cáncer de mama a las restantes. Se comprobó mediante entrevistas estructuradas y escalas psicológicas que las mujeres incluidas en el último grupo reportaron menos sentimientos de ira o de pérdida del control sobre la ira con menor frecuencia, que las pacientes con enfermedad benigna de la mama. Esta *tendencia represiva* fue más ostensiblemente en las pacientes jóvenes que sufrían la enfermedad maligna. También se comprobó en este estudio que las enfermas de cáncer de mama muestran una significativa tendencia a suprimir la expresión de conductas neuróticas.

Uno de los ya conocidos trabajos iniciados por el Cancer Research Campaign Psychological Medical Group de Londres[42] se encaminó al estudio de posibles asociaciones sobre el control emocional, el ajuste mental al cáncer y los niveles de depresión y ansiedad, en mujeres quienes entre 1 y 3 meses anteriores habían sido diagnosticadas con enfermedad maligna de la mama. El estudio igualmente se dirigió a la aclaración de la existencia del vínculo teórico propuesto por Temoshok[4] entre el control emocional y el desamparo en estas enfermas.

El principal hallazgo de dicha investigación está dado por una fuerte asociación significativa entre la tendencia al control emocional y el fatalismo como respuesta comprobada a la enfermedad. También se encontraron asociaciones estadísticamente significativas entre el control de la ira y el desamparo, y entre el desamparo y el control de la ansiedad.

En lo concerniente a los vínculos entre el control emocional, el tipo de ajuste al cáncer y el nivel de morbilidad psicológica dado en términos de ansiedad y depresión, los resultados indicaron que las respuestas de "desamparo, fatalismo y preocupación ansiosa" relativas a la enfermedad se asociaron fuertemente con un mayor nivel de depresión y ansiedad, así como a un mayor control emocional.

Este conjunto de resultados en opinión de los realizadores del trabajo, parece confirmar la relación propuesta por Temoshok[4] entre el enfrentamiento característico de la constelación Tipo C y las respuestas psicológicas o ajuste mental a la enfermedad caracterizada bajo la rúbrica de "fatalismo y desamparo". Estas respuestas a su vez se relacionan con el incremento en los niveles de ansiedad y depresión en el grupo estudiado. Para resumir los hallazgos más relevante de este estudio debe señalarse que se encontraron correlaciones altamente significativas entre el grado de control emocional, el tipo de ajuste mental al cáncer tipificado en este trabajo por el fatalismo y el desamparo y los niveles de morbilidad psicológica.

Hasta fecha muy reciente[43] se han acumulado fuertes evidencias de que el afrontamiento llamado desamparo/desesperanza está asociado con desfavorables resultados del cáncer en pacientes que padecen determinados tipos de dicha enfermedad.

En 1994[44] se realizó una revisión crítica de los hallazgos positivos y negativos más significativos, relacionados con la participación de algunos factores psicosociales, en la iniciación y progresión del cáncer. Dentro de estos se incluyeron: determinados estados afectivos, estilos de enfrentamiento y de defensa, rasgos de personalidad y conductas ante eventos vitales estresantes. Los autores consideran que las serias limitaciones metodológicas de las investigaciones realizadas en el campo de la Psicooncología que sometieron a revisión, afectan la confiabilidad y validez de los resultados de las mismas. Finalmente arriban a la conclusión de que los factores psicosociales en comparación con otros factores de riesgo, solo pueden hacer una pequeña contribución en el proceso de iniciación de esta enfermedad.

En un intento por superar los problemas metodológicos presentes en algunas investigaciones psicooncológicas,[45] se realizó un estudio quasiprospectivos que tuvo como propósito esencial examinar la contribución de los factores psicosociales en la predicción del cáncer de mama. La muestra incluyó 1 052 mujeres clasificadas después del diagnóstico médico en cuatro grupos:

1. Enfermas de cáncer de mama.
2. En etapa precancerosa.
3. Enfermedad quística.
4. Mujeres libres de enfermedad.

La edad promedio fue de 53 años. Se controlaron diferentes variables demográficas además de la edad, así como un conjunto de variables psicosociales: eventos de la vida, afrontamiento al estrés, patrón de conducta Tipo A, el que tradicionalmente ha sido asociado con enfermedad arterial coronaria y la disponibilidad de apoyo social.

En el análisis de los resultados se destaca la ausencia de relaciones entre la edad y la prevalencia del cáncer de mama. La existencia de escasas relaciones significativas entre las variables psicosociales referidas y la clasificación diagnóstica de los sujetos, fue el hallazgo más relevante de este estudio. Tampoco se encontraron efectos significativos del afrontamiento del patrón de conducta Tipo A ni de la disponibilidad de apoyo social.

Las referidas variables no demostraron en este estudio tener una función mediadora, entre el total de eventos de la vida y la clasificación diagnóstica de los sujetos. En el trabajo se valora la posibilidad de que desviaciones metodológicas y diferencias conceptuales pueden haber influido en los resultados, sugiriendo la réplica del mismo por otros investigadores.

En contraste con los anteriores hallazgos, los mismos autores[46] en una investigación encaminada a explorar la incidencia y percepción del estrés psicosocial en mujeres con patologías mamarias de diferente severidad y en un grupo de control, libre de enfermedad, encontraron una correlación significativa entre la severidad de la enfermedad mamaria y la percepción por las pacientes de la gravedad de distintos eventos vitales, fundamentalmente la muerte del esposo o de un amigo muy cercano. En este último, en particular resultó relevante el incremento en la incidencia y en la mayor severidad con que valoraron las mujeres enfermas de cáncer de mama, la muerte de un allegado, en comparación con la incidencia y valoración dada a esta variable, tanto por las mujeres con otras enfermedades mamarias como por los controles sanos. Se encontraron también fuertes correlaciones entre el cáncer y la percepción del estrés.

Atraen la atención algunos de los trabajos anteriores, en especial por el hecho de que sus respectivos autores diseñaron los estudios a partir del Tipo A. En correspondencia brindan las conclusiones relativas a las características de personalidad en términos de conductas Tipo A y Tipo B. Estas conductas, como es sabido, tradicionalmente han sido involucradas en la aparición de enfermedad cardiovascular y en individuos saludables respectivamente.

La conducta Tipo A, de acuerdo con otros criterios [4, 9, 13-14] no solo no es compatible con la personalidad y conducta de los sujetos psicológicamente predispuestos al cáncer, sino que es, en esencia por completo opuesta.

Siguiendo esta línea de razonamiento pudiera preguntarse qué características de personalidad y conducta podrían ser esperadas en aquellos individuos que sufren tanto de enfermedad arterial coronaria como de algún tipo de neoplasia maligna.

Con frecuencia la aparición del cáncer ha sido asociada con cambios en el modo de vida, las costumbres, los hábitos alimentarios, entre otros.[47] De igual forma se piensa[6, 29] que el uso del cigarro, la ingestión de alcohol, la vida sexual promiscua, la exposición a radiaciones y a rayos ultravioletas, así como a determinados productos tóxicos en ocasiones directamente relacionados con un grupo de actividades laborales, la dieta, las conductas de dilación o demora en la búsqueda de atención ante una lesión sospechosa, constituyen factores de riesgo para la aparición y progresión del cáncer, con excepción de la demora en la búsqueda de atención, variable que solo parece participar en la progresión de la enfermedad.[29]

En otros trabajos[48] sustentados en los resultados de diferentes estudios se vincula al sistema nervioso central y la conducta caracterizada por excesiva inhibición en la aparición de enfermedades. Se concibe como premisa clave que el estrés interpersonal es el factor crucial que puede *activar* el proceso de enfermedad, tanto en el cáncer como en la enfermedad cardiovascular.

Existen numerosos estudios en los que se confirma que el estrés incrementa entre 50 y 60 % la probabilidad de muerte.[40] Aunque en este trabajo el autor no hace una aclaración de las características del estrés al que se refiere, a partir del estudio de su teoría se puede deducir que está haciendo referencia al estrés agudo.

En relación con el rol que se atribuye al estrés en la aparición del cáncer se considera que de igual forma que deben ser aceptadas las fuertes evidencias que existen con respecto a la influencia que este ejerce sobre la inmunidad, también debe aceptarse la no existencia de evidencias claras de que el estrés sea promotor de enfermedad en individuos no predispuestos.[49] Es por ello que se sugiere examinar los efectos del estrés teniendo en cuenta el estatus del organismo cuando la enfermedad se inicia. La sugerencia anterior está limitada por el obstáculo, de que al menos en los seres humanos, no es aún factible realizar el estudio del estado del organismo en el momento preciso en que una neoplasia maligna se inicia. Por las propias características del proceso de carcinogénesis es improbable determinar con exactitud la fecha de su comienzo en el hombre.

En un empeño por tratar de sistematizar los hallazgos tanto confirmatorios como contradictorios en relación con el vínculo entre los factores psicosociales y el cáncer[6] se discuten cinco variables psicosociales que en algunos estudios parecen asociarse con peores resultados evolutivos y de sobrevida en enfermos de cáncer. Estas variables son:

1. Depresión psicológica.
2. Desamparo/desesperanza.
3. Disminución o pérdida del soporte social.
4. Baja afectividad negativa.
5. Inexpresividad emocional.

El modelo teórico elaborado por estos autores, será objeto de análisis en el próximo acápite.

Como se señaló, Temoshok[4] propone también un modelo en el cual se considera que los resultados discrepantes de otros estudios pueden ser coherentemente integrados a partir de los procesos que incluyen tanto el estilo de enfrentamiento como la homeostasis psicológica y fisiológica. Analiza tres grupos principales de factores psicosociales en la progresión del cáncer:

1. El estilo de enfrentamiento Tipo C.
2. La dificultad en la expresión de las emociones.
3. La actitud o tendencia hacia el desamparo/desesperanza.

En el referido modelo teórico, cada uno de estos grupos de factores desempeña un papel fundamental en la iniciación y progresión del cáncer, "en diferentes momentos a lo largo de un continuo de adaptación". De acuerdo con la concepción anterior, como consecuencia de la predisposición genética del individuo y de los patrones de interacción familiar a que se ve sometido, el niño aprende determinadas formas de enfrentarse con amenazas inevitables e ineludibles y con los eventos traumáticos de la vida.

El estilo de enfrentamiento Tipo C, puede dentro de determinados límites resultar efectivo en tanto permite interacciones no conflictivas con las demás personas. El bloqueo crónico en la expresión de las necesidades y los sentimientos, por su parte, se piensa que ejerce tanto consecuencias psicológicas desfavorables para el sujeto como efectos biológicos negativos para el organismo. Por otra parte, los individuos Tipo C, aunque no resulten conscientemente reconocidos por ellos, son sujetos que experimentan desamparo/desesperanza crónicos, ya que consideran que no es útil expresar las necesidades, tampoco pueden hacerlo y se sienten incapaces de cambiar la situación.

El encuentro con las demandas provoca un incremento del estrés en el sujeto, el que a su vez fortalece y refuerza los mecanismos de enfrentamiento Tipo C. La depresión subsecuente, no es una respuesta a un evento específico, sino a la acumulación de las necesidades y sentimientos que no son expresados y que no pueden ser adecuadamente tratados por el individuo.

"El patrón Tipo C, como todo patrón maladaptativo aprendido, constituye una desviación de la homeostasis en la que los sistemas biológicos fracasan en el reconocimiento, en la respuesta adecuada y en la solución a los estresores. Esto trae como consecuencia que las respuestas fisiológicas de estrés se mantengan crónicamente comprometidas con el subsecuente daño a largo plazo para los sistemas biológicos implicados."[5] Esta interpretación realizada por Temoshok sobre cómo influye el patrón Tipo C sobre los resultados de salud es consistente con los hallazgos del programa de investigación realizado por la autora por espacio de 20 años sobre el referido patrón. En el trabajo de referencia se destaca igualmente la asociación del patrón Tipo C con peores resultados e indicadores de salud en el cáncer, en el caso específico de melanomas malignos así como en el HIV y en el SIDA.

Sobre la base de sus propios estudios y de los trabajos realizados por otros investigadores, Levy[50] propone una tríada de variables psicosociales, las que en su concepción constituyen los principales factores de riesgo de la enfermedad en general y en particular del cáncer. Estas variables son: el inadecuado apoyo social percibido por el paciente, el desamparo cognitivamente elaborado y la inadecuada expresión de las emociones negativas. La calidad del apoyo social, resulta el factor esencial en el modelo teórico de esta autora[51] siendo compartido esta consideración teórica por otros investigadores[52] en este campo.

En estos trabajos se valora que la percepción del apoyo social por el individuo puede constituir un factor predisponente con respecto a la aparición de enfermedad. La calidad del apoyo percibido ejerce influencia directa, favorable o no sobre la autoestima, y puede además por sí mismo constituir una fuente de distrés emocional intensa para el individuo.

Una valoración igualmente generalizadora en relación con el rol que parecen desempeñar los factores psicosociales en la carcinogénesis, aparece en uno de los trabajos de Grossarth-Maticek y Eysenck.[9] Ambos autores realizaron un estudio prospectivo con sujetos sanos, dirigido a comprobar el valor predictivo de la acción sinérgica de cuatro factores de riesgo con respecto a la aparición de cáncer de pulmón y que incluyó un seguimiento de más de una década. Los factores implicados fueron:

1. Hábito de fumar —más de veinte cigarrillos diarios por más de veinte años.
2. Herencia —por lo menos un familiar de primera línea de afiliación con cáncer de pulmón.
3. Padecimiento de bronquitis crónica.
4. Estar sometido a estrés.

Al concluir el seguimiento de 13 años se obtuvieron los siguientes resultados validados estadísticamente y no atribuibles al azar:

1. Ninguno de los sujetos con un solo factor de riesgo al inicio del estudio falleció de la referida enfermedad.
2. Aproximadamente el 1% de los individuos que inicialmente tenían dos factores de riesgo, falleció a consecuencia del cáncer de pulmón.
3. Entre el 7,6 % y 9,8 % hasta el 20 % de los sujetos con tres factores de riesgo falleció de la enfermedad en cuestión.
4. El 31% de los sujetos que inicialmente tenían los cuatro factores de riesgo, falleció a consecuencia del cáncer de pulmón.

A partir de estos hallazgos los autores sustentan que en la aparición del cáncer de pulmón, los factores de riesgo ejercen un efecto multiplicativo, sinérgico y no aditivo. Resulta igualmente importante, el énfasis que colocan en la necesidad de desarrollar una teoría multifactorial en el estudio de la carcinogénesis que tenga en cuenta la diversidad de factores de riesgo que por acción sinérgica multiplican la predisposición al cáncer.

Al analizar las tipologías de la personalidad aquí expuestas, las que en opinión de sus autores predisponen al cáncer, se destaca una tendencia a la convergencia de estas, fundamentalmente en un rasgo de personalidad común y característico: la inexpresividad emocional del sujeto, en particular con relación a las emociones negativas como el miedo y la ira.

No obstante reconocer el mérito de los modelos tipológicos antes referidos, detrás de los cuales se acumulan numerosos años de trabajo, estudio, investigación y esfuerzo personal de sus creadores, se valora que toda tipología constituye solo un modelo idealmente aproximado, una reproducción ideal y generalizadora de un conjunto de fenómenos reales que se esquematizan dentro de ese modelo. En oposición, la personalidad, siendo un fenómeno real, vivo, único, individual e irrepetible en su comportamiento y expresión concreta, escapa a cualquier tipología.

Se concibe que determinados factores psicosociales, en integración con factores genéticos y ambientales, pueden en mayor o menor medida predisponer o no a un individuo a las enfermedades. Dentro de estos factores, los de mayor relevancia resultarían, por una parte, el estilo personal, habitual o cotidiano del individuo de encarar la realidad o más exactamente sus mecanismos de afrontamiento a las demandas.

Por otra parte y en especial, la autoeficacia que percibe en estos enfrentamientos, en el logro del control sobre determinados eventos y sobre las direcciones más esenciales de su propia existencia, así como la valoración personal que realiza del soporte social que recibe y brinda a las personas emocionalmente íntimas a él, constituyen variables de importancia en el análisis de la predisposición a las enfermedades.

Las variables psicosociales participan necesariamente en la iniciación y progresión de las enfermedades en general, y en particular del cáncer en los seres humanos, aunque los mecanismos psicobiológicos sustentativos de este compromiso no sean aún conocidos con exactitud. Dichas variables están presentes como condición necesaria en la dialéctica salud-enfermedad, puesto que esta unidad recibe la influencia directa de esa individualidad que la personalidad representa. En el propio proceso está incluido el impacto indirecto de la personalidad, mediante la regulación del estilo individual de vida y su propia autorregulación en mayor o menor congruencia con este.

En la concepción de este trabajo, la iniciación y progresión del cáncer podrían estar ligadas, bajo determinadas circunstancias, con el desamparo/desesperanza cognitivamente elaborados y emocionalmente asociados a una insuficiente expresividad emocional. Este desamparo/desesperanza y la represión emocional —no freudiana— que a él se asocia no son considerados en calidad de rasgos o características tipos, fijados a una personalidad determinada.

Ellos forman el núcleo esencial de un afrontamiento que no tiene que ser exclusivo de una personalidad específica ni excluyente de otros, que pueden ser al mismo tiempo utilizados por el sujeto. Esta variante de afrontamiento que puede ser más o menos generalizada y abarcadora, no excluye otras variantes simultáneamente habituales y con similar nivel de generalidad en relación con otras esferas de la vida. Estas podrían en su momento actuar como facilitadoras o protectoras en relación con otras enfermedades.

El desamparo/desesperanza, al mismo tiempo que es como todo afrontamiento, expresión de la individualidad, influye sobre esta, y es influido por los diferentes factores biológicos y psicosociales que forman parte esencial de la individualidad en el hombre.

Esta integración "biopsicosocial" al particularizarse en un individuo concreto puede llegar a constituir un importante factor de riesgo. La misma es capaz de inducir cambios en el organismo y aumentar la vulnerabilidad y susceptibilidad del sujeto directamente, así como también potenciar su efecto por sinergismo con otros factores.

Factores psicosociales y epidemiología del cáncer

El creciente desarrollo de la psiconeuroendocrinoinmunología moderna, la incesante recopilación de hechos y la construcción de un cimiento empírico cada vez más sólido en el campo de la Oncología Psicosocial, sustentan y permiten la sistematización de evidencias epidemiológicas que corroboran el valor predictivo de determinados factores psicosociales con relación a la iniciación y curso del cáncer.

Como anteriormente fue señalado, numerosos autores de diferentes latitudes invocan al estrés, el afrontamiento a la enfermedad, la depresión y la personalidad Tipo C en el inicio y en el curso del cáncer o en ambos procesos por la vía de su influencia sobre la inmunidad.[53]

En otros trabajos[54] se señala que la alexitimia o represión de la ira, la falta de apoyo social, la ansiedad crónica, la depresión, el afrontamiento racional/antiemocional y los eventos vitales severos constituyen fuertes predictores del cáncer de diferente localización y en particular del cáncer de mama.

Por otra parte, desde hace algunos años la epidemiología del cáncer, en lo que a variables psicosociales se refiere, ha venido obteniendo en el campo de la investigación, ya sea cuantitativa como cualitativa, fuertes evidencias del papel de las creencias y atribuciones sobre el cáncer en calidad de favorecedores de la aparición de las características psicológicas de la llamada personalidad predispuesta a esta enfermedad. En un estudio[55] con enfermos de cáncer de pulmón se concluyó que al menos algunos importantes rasgos característicos de la personalidad predispuesta al cáncer son una consecuencia de que las personas aún sin habérsele realizado un diagnóstico previo están convencidas de que sufren la misma. Este proceso que podría ser abordado en calidad de una manifestación colateral y subclínica de la denominada por Holland y Massie "cancerofobia"[56] constituye justamente expresión del afrontamiento del sujeto a la creencia de que está enfermo de cáncer, y de la atribución de su enfermedad a características psicológicas específicas. En estos individuos se generan ajustes patológicos a estas atribuciones no menos patológicas, los que fundamentalmente se realizan mediante afrontamientos depresivos y de desesperanza.

El valor de las atribuciones respecto a la salud y a la enfermedad ha sido abordada también en la literatura, y aún cuando ha formado parte del contenido de algunas novelas, no por ello resulta menos plausible y realística. Recuérdese como el "hombre hemostático" que aparece en la conocida novela *Sinuhé el egipcio*[57] al él atribuirse su muerte por decapitación, en el acto del simulacro de la misma, cayó muerto, sin otra razón que la propia atribución de la consecuencia del acto del verdugo dirigido contra su integridad física. Un ejemplo similar tomado de una obra de Antón Chéjov aparece en la obra *Actividad, conciencia, personalidad* del reconocido autor ruso A. N. Leontiev.[58]

Aún cuando se requieren más estudios en esta dirección, el papel de las creencias y las atribuciones en la psicogénesis y epidemiología del cáncer, constituye una perspectiva altamente sugestiva para la programación y desarrollo de acciones tanto educativas como psicoterapéuticas que contribuyan a revertir el nocivo potencial racional y afectivo intrapsicológico que sustenta la creencia.

En relación con lo expresado debe subrayarse que la significación adscrita al cáncer en tanto enfermedad socialmente estigmatizante, rebasa los límites de la identidad personal, de la imagen corporal percibida y de la autovaloración. La significación y las atribuciones respecto al cáncer como realidad individual, aunque socialmente construidas, reciben una fuerte influencia de las interpretaciones relacionadas con la competencia social en un medio percibido o apercibido como psicológicamente hostigante.[59]

La construcción social del cáncer y muy en particular del cáncer de mama,[60] modela y condiciona la manera en que la persona percibe su enfermedad, toma decisiones con respecto a las opciones de tratamientos oncoespecíficos, así como elabora sus estrategias de afrontamiento a la enfermedad y a las implicaciones sociales, familiares e intrapersonales de esta.[61]

En 1972 se reporta por primera vez en el *Index Medicus* el concepto estilo de vida, incluyéndose en la extensión de dicho concepto aquellos comportamientos específicos de los seres humanos asociados a un mayor o menor riesgo para contraer enfermedades y sufrir accidentes, incluyendo aquellos que resultan letales.

El análisis del papel de los estilos de vida en la prevención primaria de algunas enfermedades crónicas no transmisibles, y en particular del cáncer, condujo muy acertadamente a Bayés a la elaboración del criterio,[62] y a la reelaboración posterior del mismo[63] de que "...el elemento carcinógeno más importante que se encuentra prácticamente en la base de todos los demás es el comportamiento en gran parte irresponsable del hombre".

De acuerdo con esto, resultan de vital importancia las técnicas encaminadas a la modificación de conductas y a la transformación y remodelación de comportamientos integrantes de los patrones y estilos de vida. En estos aspectos la Psicología puede y debe intervenir en función de su contribución en la prevención primaria del cáncer.[64]

En el país se concluyó un estudio sobre estilos de vida, el que forma parte del proyecto de investigación del Instituto Nacional de Oncología y Radiobiología, encaminado a la evaluación de la eficacia de una estrategia basada en métodos educativos para desarrollar conductas promotoras y preventivas en la lucha contra el cáncer.[65] En este trabajo se toma como uno de los puntos de partida el concepto de "promoción de salud" propuesto en la Carta de Ottawa en 1986, en el que se precisa que la promoción de salud consiste precisamente en proporcionar a los pueblos los medios necesarios para mejorar la salud y ejercer un mayor control sobre los factores conductuales nocivos. Este concepto acentúa el valor de los recursos sociales y personales en las conductas promotoras de salud, entendidas como aquellos comportamientos cuyo objeto es el incremento del nivel de bienestar y autorrealización.[66] Visto desde esta óptica la promoción de salud, es considerada por algunos autores[67] como "la modificación general en el estilo de vida que conduce a la prevención de enfermedades".

Bárbara Andersen[68] considera que los comportamientos alimentarios, las conductas de exposición a los riesgos del tabaco, alcohol, conductas sexuales promiscuas, y al estrés psicosocial constituyen factores del estilo de vida que se relacionan con la promoción de salud. Apoyando el anterior criterio, desde hace varias décadas,[28-29] tradicionalmente han sido consideradas como facilitadoras de la iniciación del cáncer además de las conductas antes mencionadas la dieta rica en grasas y pobre en fibras, la obesidad, la exposición al sol durante períodos y horarios inapropiados, la promiscuidad sexual, la utilización de una misma aguja hipodérmica por diferentes personas, en el caso de los adictos a sustancias que son autoadministradas por esta vía.

En el caso específico del cáncer de mama con excepción de la dieta, no se ha podido aún corroborar con total certeza la existencia de un vínculo estable entre los sistemas de actividades inherentes a los estilos de vida insanos y el riesgo de desarrollar cáncer. En el caso del tabaquismo sin embargo "el riesgo parece ser mayor para las mujeres, ya que hace perder la protección estrogénica en las mujeres premenopáusicas".[68] El sedentarismo es una conducta de riesgo de alta incidencia en la población, la cual incrementa el riesgo de enfermedades cardiovasculares, del cáncer, diabetes mellitus, obesidad y ha sido considerada al mismo tiempo una consecuencia de algunas enfermedades y trastornos mentales, entre ellos la depresión psicológica.

En oposición a los efectos comprobados del sedentarismo, se ha demostrado en diferentes estudios el valor del ejercicio físico en el mejoramiento de la capacidad funcional y la calidad de vida de los enfermos en general y de los oncológicos en particular,[69] e igualmente su carácter preventivo en la reducción de la mortalidad por cáncer y enfermedades cardiovasculares.[70]

Como es conocido, existen estilos de vida y comportamientos saludables que favorecen el autocontrol del individuo y la responsabilidad de este con su salud. El desarrollo y adopción de estos comportamientos que con frecuencia demandan cambios en el estilo individual de vida, requieren la movilización de los componentes intelectuales, valorativos, emocionales, motivacionales y actitudinales del individuo[66] así como la armonización de los cambios comportamentales que el individuo ha de realizar con sus sistemas de creencias y de valores y con los de los grupos significativos con los que ha establecido vínculos de pertenencia y con los que en mayor o menor grado interactúa.

De acuerdo con lo expresado por Rodríguez Marín,[71] en los últimos 25 años se han propuesto numerosos modelos de comportamientos saludables, los que difieren por su enfoque teórico y por el tipo de conducta de salud a que va dirigido. Se hará referencia a algunos de estos modelos, con los que se ha tratado de desarrollar conductas saludables las que por su propia condición disminuyen el riesgo de contraer cáncer.

A continuación se realizará una síntesis de algunos de los aspectos esenciales que identifican los modelos tradicionales, así llamados por estar focalizados en la utilización de la información y de los aspectos cognitivos en general, como elementos determinantes y más relevantes en la determinación del comportamiento humano y por lo tanto en el cambio de conducta.

Modelo de creencias de salud

Encuentra sustento teórico en concepciones psicológicas bien establecidas como la Teoría del campo social de Lewin, Teoría del valor esperado y la Teoría de la toma de decisiones en situaciones de incertidumbre, entre las más relevantes. Se considera apropiado para explicar fundamentalmente conductas preventivas, pero no promocionales, lo que puede ser evaluado como una limitación en su alcance.

Teoría de la acción razonada

Parte del supuesto lógico que toda persona antes de tomar decisiones respecto a la realización de sus conductas evalúa previamente las consecuencias de sus acciones.

Una de las críticas que se le realiza, al parecer fundamentada, es que no se toma suficientemente en cuenta variables tan determinantes como son las características de personalidad, las características sociodemográficas, el rol social y el estatus. Considera dichas variables en calidad de factores externos, en lugar de evaluar la naturaleza consustancial de las mismas a la ejecución de las conductas.

Teoría de la acción social

Concibe al sujeto como un sistema autorregulado que intenta alcanzar objetivos y que a su vez dispone de un sistema de retroalimentación que posibilita el tránsito de todo el proceso por diferentes momentos. Se le señala en calidad de crítica el no explicar suficientemente todo el diapasón de variabilidad del comportamiento humano, así como el aporte en esta variabilidad a los procesos motivacionales.

Con posterioridad a la elaboración de estos modelos teóricos, con énfasis en el carácter impulsor de lo cognitivo en la conducta, fueron desarrollados los llamados modelos por etapas, siendo los más conocidos: el Modelo transteórico de Prochascka y DiClemente[72] y el Modelo del proceso de adopción de precauciones de Weinstein.[73]

El Modelo transteórico toma como punto de partida la concepción de que el cambio se produce a través de una serie de etapas más o menos fijas, con características propias y que el paso de una etapa a otra se da a través de un proceso de aprendizaje. Las etapas incluidas son:

1. *Precontemplación*: no consciencia de necesidad del cambio, por lo que el cambio no es visto como objetivo de la actividad del sujeto.
2. *Contemplación*: el sujeto toma consciencia del problema y se preocupa por comprender este, así como sus determinantes y posibles soluciones.
3. *Preparación*: hay toma de decisión respecto al problema y se inician algunos ajustes conductuales de carácter preparatorio para el período referido al futuro cercano.
4. *Mantenimiento*: el sujeto se traza dos objetivos fundamentales, a saber: lograr la perdurabilidad de los logros y asociado con este objetivo: evitar recaídas.
5. *Recaída*: se presenta acompañada de la percepción de frustración, incompetencia, incapacidad, culpabilidad y desesperanza y requiere de esfuerzos del individuo para ser superada.
6. *Terminación*: instauración definitiva de conductas favorecedoras de la salud, sin requerir de un monitoreo constante por parte del sujeto para evitar las recaídas.

El Modelo de proceso de adopción de precauciones[73] consta de siete etapas o fases separadas, siendo cada una prerrequisito para la siguiente. Trata de explicar cómo se adquiere el comportamiento saludable a través de etapas, los obstáculos y acciones para superarlos. Las etapas son:

1. Hay desconocimiento por el sujeto de las conductas de riesgo.
2. Aunque hay conocimiento del problema, no hay aún un proceso de reflexión y toma de decisión respecto al riesgo y la precaución.
3. Se caracteriza por indecisión respecto a la realización de acciones.
4. Se produce la toma de decisión de no actuar y no adoptar la precaución. Esta decisión se sustenta en la existencia de barreras perceptuales.
5. Se produce toma de decisión respecto a la realización de la acción para la adopción de la precaución.

6. Se da inicio a la acción que permite la adopción de precaución.
7. Se caracteriza por el mantenimiento de la acción saludable.

En las teorías por etapas, la instauración de los comportamientos saludables o proclives a la salud, el modelado del comportamiento está diseñado de forma tal que el sujeto debe transitar por un proceso activo en el que deberá ir superando los obstáculos reales, perceptuales o ambos, para lograr la instauración definitiva de la conducta deseada. Las acciones y objetivos correspondientes en su conjunto funcionan como una dinámica reacción en cadena, en la que la terminación de un paso constituye el estímulo para el desencadenamiento del siguiente. Esto facilita desde el inicio el tránsito a la conducta final esperada que se desea instaurar.[65]

Otra de las variables psicosociales considerada como un factor de riesgo en el caso de las neoplasias malignas es la referida al ambiente social. Esta variable operacionalmente se expresa en un determinado número de indicadores, a los que solo se hará una referencia limitada.

En los países desarrollados y en la casi totalidad de los países del tercer mundo, el insuficiente ingreso económico condiciona que el individuo, además de sufrir déficits nutricionales, padezca de estrés crónico y tenga al mismo tiempo un menor acceso a los servicios de salud. Este bajo estatus socioeconómico es un factor de riesgo de múltiples aristas, no solo con relación al cáncer sino también con respecto a otras enfermedades. En otros trabajos se señalan las minorías étnicas como grupos igualmente de riesgo tanto para el cáncer como para otras enfermedades crónico-degenerativas.[74]

La desorganización social que conduce a pobres vínculos afectivos de apoyo social, a la ausencia de carácter agudo o crónico de apoyo emocional, instrumental, financiero o de todos los citados, ha sido reportada como un predictor de la aparición del cáncer. En particular la calidad del apoyo social percibido se asocia a una mayor vulnerabilidad al estrés y por esta vía al menos hipotéticamente, podría asociarse a una mayor vulnerabilidad a dicha enfermedad.[50]

La mente y el sistema inmune: algunas evidencias de sus posibles relaciones

Aunque el término Psiconeuroinmunología fue acuñado en los primeros años de la década de los sesentas del pasado siglo, desde

1918 como consecuencia del descubrimiento de los reflejos condicionados, se pudo conocer que la actividad psíquica influye sobre los fenómenos inmunológicos.

En los años veintes algunos investigadores demostraron alteraciones de la inmunidad en ciertas enfermedades mentales. Durante la década de los cincuentas se logró establecer una clara relación entre el funcionamiento del cerebro, el sistema endrocrino y la función inmune. Ya a partir de 1964 Solomon y Moos quedaron sentados muchos de los principios fundamentales de esta ciencia, que han sido posteriormente desarrollados (citado en 75).

La Psiconeuroinmunología, tiene como objeto[12, 75] el estudio de las influencias que ejerce la personalidad, el distres, las emociones y los procesos de defensa y afrontamiento de la personalidad al estrés, sobre las enfermedades asociadas con alguna "aberración inmunológica", como las alérgicas y las autoinmunes y que en consecuencia son consideras "enfermedades mediadas inmunológicamente". Esta ciencia también se ocupa de los efectos de las referidas variables psicosociales sobre las enfermedades que son "rechazadas inmunológicamente" como las infecciosas y las neoplasias", y el SIDA el que es considerado como un trastorno que es "inmunológicamente rechazado, al mismo tiempo que mediado inmunológicamente".

La Psiconeuroinmunología está también comprometida con el estudio e investigación del rol que asume el sistema nervioso central en la modulación del sistema inmune y con el descubrimiento de los mecanismos que intervienen en las interacciones bidireccionales del sistema nervioso central y del sistema inmune,[76-80] así como las implicaciones de los vínculos para la salud física y la enfermedad. Las interrelaciones entre el sistema neuroendocrino y el sistema inmune han encontrado sustento bioquímico en diferentes investigaciones animales y humanas.[79-80]

Otro pionero de la Psiconeuroinmunología, Blalock[81] basándose en "la demostración de las señales, de los receptores y de las funciones comunes de los péptidos fundamentó tanto lógica como bioquímicamente las interrelaciones entre ambos sistemas". Con posterioridad se ha valorado cada vez con más fuerza, el rol que los neuropéptidos parecen desempeñar en la comunicación bidireccional que a partir de las evidencias ya referidas y de otras, se acepta, existe entre el cerebro y el sistema inmune. Estos hallazgos,[82] sustentan desde el punto de vista bioquímico, los estudios tanto "clínicos como epidemiológicos" que sugieren que los factores psicosociales pueden modular la respuesta a las infecciones y a las neoplasias.

Los estudios realizados en este campo, según el criterio de diferentes investigadores, demuestran de manera irrefutable la mediación psicológica de la respuesta fisiológica al estrés en los seres humanos,[83] así como las relaciones entre la mente y los sistemas nervioso, endocrino e inmune.[21, 23, 75-76, 84-85]

Estas constituyen algunas de las premisas básicas para el análisis posterior de la supuesta conexión entre la mente y el sistema inmune por una parte, y entre la iniciación y progresión del cáncer por otra.

George Freeman Solomon, uno de los fundadores de la Psiconeuroinmunología, ha realizado un gran número de trabajos experimentales encaminados a comparar la respuesta de diferentes indicadores de la inmunidad en los seres humanos en condiciones de estrés. En varios estudios,[20, 22] contrastó la actividad de jóvenes atletas, con la de personas de mayor edad y con la actividad de enfermos de SIDA, y demostró que el ejercicio físico en calidad de estresor parece tener un efecto incrementador sobre los niveles de actividad de las células Natural Killer (NK), tanto en los atletas jóvenes, como en las personas mayores y "probablemente" en los enfermos de SIDA. Estudios posteriores[84] parecen corroborar estos hallazgos en sobrevivientes de cáncer y de SIDA.

En otros trabajos se confirman los resultados referidos.[86, 87] Estos hallazgos resultan opuestos a los encontrados[88] al estudiar en condiciones de laboratorio la respuesta inmunológica de un grupo de mujeres de edad avanzada (65 a 85 años) a un estresor psicológico agudo. Las mujeres jóvenes mostraron frente al estresor psicológico cambios inmunológicos breves y de ocurrencia rápida, tales como incremento de la actividad citotóxica de las células Natural Killer (NK), así como en el número de células T (CD8 supresoras/células T citotóxicas) a continuación de la exposición a un estresor mental. El mismo consistió en un examen de aritmética de 12 minutos de duración. Las mujeres de mayor edad, por el contrario, no mostraron incremento de la actividad de las células Natural Killer (NK), y los cambios ocurridos en los restantes parámetros inmunológicos fueron similares a los que presentaron las mujeres más jóvenes.

En la valoración de los autores del trabajo descrito, la ausencia de modificaciones en la actividad del referido indicador inmune frente al estresor psicológico en las mujeres más viejas indica que la movilización y actividad citolítica de este tipo de células puede ser afectada por el estrés. En particular sugieren la posibilidad de un déficit en la regulación de la actividad funcional de las células Natural Killer (NK) en condiciones de demanda ambiental, asociada con la edad.

Es evidente que el ejercicio físico es un estresor esencialmente diferente del mental, consistente en un examen académico aplicado a uno de los grupos. Es lógico esperar que estresores diferentes puedan provocar, favorecer o facilitar respuestas psicobiológicas distintas y es por ello que en la interpretación de estos hallazgos debe tenerse en cuenta las notables discrepancias entre los estresores utilizados.

Estas diferencias podrían de alguna forma condicionar la aparición de respuestas inmunológicamente distintas en el grupo de sujetos de mayor edad estudiado. Respuestas similares han sido encontradas en estudios más recientes realizados en el campo de la Oncología Geriátrica.[89]

Con frecuencia se han señalado las consecuencias del estrés tanto agudo como crónico sobre la inmunidad.[90] Estos efectos que acompañan la desorganización social, la depresión psicológica, así como ciertos patrones de personalidad y de su enfrentamiento a los estresores, han sido consistentemente adversos sobre la respuesta inmune, es presumible que —explica la referida autora— mediante la activación diferencial de los sistemas fisiológicos del estrés.

Las repercusiones del estrés sobre la salud y en particular sobre los sistemas biológicos responsables de la salud y de la enfermedad, innegablemente están influidas por el tipo de estresor, la intensidad de este, la durabilidad de su acción, su carácter agudo o crónico, su ambigüedad y por la frecuencia con que este actúa, entre otros factores.

No obstante, estas repercusiones están esencial y definitivamente condicionadas por:

1. La significación personal que el estresor tiene para el sujeto.
2. Por el grado de control que el individuo ejerce sobre dicho estresor y por la valoración que realiza de su propia eficacia en el control de este.
3. Por la percepción del apoyo social de que dispone en su afrontamiento con los estresores.

Una de las evidencias que parece demostrar la modulación psicosocial del sistema inmune fue encontrada al investigar los efectos inmunológicos de un estresor psicológico común en estudiantes de medicina: los exámenes.[91] Se comprobó que dicho estresor psicológico tuvo notables efectos inmunosupresivos, expresados en términos de disminución en la producción de interferón y en consecuencia, de la disminución tanto del número total de células Natural Killer (NK) como de la actividad citolítica de las mismas. De igual forma fue comprobado, un decrecimiento de la reactividad de los linfocitos T a un mitógeno (concanavalín A, ConA), más bajos porcentajes de dos subpoblaciones de células T (de ayuda y supresoras), así como más bajos porcentajes en el total de linfocitos T.

En este trabajo se pudo mostrar que los cambios producidos en el funcionamiento inmune por la acción de un estresor psicosocial agudo, no fueron atribuibles a la presencia de artefactos introducidos por variaciones nutricionales o del sueño, ni tampoco a infecciones u otros factores que pudieran estar afectando la muestra. Estos y otros hallazgos[92-94] podrían aportar elementos de especial significación con respecto tanto a la preservación de la salud, como con relación a la prevención y tratamiento de las enfermedades infecciosas y el cáncer.

Los resultados obtenidos en un estudio con enfermos de SIDA, artritis reumatoide y otras enfermedades autoinmunes[95, 96] permitieron caracterizar, desde el punto de vista psicológico, a estos enfermos como individuos con una marcada tendencia e interés especial por la práctica de deportes y de actividades competitivas, en particular en el período previo a la enfermedad. En el primero de estos trabajos, Solomon y colaboradores sugieren la existencia de una correlación positiva entre la referida enfermedad y determinadas características psíquicas de los enfermos. Textualmente el autor expresa: "... son sujetos que tratan con la tensión defensiva mediante variados grados de sobreactividad, descargan la agresividad mediante la actividad muscular; muestran un interés intenso en los deportes y actividades competitivas; experimentan fantasías agresivas, además de exhibir una inusual necesidad de actividad". También se encontraron en estos estudios correlaciones entre dos moduladores de la actividad de las células Natural Killer (NK) (betaendorfinas e interleucina IL-2), el incremento de la actividad del referido efector y los patrones de personalidad y afrontamiento conocidos como "hardiness".[27] Estos patrones de personalidad y enfrentamiento al estrés incluyen rasgos de responsabilidad para con la propia vida, de control y desafío ante los estresores, y parecen servir de amortiguadores contra los efectos nocivos de los eventos vitales estresantes en la aparición de enfermedad. En este trabajo se asume que el aumento en la actividad del mencionado indicador inmunológico, en sujetos con el patrón "hardiness", podría mediar más fuertemente la vigilancia contra la malignidad y las enfermedades infecciosas en estos individuos. Este patrón de personalidad al correlacionar positivamente con el incremento en la actividad de lisis de las células Natural Killer (NK) hace a los sujetos menos vulnerables y más resistentes a las enfermedades.

A partir del análisis de las evidencias que sustentan las relaciones recíprocas entre los factores psicosociales y el sistema inmune, Solomon[96] propone la existencia de un patrón de personalidad predispuesta a la inmunosupresión, y al propio tiempo ratifica que los individuos que muestran este patrón de personalidad y de afrontamiento son más vulnerables a las influencias inmunosupresivas que sobre ellos ejercen tanto los factores psicosociales, tales como el estrés, como los factores biológicos y en particular las infecciones virales. Se señala como características psicológica más relevante de tales sujetos, el desconocimiento, al mismo tiempo que la incapacidad para expresar sus emociones, particularmente las emociones negativas.

En una de las investigaciones realizadas[97] con adultos jóvenes, los resultados estadísticamente confirmados demostraron que tanto la edad, como la valoración cognitiva desfavorable que hace el sujeto de los estresores ambientales percibidos como amenazantes, provocaron en los individuos identificados con las anteriores características de personalidad, una "persistentemente baja actividad de las células Natural Killer (NK)". Resulta de interés destacar que en este trabajo, se pudo comprobar la existencia de un vínculo causal entre el patrón de personalidad predispuesto a la inmunosupresión y un determinado nivel de funcionamiento del referido efector inmune.

Desde hace varios años se ha venido asociando el llamado Síndrome de Motivo de Poder Inhibido y Estresado y el Síndrome de Poder Estresado[98, 99] con determinados efectos inmunosupresivos, a partir de la influencia que dicho síndrome motivacional ejerce sobre uno de los indicadores de la inmunidad humoral: la concentración de inmunoglobulina A (IgA) en la saliva.

En el primero de los trabajos McClelland y colaboradores establecen que los hallazgos obtenidos en estudiantes del sexo masculino, son consistentes con la hipótesis de que una fuerte motivación de poder, si es inhibida, y si el sujeto está sometido a estrés por eventos diarios, conduce a una sobreactivación simpático crónica. Dicha sobreactivación provoca efectos inmunosupresivos, que podrían explicar por qué los sujetos caracterizados por el referido síndrome motivacional son más susceptibles a contraer enfermedades más severas y a mostrar más alta actividad simpática en condiciones de estrés suave.

De acuerdo con los resultados obtenidos,[99] el Síndrome de Motivo de Poder Estresado —como definitivamente fue llamado—, puede considerarse como un factor de riesgo predisponente tanto a la hipertensión arterial como al cáncer. Esta última aseveración, conceptualmente consistente, en el contexto de la teoría de McClelland, resulta contradictoria con las posiciones teóricas y los hallazgos de otros investigadores,[6, 8, 9] quienes aseveran que los patrones de personalidad que predisponen al cáncer y los que predisponen a la enfermedad arterial coronaria, son esencialmente diferentes así como difícilmente compatibles.

Existen fuertes evidencias que permiten sustentar la idea de que los factores psicosociales pueden influir sobre varios parámetros del funcionamiento inmune en los seres humanos. En dicho estudio fueron corroboradas las hipótesis iniciales. El llamado Síndrome de Motivación de Poder Estresado no solo influye sobre las concentraciones de inmunoglobulina A salival, sino que también se asocia con una disminución significativa de la actividad de las células Natural Killer (NK).[100-101]

Una conclusión de interés puede ser realizada a partir de los hallazgos de este estudio, consistente en que esta disminución en la actividad de las células Natural Killer (NK), no puede ser explicada únicamente como una consecuencia del estrés. Los sujetos con el referido síndrome motivacional mostraron más baja actividad funcional del efector inmune mencionado, que los sujetos con los que fueron pareados, los que igualmente experimentaron alto estrés, pero que no presentaban este síndrome motivacional.

Los resultados de este estudio, parecen apoyar la hipótesis con respecto a la modulación diferencial de las variables psicosociales sobre algunos indicadores de la inmunidad en el hombre.

Otra prueba de ello lo constituye un estudio[102] realizado con una muestra de enfermos de SIDA del sexo masculino, con el objetivo de explorar las relaciones entre la reactividad autonómica, el colesterol sérico, varios parámetros de la inmunidad y los estados emocionales. El trabajo tuvo como finalidad determinar si la función neuroendocrina, bien a través de la reactividad autonómica, el cortisol sérico o ambos indicadores, puede ser asociada con el funcionamiento del sistema inmune y predecir la duración de la sobrevida de estos enfermos. Se obtuvo como hallazgo de importancia, que la actividad de lisis de las células Natural Killer (NK) se asoció positivamente con los indicadores de la reactividad autonómica. Este hecho se comprobó durante el experimento de "revivir emocional" provocado y controlado en estos enfermos. Algunos de ellos obtuvieron mejores resultados con respecto a su enfermedad en términos de una más larga sobrevida. En este estudio preliminar se propuso como hipótesis de trabajo la posible mediación de los niveles de actividad de las células Natural Killer (NK) en la sobrevida de mayor duración en pacientes portadores de SIDA. Uno de los puntos de apoyo más fuertes de esta hipótesis descansa en la actividad citolítica de las células Natural Killer (NK), de las células blancas infectadas por el HIV,[103-104] así como su actividad de defensa contra el cáncer y las complicaciones pulmonares en los casos de SIDA.

Otros autores[105-107] consideran que las características de personalidad, el enfrentamiento al estrés, los mecanismos psicológicos de defensa, hacen diferentes las respuestas neurovegetativas, neuroendrocrinas e inmunológicas en condiciones de estrés emocional. En el último de los trabajos referidos presentan los resultados de una de sus investigaciones realizadas en la Clínica Psiquiátrica de la Universidad de Roma. El estudio tuvo como objetivo evaluar las relaciones entre la reactividad emocional y la reactividad inmune de un grupo de pacientes que se encontraban en espera de intervención quirúrgica por patologías mamarias valoradas como amenazadoras. La muestra inicial se dividió de acuerdo con la reactividad inmunitaria mostrada a las pruebas in vitro e in vivo en dos grupos: uno normorreactivo y el otro inmunológicamente hiporreactivo. Entre ambos subgrupos se hicieron las mediciones y comparaciones relativas al perfil de personalidad, los estilos de enfrentamiento y los eventos vitales experimentados previamente a la situación de estrés preoperatorio.

La muestra en su conjunto incluyó pacientes con cáncer de mama, con edad promedio de 40,3 años y clasificadas como T1a, T2a (sin fijación a la fascia, músculo o compromiso de la piel) con o sin ganglios axilares comprometidos (N0, N1) y sin metástasis a distancia. También se incluyeron en la muestra mujeres diagnosticadas como portadoras de enfermedad fibroquística de la mama, con edad promedio de 39,1 años. Todas las mujeres fueron similares en lo relativo al nivel de instrucción, pertenecían a clases sociales media o más baja y no padecían otra enfermedad concomitante. La valoración psicológica mediante entrevistas y pruebas psicométricas fue realizada tres días antes de la cirugía cuando las pacientes aún no conocían sus diagnósticos. Todas las enfermas fueron atendidas por el mismo equipo médico y tuvieron similares condiciones psicosociales al momento de la valoración. La evaluación psicológica incluyó las siguientes variables: perfil de personalidad, ansiedad estado y rasgo y estilos de afrontamiento, así como también la respuesta a los eventos estresantes. Es importante destacar que aunque se evaluaron varios parámetros del sistema inmune no se obtuvieron diferencias significativas entre el diagnóstico clínico y los subgrupos de sujetos normo e hiporreactivos desde el punto de vista inmunológico, en el momento en que se diagnosticó la enfermedad. Los resultados más relevantes permitieron comprobar que los sujetos inmunológicamente hiporreactivos tuvieron valores de depresión y de introversión social más altos, así como valores mucho más altos de represión, negación en el enfrentamiento al estrés, y valores significativamente más bajos de ansiedad-estado.

Estos sujetos hiporreactivos desde el punto de vista inmunológico reportaron más altos valores en los cambios subjetivos de la vida ocurridos un año atrás. En el criterio de los autores del trabajo, emergen dos consideraciones importantes:

1. Solo una parte de los sujetos sometidos a un mismo estresor emocional mostró modificaciones inmunológicas.
2. La reactividad funcional decrecida de los parámetros de la inmunidad que fueron evaluados en condiciones de estrés, pudo ser significativamente asociada con las variables psicológicas estudiadas.

Aún cuando los autores sugieren cautela en la interpretación y en especial en la generalización de los resultados, en este estudio parece corroborarse, la función inmunomoduladora e inmunomediadora que pueden asumir determinadas variables psicosociales. Estos resultados encuentran apoyo en estudios posteriores reportados.[108-109, 39]

En diferentes investigaciones[16, 86, 110-112] se ha podido comprobar una mayor reactividad de las células Natural Killer (NK) en sujetos que mostraron la constelación de rasgos de personalidad y de patrones de enfrentamiento del tipo "hardiness", a los que anteriormente se hizo referencia. En el propio estudio se demostró que este indicador puede ser incrementado inclusive en personas de mayor edad, mediante el uso de intervenciones psicosociales.

La investigación del impacto de los eventos vitales sobre la inmunidad, el luto conyugal, ha sido asociada con mayor morbi-mortalidad.[111-117] Con el propósito de verificar la hipótesis de acuerdo con la cual la función linfocítica es suprimida como respuesta a la muerte de la pareja, fue estudiada una muestra de 4 000 personas. En el grupo estudiado se encontró un aumento de la mortalidad en hombres viudos durante los 10 años que siguieron a la muerte de la esposa. El hallazgo más significativo fue la supresión de la respuesta linfocítica a tres mitógenos (citohemaglutinina o PHA; pokeweed o PWM y concanavalín A o ConA), al parecer como consecuencia directa del evento. Igualmente se pudo comprobar que la inmunosupresión en estos sujetos se mantuvo por un año posterior al fallecimiento de la esposa.[113,117]

Schleifer y Keller[116] señalan que el distres emocional afecta el inicio y el curso de las enfermedades infecciosas y de otras enfermedades en las cuales es sabido que el sistema inmune desempeña un rol. Añaden que los pacientes con enfermedad depresiva muestran alterada la función linfocítica, en especial si son de la tercera edad. Estos y otros hallazgos llevaron a los autores mencionados a considerar que el tratamiento de las enfermedades depresivas que aparecen en diferentes enfermedades médicas y en particular en los enfermos HIV positivos, puede probablemente modificar el curso de este último proceso morboso.

En otro estudio realizado con enfermos portadores de desórdenes afectivos[115,117-118] se encontró que estos pacientes muestran alteración en la función neuroendocrina. Los referidos investigadores asumen la concepción[115] de que los corticosteroides, la hormona tiroidea, la hormona del desarrollo y los esteroides sexuales ejercen una función moduladora sobre los procesos inmunes. Su trabajo se dirigió fundamentalmente a comparar la respuesta linfocítica a los tres mitógenos (PHA, PWM y ConA) antes mencionados, en sujetos con depresión aguda y en individuos no deprimidos. En los deprimidos se encontró hipercortisolemia, decrecimiento en el número de linfocitos y disminución en la respuesta a los tres mitógenos. La depresión fue asociada con cambios en el funcionamiento de la hormona de crecimiento, con la secreción de la hormona luteinizante y con cambios en el sistema pituitario-hipotalámico-tiroideo, los que se consideran modularon las modificaciones en el sistema inmune. A partir de los resultados obtenidos, los autores concluyen que la inmunidad alterada parece ser uno de los componentes de los desórdenes afectivos.

La depresión psicológica es una de las variables que tradicionalmente ha sido utilizada en diferentes estudios con el propósito de determinar su alcance predictivo en relación con los resultados del cáncer, con resultados hasta la fecha controvertidos. En los trabajos antes descritos[112-117] se muestran evidencias del efecto supresivo de la depresión sobre la inmunidad, corroborados experimentalmente con posterioridad.[30, 84, 117, 118] Sin embargo, en otros trabajos (citado en 6) han sido obtenidos resultados diametralmente opuestos. En estos se sustenta que la depresión psicológica parece ejercer un efecto positivo sobre los resultados del cáncer, por la vía de la inmunidad.

Una posición más cautelosa en esta dirección referida al papel de la depresión psicológica en la función inmune, es la sustentada por un grupo de autores,[118-119] quienes sostienen que a pesar de los hallazgos reportados por una amplia literatura, aún permanecen y requieren ser determinadas con precisión las asociaciones existentes entre las alteraciones inmunes en la depresión y aún más en el estrés, así como la relevancia de dichas asociaciones en lo concerniente a la salud y a la enfermedad.

Resultados tan contradictorios obligan al análisis y a la reflexión sobre las diferencias metodológicas que en un supuesto deben estar presentes en estos trabajos y que probablemente puedan en alguna medida explicar las discrepancias entre ellos. La réplica de unos y otros estudios en torno a la depresión y a su repercusión inmunológica constituye también una necesidad incuestionable. El propósito fundamental deberá encaminarse a determinar si las diferencias obtenidas en los resultados de estos trabajos responden fundamentalmente a divergencias metodológicas, si constituyen la expresión de una modulación inmunológica diferencial condicionada por diferentes variantes de depresión psicológica, si intervienen ambos factores o si por el contrario, son debidas a un tercer factor no conocido.

Andreoli y colaboradores,[120] opinan que tanto la depresión como la experiencia de pérdida y el duelo a ella asociado, representan un campo experimental de elección para investigar las relaciones funcionales entre la actividad psíquica, el sistema nervioso central, el sistema endocrino y el sistema inmunitario en los seres humanos.

En otro trabajo[121] dedicado al análisis de las relaciones entre el estrés, la angustia y la inmunidad se concluye que el estrés cuando es previsible y moderado provoca un incremento en la respuesta inmune, en oposición al estrés intenso e imprevisible, el que tiene efectos inmunosupresivos. Consideran que la respuesta de estrés es producto de tres factores:

1. La acción del estresor.
2. La capacidad de adaptación del huésped, la que puede estar afectada por trastornos ocurridos durante el desarrollo.
3. La modulación psicobiológica.

Estos investigadores, al estudiar pacientes deprimidos encontraron una correlación parcial entre la gravedad del estado depresivo y la respuesta inmunitaria. Por su parte el distres global y el desamparo, considerados equivalentes a la angustia fueron asociados con inmunosupresión. Esta supresión inmunitaria resulta más acentuada, cuando se instala en el sujeto en calidad del llamado "desamparo aprendido" que ha sido experimentalmente inducido en animales y el que se acompaña de un aumento de sustancias opioides y de disminución de noradrenalina en el sistema nervioso central.

Con el propósito de demostrar la necesidad de estudiar los distintos tipos de depresión psicológica y las influencias supuestamente diferentes de estos sobre la inmunidad se traen algunos de los resultados de otro de los trabajos realizados por el autor en referencia.[122] En él sustenta que los pacientes que sufren de depresión y de ataques de pánico, y que "son considerados sanos y sin tratamiento" presentan un mayor nivel de linfocitos T, de linfocitos T de ayuda y activados que los sujetos deprimidos que no sufren los referidos ataques y los controles pareados. Este hecho confirma lo que el autor denominó en este propio trabajo "autonomía nosográfica y psicobiológica de los tipos de depresión". Probablemente estos hallazgos documenten una explicación sobre la influencia diferencial que parecen tener los diferentes tipos de depresión sobre la inmunidad en el hombre sano.

Este podría ser un punto de partida en la investigación de los factores que determinan, condicionan y facilitan las evidencias contradictorias referidas con respecto a los efectos de la depresión psicológica sobre los resultados del cáncer.

Eysenck,[10, 11] propuso una tríada para explicar el papel de los factores psicosociales en la carcinogénesis. Asume que las personas que están genéticamente predispuestas y además enfrentan el estrés con sentimientos de desamparo, desesperanza y depresión, incrementan sus niveles de cortisol. Este incremento a su vez tiene consecuencias inmunosupresivas, fundamentalmente afectando los niveles de actividad de las células Natural Killer (NK). El referido autor considera que el cambio en la función inmunológica es solo una parte de una compleja serie de interacciones y de cambios en el sistema de péptidos y en el sistema endocrino, que incluyen entre otras, modificaciones del ACTH y de los sistemas de opios endógenos.

Como puede observarse en el modelo anterior, el estrés agudo puede conducir a la inmunosupresión y al cáncer, mientras que el crónico conduciría a la inoculación y a la protección contra dicha enfermedad.

Han sido reportados diferentes hallazgos inmunológicos en relación con los eventos vitales estresantes, tales como el duelo por pérdidas sensibles, el luto y la depresión mental.[122-125] Se enfatiza en el rol esencial que desempeña la efectividad de los afrontamientos del individuo a los estresores. El autor basado en el modelo de Dilman y Ostroumova (1984), citado por Antoni,[124] intenta brindar una estructura teórica que permita comprender las relaciones entre el estrés psicosocial crónico, los cambios hormonales y el incremento de la susceptibilidad en el desarrollo neoplásico. Los conceptos de *hiperadaptosis* y *cancrofilia* son vinculados al estrés crónico que caracteriza la depresión mental y propone un modelo para explicar la promoción del cáncer. La hiperadaptosis —explica— es expresión de la resistencia al feedback de los glucocorticoides (cortisol en los humanos y primates), produciéndose una secreción crónica de cortisol que conduce a la inmunosupresión y que por lo tanto incrementa la vulnerabilidad del sujeto al desarrollo neoplásico. La cancrofilia por su parte, expresa la integración de "un conjunto de procesos metabólicos referidos a la inmunodepresión, tales como la proliferación de ácidos grasos libres, elevada concentración de lípidos y decrecimiento de la función reparadora del DNA, así como la utilización de lípidos en lugar de glucosa como fuente de energía". Estos dos procesos están asociados tanto con la estimulación de la proliferación celular y la promoción del cáncer, como con la depresión mental, el estrés crónico y el proceso normal de envejecimiento y se relacionan con pacientes con tumores de diferentes localizaciones, se proponen por Antoni como modelo hipotético de mediación psicooncológica.

El substrato biológico del cáncer, de acuerdo con la concepción de Temoshok,[4] en lo fundamental sin modificación, encuentra fundamento en la función inmunomoduladora de los neuropéptidos. Dicha función puede constituir básicamente el correlato "en el plano biológico de una adaptación frágil al mundo, así como de un equilibrio psicológico precario". No obstante esta autora, coincidiendo con otros investigadores, considera que deben ser también tomados en cuenta otros mecanismos biológicos, tales como la incapacidad para reparar el DNA dañado[6, 112] y los sistemas hormonales del estrés entre otros.[6, 16, 51, 126]

En el modelo propuesto para explicar los posibles mecanismos que mediatizan y vinculan el apoyo social con la vulnerabilidad biológica del individuo, expresan[50, 51, 127, 128] que cuando el apoyo social es adecuado estimula y refuerza en el enfermo sus estrategias de afrontamiento al estrés. Este hecho a su vez repercute favorablemente en lo que al logro de éxitos en esta dirección se refiere, los que, además, al autoatribuírselos el paciente refuerzan su autoestima.

Todo este proceso se traduce en una regulación fisiológica tal que reduce el distres, al mismo tiempo que evita los estragos del estrés crónico sobre la homeostasis, la función inmune y el sistema neuroendocrino. Visto de esta forma el apoyo social desempeña fundamentalmente el rol de amortiguador de la enfermedad y de los resultados de esta, siempre que el apoyo sea adecuado. En los trabajos de referencia se señala por otra parte, que el apoyo social puede también actuar como un facilitador de la expresión emocional del distres lo que ejerce un efecto positivo sobre el organismo.

Se considera que las vías mencionadas son solo algunas de las que es probable vinculen las variables psicosociales con los resultados del cáncer por medio de factores endocrino e inmune, y al mismo tiempo deja abierta la posibilidad de que el apoyo social actúe también directamente sobre la enfermedad a través de otros mecanismos biológicos.

Con respecto a la elucidación del rol que desempeña el apoyo social en la aparición de enfermedad en un individuo, debe ser especialmente tenida en cuenta la percepción que el sujeto realiza del apoyo que percibe, y sus respuestas, cognitiva, emocional y conductual ante dicha percepción.

Otro de los modelos hipotéticos,[6] que han sido elaborados, se sustenta fundamentalmente en la mediación neuroendocrina que subyace en las relaciones psicoinmunológicas que podrían establecerse en los enfermos de cáncer. El indicador inmunológico básico de este modelo, es también la actividad citotóxica de las células Natural Killer (NK). Como mediadores neuroendocrinos consideran dos de los más importantes sistemas de estrés: el sistema simpaticoadrenomedular (SAM), cuyo efecto es supuestamente incrementador de la actividad del referido efector y el sistema pituitarioadrenocortical (PAC), cuyo efecto parece ser depresor de la actividad de las células Natural Killer (NK).

Estos sistemas de estrés son considerados entre las cuatro posibles vías a través de las cuales estos investigadores proponen que los procesos de la personalidad participan en la iniciación y promoción de las enfermedades. Las dos vías restantes son el sistema inmune y el sistema de péptidos. En el modelo de referencia se asume que las variables psicosociales también pueden favorecer la iniciación y recurrencia del cáncer de forma indirecta, es decir, a través del estilo individual de vida, condicionando conductas que de hecho distorsionan la salud o comportan riesgo para ella. Como puede observarse, en el modelo se hipotetizan dos vías de mediación psicooncológica.

En la primera de ellas la depresión psicológica consecuente con la pérdida afectiva y asociada a desamparo/desesperanza como posiciones cognitivas y a la desorganización o pérdida del apoyo social en conjunción con factores constitucionales predisponentes provocan un incremento en la actividad del sistema pituitarioadrenocortical (PAC). Este sistema por la vía de la ACTH y del cortisol ejerce un efecto inmunosupresivo expresado en el decrecimiento de la actividad de las células Natural Killer (NK).

La supresión de este efector inmune sustenta la explicación de la aparición del proceso de carcinogénesis, teniendo en cuenta que de acuerdo con numerosas evidencias estas células constituyen la primera línea de defensa del organismo contra los virus y el cáncer.

Por otra parte un estilo de vida manifiesto en conductas que deterioran la salud o que al menos constituyen factores de riesgo para esta, pueden ejercer una influencia favorecedora del proceso de carcinogénesis, bien por la alteración del DNA o por la inmunosupresión que provocan y que compromete la citotoxicidad de las células Natural Killer (NK).

La evitación emocional, que incluye baja afectividad negativa y su opuesto, alta afectividad positiva, así como una débil expresión de las emociones negativas, forma parte de un estilo de afrontamiento en el que los afectos negativos y en particular la ira son activamente evitados. Estas características de personalidad, en conjunción con factores constitucionales, encuentran su traducción neuroendocrina en el decrecimiento de la actividad del sistema simpaticoadrenomedular (SAM). Dicho proceso favorece la disminución de la actividad de las células Natural Killer (NK), posibilitándose de esta forma, tanto la iniciación como la progresión y recurrencia del cáncer.

La evitación emocional también puede favorecer conductas de riesgo, tales como la tendencia a la no observación de posibles síntomas de cáncer, y a no buscar ayuda médica para el diagnóstico y tratamiento de la enfermedad.

Antes de concluir la exposición de estas hipótesis, debe señalarse que en la opinión de sus autores, existe un rango de posibles resultados que pueden ser esperados en los enfermos de cáncer. Este rango está en dependencia de los niveles de activación de los sistemas simpaticoadrenomedular y pituitarioadrenocortical (SAM y PAC) respectivamente.

Los mejores resultados pueden ser esperados para individuos con alta activación SAM —simpaticoadrenomedular— y baja actividad del sistema PAC —pituitarioadrenocortical. Los peores resultados para aquellos individuos con alta activación del sistema PAC —pituitarioadrenocortical— y baja actividad del sistema SAM —simpaticoadrenomedular. Para los restantes sujetos pueden esperarse resultados intermedios.

Rango de posibles resultados del cáncer dependiendo de los niveles de activación de los sistemas pituitarioadrenocortical y simpaticoadrenomedular (Contrada, Leventhal y O'Leary)[6]

ALTO PAC
ALTO SAM

| BAJO PAC | | ALTO PAC |
| ALTO SAM | | BAJO SAM |

BAJO PAC
BAJO SAM

| Mejores resultados | Resultados intermedios | Peores resultados |

Un gran número de investigaciones[97-101] referidas a la regulación de la citotoxicidad natural en los seres humanos están basadas en el carácter espontáneo de la función de lisis de las células Natural Killer (NK) contra una amplia variedad de células tumorales, tal y como también fue expresado en los trabajos de Herberman y Ortaldo.[129]

La aceptación de estas evidencias reviste una gran trascendencia en el análisis de las hipotéticas relaciones entre la iniciación y progresión del cáncer y determinadas variables psicosociales, teniendo en cuenta que las mismas parecen confirmar el efecto modulador de dichas variables sobre este importante indicador inmunológico.

De manera sistemática los investigadores han tratado de comprobar la existencia de vínculos entre la iniciación del cáncer y las experiencias psicológicas,[120, 125, 129-130] basados en el presupuesto teórico que el estado crónico de distres psicosocial provocado por eventos inescapables e incontrolables o por una enfermedad depresiva de relevancia, puede coincidir con una inmunosupresión crónica. Esta a su vez, potencia la aparición de enfermedades que dependen del sistema inmune, como asumen, es el caso de la carcinogénesis cervical.

La anterior hipótesis se hace extensiva a la consideración que las personalidades caracterizadas por altos niveles de pesimismo, desesperanza, alienación social y ansiedad somática, podrían favorecer la promoción de la neoplasia cervical intraepitelial (CIN). Se comprobó en estos estudios una tendencia en el incremento de los estilos de enfrentamiento de pasividad y conformismo o respeto, en correspondencia con el incremento de la atipia cervical. De igual forma se corroboró experimentalmente la asociación del pesimismo con una disminución de la citotoxicidad de las células Natural Killer (NK), de las células T citotóxicas/supresoras (CD8+CD3)

Existen también evidencias que parecen demostrar el rol de las variables psicosociales en el proceso de progresión del cáncer.[128] Uno de estos resultados, y es probable que el de mayor importancia, se refiere a la asociación inversamente proporcional y estadísticamente significativa encontrada, entre el nivel funcional de las células Natural Killer (NK) y el número de ganglios axilares positivos al diagnóstico, en mujeres operadas de cáncer de mama y diagnosticadas en estadios 1 y 2. Este último indicador como es sabido, ha sido valorado como uno de los más poderosos predictores de los resultados ulteriores del cáncer de mama primario, en particular durante los cinco primeros años posteriores al diagnóstico de la enfermedad.

En la valoración de estos investigadores, este hallazgo sugiere que el referido efector inmunológico desempeña un significativo rol clínico en el pronóstico del cáncer de mama. Por otra parte, el ajuste a la enfermedad, la percepción del enfermo del apoyo social de que dispone y probablemente la fatiga parecen tener un vínculo más estrecho y directo con el nivel de actividad de las células Natural Killer (NK).

Las pacientes valoradas como bien ajustadas a su enfermedad, las que refirieron tener menos apoyo social del que necesitaban y las que experimentaron mayores síntomas de fatiga, tales como falta de vigor, apatía e indiferencia, mostraron tendencia a tener una más baja actividad del indicador inmunológico de referencia. No se encontró sin embargo asociación significativa entre el distres psicológico y el pronóstico del cáncer en el grupo estudiado.

En otro trabajo de corte similar,[49] iniciado en 1980 conducido prospectivamente con enfermas de cáncer de mama en estadios 1 y 2, se realizaron valoraciones inmunológicas y psicosociales. Las variables estudiadas fueron: la citotoxicidad de las células Natural Killer (NK), el estado del humor, la percepción por la enferma del apoyo social que recibía y algunas características biológicas del tumor. Con excepción de la variable apoyo social, las restantes fueron medidas en la base, es decir, a los 5 o 6 días posteriores a la realización de la intervención quirúrgica, y a los 15 meses postquirúrgicos. El hallazgo principal del estudio estuvo dado por el hecho de que la actividad de las células Natural Killer (NK), fue el factor predictivo fundamental de los resultados de la enfermedad, tanto al inicio como a los 15 meses, en los siguientes términos:

1. Una más alta actividad de las células Natural Killer (NK) en el período de base fue predictor de recurrencia de la enfermedad en el curso del seguimiento.
2. Una más alta actividad de las células Natural Killer (NK) a los 15 meses predijo la ausencia de recurrencia de la enfermedad durante el seguimiento.

Los autores del estudio consideran que estos resultados constituyen una manifestación de "la virulencia de la enfermedad en sus estadios iniciales". Sustentan este criterio en los hallazgos de algunos investigadores, con respecto a que en las etapas iniciales de la enfermedad no son frecuentes los cambios en el funcionamiento inmune. El estado del humor y el soporte social mostraron tener un valor predictivo más fuerte al tiempo en que la enfermedad se hace recurrente, resultando en relación con esta última variable menos destacado el rol de este indicador inmunológico. En otras palabras, un alto nivel de distres en la medición de base predijo altos niveles de este a los 15 meses, siendo esta última variable a su vez predictora de un más corto tiempo de sobrevida libre de recurrencia, en este estudio.

El apoyo social sin embargo, mostró una influencia más débil, la cual los autores atribuyeron a los medidores utilizados. Por oposición, en la literatura se reporta ampliamente, la relación con la significación pronóstica que puede asumir esta variable psicosocial,[15] e igualmente el papel de la insuficiente o ausente interacción social en la progresión de las enfermedades en general y en particular del cáncer.[131]

Con respecto a los hallazgos vinculados con las variables biológicas en el trabajo, se destaca que:

1. No hubo diferencias significativas en el tiempo de recurrencia de los dos grupos quirúrgicos (lumpectomía vs. mastectomía) en ambos casos acompañada de vaciamiento axilar ipsolateral.
2. Se obtuvo una correlación significativamente negativa entre el tamaño del tumor y la actividad citotóxica de las células Natural Killer (NK).

Este último resultado, especulativamente podría considerarse como una expresión de la incapacidad del sistema inmune para identificar y eliminar lo ajeno, en la medida en que el crecimiento tumoral surgido de forma espontánea se hace más intenso. Para concluir la exposición de esta experiencia, una cita textual de sus autores que demuestra honestidad en el plano científico: "Con respecto tanto a las variables del humor y del soporte social, el o los mecanismos subyacentes de su potencial influencia en la resistencia del huésped a la diseminación sistémica del tumor, es actualmente desconocida, y también aguarda por futuros estudios".

Como fue antes señalado se reporta en trabajos más actuales[132] y se fundamentan las implicaciones del estrés y las emociones en la iniciación y progresión tanto del cáncer como del HIV, las enfermedades cardiovasculares y otras enfermedades.

Una vez realizada la exposición de numerosas evidencias que parecen confirmar la existencia de vínculos esenciales entre la mente y el sistema inmune, y probablemente la carcinogénesis, se considera oportuno, ofrecer una reflexión personal sobre el problema.

La aparición de enfermedades, incluyendo el cáncer, puede favorecerse en los individuos por la acción de determinadas variables psicosociales, en sinergismo con diferentes factores de riesgo. Estos pueden ser de tipo genético, ambiental, así como los derivados del estilo individual de vida del sujeto, tales como la conducta sexual promiscua, el consumo de cigarrillos, la ingestión de bebidas alcohólicas, entre otros. Cualquier estilo de afrontamiento a los estresores, por muy nocivo que bajo determinadas condiciones haya demostrado ser, y en particular el desamparo/desesperanza, no tiene que constituir en todas las circunstancias y con carácter obligatorio un factor de riesgo respecto a las enfermedades. Tampoco tiene que favorecer siempre la aparición de efectos nocivos para la salud.

El desamparo/desesperanza, como todo afrontamiento, está influido por otros patrones conscientes de enfrentar los estresores, por los mecanismos de defensa inconscientes, por las características de la personalidad que de una u otra forma participan en la autorregulación de esta.

También está influido por los estilos cognitivos y valorativos del sujeto, así como por los efectos del apoyo social percibido, considerando solo algunas interinfluencias a fin de simplificar cuanto sea posible la exposición de este punto de vista.

Una de las resultantes de este proceso de influencias recíprocas podría traer como consecuencia, que un individuo hipertrofie las ventajas que, por ejemplo, en las relaciones interpersonales el desamparo/desesperanza puede proporcionarle. Este sujeto puede, aunque sea distorsionadamente, percibir determinado rango de eficiencia en sus afrontamientos —el necesario y suficiente para él— en las relaciones con sus íntimos y conocidos, en su vida social en general.

Este razonamiento conduce a la conclusión de que no es posible absolutizar el rol y la trascendencia de un afrontamiento a los estresores, en calidad de predisponente invariable a la enfermedad. La determinación del efecto diferencial que puede tener la percepción de la propia eficacia en el enfrentamiento y control de los estresores, y en especial la reacción cognitiva, emocional y conductual del sujeto, ante la autopercepción de su propia eficacia constituyen algunas de las condiciones necesarias para determinar el rol que los factores psicosociales desempeñan en la aparición de las enfermedades.

Otras de estas condiciones son: la valoración que el sujeto realiza del apoyo que percibe, así como su reacción ante esta valoración, cuando la misma se hace consciente. Un ejemplo, esquematizado, podría ayudar a una mejor concreción sobre los diferentes aspectos que resultan claves en el problema que se analiza. Un individuo que es objetivamente ineficiente en el control de los estresores en áreas de su vida de alta significación personal, puede percibirse autoeficiente.

Este resultado está influido por su concepción del mundo, por su autovaloración, por mecanismos de defensa tales como la racionalización, la proyección, la negación, entre otros. También influye en esta autopercepción, la valoración personal del soporte social percibido, así como los patrones de razonamiento y cognitivos en general del sujeto. No es concebible la ineficacia absoluta ni la reacción absoluta de impotencia ante esta.

Estas son algunas de las razones por las que no compartimos totalmente la idea de una u otra personalidad tipológica con características y afrontamientos tipos fijados, que determinan linealmente la predisposición del individuo, bien a la salud o a una determinada enfermedad.

¿Por qué entonces unas personas enferman de cáncer y otras no, aún cuando ellas puedan percibirse a sí mismas análogamente ineficientes en el enfrentamiento a determinados estresores, percibir similar ineficiencia en sus sistemas de soporte social, tener los mismos factores de riesgo conductual e incluso genético y ambiental?

El cáncer es según todas las evidencias una enfermedad multifactorial, "... cada neoplasia es un estado individual y dos neoplasias no se comportan obligatoriamente en la misma forma aún cuando su morfología sea similar".[133]

Lo que sí resulta a todas luces poco cuestionable a partir de los hallazgos de la ciencia es que los factores psicosociales desempeñan un rol necesario en la iniciación y progresión de esta enfermedad, en el hombre. La autopercepción de la ineficacia en el afrontamiento y en el control de los estresores, la percepción de un ineficaz soporte social y en especial la respuesta individual del sujeto ante la percepción de su propia ineficacia y la de sus sistemas de apoyo constituyen las variables psicosociales que más íntima y directamente participan como mediadores del funcionamiento de los sistemas biológicos del organismo y por sinergismo con otros factores de riesgo en la aparición de enfermedades.

La percepción del propio fracaso, real o no, pero valorado por la experiencia en controlar eficazmente los estresores psicosociales e intrapersonales, en dependencia de la influencia de las características de personalidad del individuo y de la eficacia que él percibe en sus sistemas de soporte, y la reacción del sujeto ante este fracaso intra e interpersonal, puede expresarse mediante una exacerbación en la experimentación de emociones negativas como la ira y el miedo y por un incremento en la exteriorización de estas.

Este proceso por la vía de la modulación neuroendocrina y bioquímica en sinergismo con otros factores predisponentes, puede favorecer la aparición de determinadas enfermedades.

La autopercepción de la ineficacia puede provocar en el individuo una excesiva represión de vivencias negativas, depresión crónica, sentimientos de desamparo y desolación, en dependencia del nivel de influencia de otras características de personalidad del sujeto, de la eficacia percibida en sus sistemas de soporte y de su reacción a este último factor. Los mecanismos neuroendocrinos y bioquímicos que reciben el impacto de esta influencia psicosocial, podrían suponerse de acuerdo con las evidencias, que favorecen directamente la supresión de algunas funciones inmunológicas, y en especial las relacionadas con la actividad citotóxica de los linfocitos T y de las células Natural Killer (NK), como parece haber sido demostrado.

Podría también especularse, que la modulación psicosocial sobre los mecanismos neuroendocrinos y bioquímicos, en sinergismo con otros factores de riesgo, incluyendo los de riesgo conductual inherentes a un determinado estilo personal de vida, pudieran influir negativamente en los mecanismos de identificación de lo ajeno por el sistema inmune. De igual forma podrían afectar la biología celular favoreciendo la alteración de los mecanismos que intervienen en el control del crecimiento celular y en la baja antigenicidad comprobada en las células tumorales que se desarrollan espontáneamente.

Factores psicosociales y salud

A partir de la consideración teórica desarrollada en el capítulo sobre las relaciones concebidas entre los factores psicosociales y los sistemas biológicos del hombre que parecen intervenir en el proceso de iniciación, promoción y progresión de las enfermedades en general y del cáncer en particular resulta válida la indagación en sentido opuesto. Es decir, en qué medida los factores psicosociales pueden estimular los procesos regenerativos del organismo vinculados con la salud.

Algunos investigadores[134] valoran que "comparativamente se ha brindado poca atención al estudio del impacto psicológico sobre la salud, sobre todo, si se toma en cuenta el gran volumen de trabajos consagrados al estudio de las repercusiones que las variables psicosociales tienen sobre la enfermedad".

En el referido trabajo, sus autores, se proponen establecer las bases teóricas y metodológicas que posibiliten la investigación de los efectos de los estados psicológicos positivos sobre la salud. Consideran que el eutres, definido en términos de "... la discrepancia positiva entre el estado positivo percibido y cognitivamente valorado por el sujeto y el estado por él deseado", deviene el elemento esencial que determina un impacto favorable sobre los procesos del organismo responsables de la salud. Plantean que el eutres puede influir positivamente sobre la salud en las siguientes formas:

1. Directamente, a través de la inducción de cambios hormonales y bioquímicos.
2. Indirectamente, facilitando esfuerzos y habilidades para el enfrentamiento del sujeto con el estrés.

Estos investigadores plantean la hipótesis de que el eutres puede actuar en calidad de "interruptor del estrés" con el consiguiente beneficio para la salud, ya que el estrés de acuerdo con numerosas evidencias, promueve el desarrollo de enfermedades degenerativas. De esta forma, el eutres puede hacer decrecer tanto el valor como el ritmo de desarrollo de las enfermedades degenerativas, explican los autores y textualmente expresan: "... altos niveles de eutres pueden invertir el desarrollo de la enfermedad y mejorar la salud".

El eutres es también considerado en el mencionado trabajo, como un incrementador de los esfuerzos para el enfrentamiento, por promover el sentido de autoeficacia y optimismo, al mismo tiempo que contribuye al desarrollo de habilidades específicas en el sujeto para el afrontamiento con el estrés, mediante la facilitación de la interacción social, la que a mayor o menor plazo deviene un recurso para el afrontamiento en forma de apoyo.

Los resultados del estudio de los llamados "motivos implícitos"[98] constituyen otra evidencia de cómo los factores psicosociales pueden ejercer una influencia favorable sobre la salud. Estos motivos, a diferencia de los motivos referidos por el individuo, "parecen estar basados en un aprendizaje emocional, y por tanto directamente ligados a los sistemas fisiológicos autonómicamente controlados", sistemas que a su vez controlan la salud.

En el referido trabajo se señala que a pesar del escepticismo de algunos inmunólogos, se han logrado experimentalmente cambios en las funciones del sistema inmune, que tiene algunos efectos de larga duración sobre la disminución de la susceptibilidad a las enfermedades.

Estudios experimentales con grupos de sujetos, que han sido enfrentados con la tarea de revivir emocionalmente experiencias positivas de intercambio de afecto, demuestran que los mismos mantienen más altos niveles de inmunoglobulina A (IgA). En el criterio del autor, este hallazgo abre la posibilidad de que estas personas, quienes experimentaban una alta motivación por la afiliación, la que resultó dominante con respecto a otros motivos, podrían desarrollar niveles más altos y estables del mencionado indicador inmunológico, con la consiguiente repercusión para la salud.

La inmunoglobulina A (IgA), en los referidos sujetos, se logró mantener en niveles elevados, en especial durante los períodos en que se vieron sometidos a estrés, haciéndoles menos vulnerables a las enfermedades, fundamentalmente de las vías respiratorias altas.

Este estudio permitió concluir que los sujetos que presentan una motivación alta y dominante de afiliación a grupos, en condiciones de estrés disfrutaron de mejor salud. Se pudo establecer además una significativa asociación de este motivo con el fortalecimiento de la función inmune, en términos de una mayor "proporción de células T de ayuda, con respecto a las células T supresoras".

El trabajo pudo ser también valorado como una evidencia del efecto positivo que tienen sobre la salud determinadas variables psicosociales, tales como los motivos de afiliación a grupos de confianza (N affiliative-trust). Este motivo cuando es dominante implica que el individuo tiene expectativas positivas acerca de sus relaciones con las demás personas.

Estos resultados mostraron su consistencia con otros hallazgos en relación con indicadores de salud de personas con expectativas vitales, caracterizadas por un alto optimismo.[135]

Jemmott y McClelland[100] comprobaron que las personas que tienen relativamente altos los motivos de afiliación y no están estresados, muestran mejor funcionamiento inmunológico en términos de más alta actividad de las células Natural Killer (NK) que otras personas. Estos sujetos también mostraron más alto nivel de actividad del referido efector inmune que los sujetos con los que fueron pareados, igualmente con bajo estrés, pero con la diferencia de que estos homólogos, no mostraron alta necesidad de afiliación.

Este hecho parece corroborar que los cambios inmunológicos obtenidos en estos individuos no son explicables únicamente a partir de los niveles de estrés.

En esta dirección hay autores que consideran que una alta percepción del sentido de control y eficacia en el afrontamiento a los estresores y la incrementada autoestima que a ella se asocia, son predictoras de las formas de enfrentamiento que el individuo utiliza. Estas variables al mismo tiempo predicen las consecuencias de los estresores sobre el bienestar del individuo, así como un mejor humor y una mejor salud, durante el proceso de encaramiento de los eventos por el sujeto.[136]

Este sentido de autoeficacia percibida en el dominio de los estresores crónicos, que puede ser inducido por la vía de las intervenciones psicosociales, será objeto de análisis posterior, por el valor que se le atribuye en el tratamiento psicológico de los enfermos de cáncer.

Una de las tareas que como parte de su desarrollo ha abordado tradicionalmente la psicología de la personalidad es la elaboración y fundamentación de modelos explicativos referidos a los vínculos y relaciones entre la personalidad y la salud humana. Muestra de estos lo constituyen los modelos temperamentales de Kretschmer y Pavlov sustentados en la concepción de la predisposición constitucional, los modelos de estilos de vida, focalizados en las conductas de riesgo, los modelos de estrés, iniciados por Selye en 1956, seguidos por Holmes y Rahe y por Lazarus y Folkman, por solo mencionar algunos de los más relevantes. El eje común de estos modelos esta dado por la forma en que abordan el afrontamiento que hace el sujeto a las demandas y el énfasis en las respuestas concomitantes del organismo.

A finales de la década de los setentas e inicios de la de los ochentas del siglo XX, emergen los llamados modelos salutogénicos, los que en alguna medida legitimaron la superación de la crisis que por algo mas de veinte años atravesó la psicología de la personalidad. El eje común de los modelos salutogénicos se asienta en la concepción de la salud y la enfermedad como un proceso continuo, dinámico, activo e interactivo. Estos modelos tienen un fuerte arraigo personalista, existencial y social, su énfasis principal está colocado en lo positivo y encuentran sustento genérico en la teoría sobre la resistencia general. De esta forma los procesos cognitivos y afectivos y la propia conducta son concebidos como vías para generar y mantener la salud.[137]

El denominado por Antonovsky, sentido de coherencia, dado a la luz alrededor de 1979, es considerado dentro de la corriente salutogénica un modelo marcadamente cognitivo. El mismo propone la presencia de una determinada organización mental en el sujeto que le permite a este disponer de un dinámico, resistente y amplio sentimiento de confianza en que los acontecimientos son comprensibles (control cognitivo), de que el individuo dispone de los recursos necesarios y suficientes para afrontar con éxito las demandas (control instrumental) y de que dichas demandas son importantes para el sujeto y por tanto merecen implicación personal.[137]

Debe tenerse en cuenta que la propuesta teórica de Antonovsky no es un modelo tipológico en el sentido clásico, y que no incluye rasgos de personalidad, factores o características tipológicas. El sentido de coherencia es concebido como una orientación general que se sustenta en recursos generales de adaptación, de resistencia, de afrontamiento, que hacen que una persona sea, se autoperciba o ambos procesos, como menos vulnerable, y que se caracterice psicológicamente hablando, por un mejor funcionamiento intra e interpsíquico, por una mejor salud y resistencia a la enfermedad.

Strang y Strang[138] reportaron un estudio cualitativo realizado con enfermos de cáncer cerebral a fin de explorar la capacidad de estos de afrontar, comprender y dar sentido a su situación, valorar la función de apoyo de la espiritualidad y su relación con el concepto de sentido de coherencia de Antonovsky. Los referidos autores encontraron que la comprensibilidad fue ampliamente elaborada por la muestra de pacientes que participaron en el estudio, a partir de las propias ideas y consideraciones teóricas de los enfermos, a pesar y en contraste con la precaria seguridad de su existencia. La manejabilidad fue lograda a través del uso de estrategias de búsqueda activa de información, mediante el apoyo social y el afrontamiento que incluyó reinterpretación positiva de la situación. Este sentido de control que resultó esencial para la calidad de vida de los enfermos fue logrado a través de las relaciones con personas emocionalmente cercanas al paciente. Otro elemento esencial estuvo dado por la determinación de la presencia en los sujetos de estudio de afrontamientos del tipo "espíritu de lucha" que les motivara a manejar su situación. Se pudo corroborar en este trabajo, que el sentido de coherencia, sin lugar a dudas, integra las partes esenciales del modelo de afrontamiento al estrés, es decir comprensibilidad, manejabilidad y espiritualidad o significatividad. Este sentido de control tuvo un positivo impacto en la calidad de vida reportada por los pacientes.

La dinámica en el desarrollo de la conceptualización del sentido de coherencia y los resultados empíricos obtenidos como resultados de la aplicación de este constructo han conducido a que el sentido de coherencia no solo sea concebido como un predisponente para la salud, sino que también ha sido incluido como parte de los objetivos de las intervenciones psicoterapéuticas con enfermos de cáncer "el tratar con el significado de la enfermedad e incrementar el sentido de coherencia" de los enfermos.[139] La aplicación del sentido de coherencia, al cabo de casi veinte años de su estructuración teórica constituye una evidencia incuestionable de su vigencia conceptual y de su alcance en el terreno de la practica psicoterapeútica, en particular con enfermos oncológicos.

El modelo de personalidad resistente "hardiness" al que se hizo referencia en otro acápite, fue inicialmente desarrollado por Susan Kobasa[27] y constituye otra de las líneas de desarrollo de la concepción y corrientes salutogénicas. La personalidad resistente se caracteriza por su fortaleza, por su sentido de responsabilidad para consigo misma, por la capacidad del individuo para enfrentar con éxito y controlar los estresores y las demandas. Experimentalmente correlaciona de forma significativa con el incremento en un importante indicador inmunológico en los seres humanos: la actividad de las células Natural Killer (NK). Estos hallazgos han sustentado la hipótesis de que los individuos con este patrón de personalidad son menos vulnerables a aquellas enfermedades en las que la inmunidad parece estar más comprometida.

La esencia de esta personalidad incluye tres componentes esenciales:

1. Compromiso, es decir la capacidad de implicación en la acción, acompañada de la creencia y la confianza en aquello que se hace.
2. Control o la capacidad de influir en el curso de los acontecimientos, y la responsabilidad para la acción individual.
3. Concebido como la tolerancia a la ambigüedad que implica a su vez el reconocimiento de la existencia de las situaciones como posibilidad.[27]

Se concibe que la personalidad resistente dispone de la competencia especifica de modular la percepción de los estresores y hacer que estos resulten menos estresantes para el sujeto. Se trata por tanto de un recurso general de resistencia que asume la forma de afrontamiento transaccional que modifica las emociones negativas generadas en el encuentro del sujeto con los estresores a partir de su influencia reductora sobre la percepción de la nocividad de los estímulos. Como consecuencia se promueve el funcionamiento saludable del organismo, ya que el individuo tiende a ser menos vulnerable psicológica y físicamente[27] y en consecuencia mas abierto a las relaciones sociales.

Dentro de los modelos salutogénicos han sido desarrolladas otras líneas como el llamado optimismo disposicional, el que ha mostrado en diferentes estudios una repercusión positiva sobre las respuesta inmune de tipo linfocitaria. Se asume que uno de los mecanismos subyacentes de este beneficioso efecto del optimismo es la menor reactividad psicológica ante el estrés que favorece y promueve.

No obstante, los promisorios resultados de numerosos estudios, algunos de los cuales han sido mencionados y a pesar de los esfuerzos realizados por investigadores de reconocido prestigio, de los que han sido referidos solo unos pocos, en una revisión de los trabajos realizados en esta dirección, que incluyó un período de 1980 a 1996 encaminada a identificar y sistematizar los factores que intervienen, contribuyen o participan alternativamente en los procesos que predisponen y promueven la salud y las conductas a ella referida, no se reportaron resultados concluyentes.[140]

Consideraciones finales

La revisión que se ha realizado en el controvertido campo de la Psicooncología conduce a algunas consideraciones, con las que sin haber agotado el tema, se abre paso al análisis de la significación de la calidad de vida en el enfermo de cáncer.

Como en toda ciencia en pleno período ascensional, no existe acuerdo absoluto entre las evidencias encontradas y los resultados de diferentes investigadores, en relación con el papel que parecen desempeñar las distintas variables psicosociales en la iniciación y progresión del cáncer. Incluso, en ocasiones, existe un franco desacuerdo, que por una parte refleja la propia etapa de desarrollo que la ciencia en cuestión atraviesa, la complejidad, multifactorialidad y contradicciones internas del problema en estudio, y por otra constituye un reto para la investigación en este campo.

En este trabajo como parte medular del mismo, se ha asumido que entre los factores psicosociales y los sistemas biológicos del hombre, que intervienen en el proceso salud-enfermedad, se establecen relaciones esenciales, necesarias y recíprocas.

Estas relaciones se consideran esenciales porque regulan el desarrollo y funcionamiento del hombre en su condición de ser biológico y de ser psicosocial. Al propio tiempo son relaciones necesarias, por la obligatoriedad de su ocurrencia y recíprocas, porque implican el intercambio mutuo, a pesar de la especificidad de los niveles de funcionamiento, la acción de lo biológico sobre lo psicosocial y la acción de lo psíquico y lo social sobre lo biológico.

Es inevitable que las relaciones entre los factores psicosociales y los sistemas biológicos se convierten en moduladores tanto de la salud como de la enfermedad. Este hecho obliga a excluir por completo la no participación de dichas relaciones en el referido proceso. Aún más, obliga a incluir las relaciones biopsicosociales no solo en el restringido grupo de enfermedades clasificadas por error como psicosomáticas, sino en particular en el estudio, comprensión y tratamiento de las enfermedades que supuestamente se inician en el pequeñísimo mundo de la célula, mediante complejos mecanismos no conocidos con exactitud, pero con toda seguridad, en lo absoluto cognoscibles.

Existen numerosas y fuertes evidencias que muestran la existencia de interacciones bioquímicas, estructurales y funcionales entre los sistemas nervioso, endocrino e inmune. Estas a su vez podrían sustentar las relaciones recíprocas entre los factores psicosociales, nerviosos, hormonales y la inmunidad.

Derivada de las anteriores consideraciones se propone que las características de personalidad, sus procesos habituales de enfrentamiento a los estresores y particularmente la autoeficacia percibida en el control de estos, así como la eficacia percibida en el apoyo social que el individuo recibe y brinda, asumen funciones de neuro, endocrino e inmunomoduladores. Este presupuesto encuentra fundamento en el hecho que las referidas variables psicosociales, inducen y mediatizan las modificaciones, cambios y regulaciones que experimentan el sistema nervioso central y autónomo, el sistema endocrino y el sistema inmune en respuesta a los estresores psicosociales con los que interactúa el sujeto.

En el cáncer, aún cuando la biología del tumor es concebida como el factor determinante del pronóstico del enfermo, existen significativas evidencias que sugieren que la inmunidad natural también desempeña un rol importante en el control de la enfermedad.[109,141]

Visto de esta forma, resulta posible, dentro de los límites impuestos por el desarrollo del conocimiento, intentar una respuesta al problema que inició el presente trabajo:

1. La existencia de interrelaciones entre los sistemas nervioso, endocrino e inmune podría sustentar el impacto que los factores psicosociales en tanto reflejo subjetivo de la realidad, al mismo tiempo que en calidad de neuro, endocrino e inmunomoduladores, parecen ejercer en la iniciación y progresión del cáncer.

2. En el hombre, la inmunidad —particularmente a través de la actividad de las células Natural Killer (NK) y de los linfocitos T— parece participar en el control y en el pronóstico de esta enfermedad.

3. Aceptando que la inmunidad contra el cáncer está bajo control neuroendocrino[141] tal y como confirman los hallazgos más recientes reportados por la Psiconeuroinmunología, estos hallazgos constituyen una fuerte evidencia de que la psiquis humana y su nivel superior de regulación, desempeñan un rol determinante en la iniciación y control del cáncer.

Esta respuesta dada al problema inicial se basa esencialmente en evidencias empíricas. Sin embargo, es posible plantear un conjunto de conclusiones provisionales, algunas de las cuales están sujetas a la contrastación de las premisas, a la confirmación o refutación de las mismas, y con ellas de los supuestos teóricos que orientan este estudio.

El concebir al hombre como una unidad biopsicosocial, conduce al menos desde el punto de vista de la no contradicción a admitir la existencia de interrelaciones recíprocas entre los subsistemas componentes, o por el contrario a negar la existencia del sistema.

En consecuencia, se ha considerado que los factores psicosociales y conductuales participan en el proceso salud-enfermedad y particularmente en la iniciación de las enfermedades, aún cuando resulta necesario determinar su nivel de participación y en especial su participación diferencial en los distintos tipos de enfermedades.

Los factores psicosociales y las conductas inherentes al estilo de vida individual desempeñan un rol en la salud y en la iniciación de las enfermedades. Este rol encuentra soporte en la influencia que por vía neuroendocrina, metabólica, bioquímica e inmunológica, dichas variables pueden ejercer en el funcionamiento de los sistemas biológicos, responsables tanto de la salud como de la enfermedad.

Estas afirmaciones excluyen la clasificación de enfermedades psicosomáticas específicas, ya que cualquier enfermedad en los seres humanos es psicosomática por naturaleza, en el sentido que implica un determinado compromiso y nivel de participación de los subsistemas biológico, psicológico y social que definen al hombre.

Las anteriores proposiciones conducen a la conclusión de que para que haya enfermedad en el ser humano, es condición necesaria y suficiente el desequilibrio de sus componentes biológico, psicosocial o ambos con el ambiente.

A partir del sistema de premisas dado, se propone como hipótesis que los factores psicosociales, pueden actuar en la iniciación de enfermedades en calidad de:

1. Condición necesaria, lo que equivale a afirmar que en el hombre no puede iniciarse ninguna enfermedad sin un nivel de participación de determinados factores psicosociales, aunque dicho nivel, ni aún las propias variables, estén precisadas con total exactitud.
2. Condición suficiente, significando que determinados factores psicosociales en sinergismo con factores conductuales, biológicos y ambientales son suficientes para dar inicio a una enfermedad.

Las variables psicosociales que participan en calidad de condición necesaria en la iniciación de enfermedades en el hombre no pueden por exclusión asumir carácter de condición contribuyente o alternativa.

Las conductas inherentes al estilo de vida individual pueden actuar en calidad de condición contribuyente e incrementar el riesgo de enfermedad, así como de condición alternativa, comportándose en unas enfermedades como condición contribuyente y en otras como condición suficiente, en sinergismo con otros factores biológicos en general, ambientales y psicosociales en particular.

El razonamiento anterior, transpolado al proceso de carcinogénesis, conduciría al planteamiento de algunas hipótesis que han encontrado respaldo empírico en diferentes trabajos:

1. En los seres humanos, en ausencia de la participación de determinados factores psicosociales, no se produce la iniciación del cáncer.

La personalidad, sus procesos de afrontamiento y defensa, las emociones, reflexiones, valoraciones concomitantes, no son elementos sobreañadidos al equipo biológico del hombre, sino por el contrario, constituyen parte consustancial de este y componentes determinantes de la salud y la enfermedad.

2. Determinados factores psicosociales al actuar en relación sinérgica con factores ambientales, conductuales, biológicos —genéticos, neuroendocrinos, metabólicos, bioquímicos e inmunológicos entre otros— pueden ser suficientes para iniciar el proceso de carcinogénesis.

La aceptación de la hipótesis sobre el carácter necesario de determinados factores psicosociales en la iniciación del cáncer excluye la posibilidad lógica, de que dichas variables actúen como condición contribuyente y alternativa.

3. Algunas variables conductuales características del estilo individual de vida, por su parte, pueden ser condición contribuyente y alternativa en la iniciación del cáncer. Contribuyente en la medida que favorecen e incrementan la posibilidad de iniciación de esta enfermedad, y alternativa porque unas veces se comportan como contribuyentes y otras como suficientes. En este último caso al actuar en sinergismo con factores biológicos, ambientales y psicosociales.

4. Se hipotetiza que hay un grupo de factores psicosociales que pueden participar más relevantemente en la carcinogénesis en calidad de condición necesaria o suficiente, en sinergismo con las variables antes mencionadas. Estos factores son: la reacción emocional, cognitiva y conductual crónica de depresión, desolación, desamparo/desesperanza, asociada a la represión en la expresión de emociones negativas. Esta reacción sería la respuesta a la autopercepción de la ineficacia en el afrontamiento con los estresores, y a la ineficacia percibida en el apoyo que el individuo recibe y brinda.

BIBLIOGRAFÍA

[1] Fife, A.; P. J. Beasley and D. L. Fertig: "Psychoneuroimmunology and Cancer: Historial Perspectives and Current Research." *Adv Neuroimmunology*, 6(2):179-90, 1996.

2 Lowenthal, R. M.: "Can Cancer be Cured by Meditation and Natural Therapy? A Critical Review of the Book: You Can Conquer Cancer by Ian Gowler. *The Medical Journal of Australia*, 151:4-18, 1989.

3 Temoshok, L. R.; B. Heller; R. Sagebiel; M. S. Blois; D. M. Sweet; R. DiClemente and M. L. Gold: "The Relationship of Psychological Factors to Prognostic Indicators in Cutaneous Malignant Melanoma." *J. of Psychosomatic Research*, 29(2):139-53, 1985.

4 Temoshok, L. R.: "Personality, Coping Style, Emotion and Cancer: Towards Integrative Model." *Cancer Surveys*, 6:545-67, 1987.

5 _____: "Complex Coping Patterns and their Role in Adaptation and Neuroimmunomodulation. Theory, Methodology and Research." *Ann NY Acad Sci*, 917:446-55, 2000.

6 Contrada, R. J.; H. Leventhal and A. O'Leary: "Personality and Health". L. A. Pervin Ed., *Handbook of Personality: Theory and Research*. New York: Guilford Press, pp. 648-94, 1990.

7 Grossarth-Maticek, R. and H. J. Eysenck: "Personality, Stress, and Disease: Description and Validation of a new Inventory." *Psycholog. Reports*, 66:355-73, 1990.

8 _____: "Prophylactic effects of Psychoanalysis on Cancer-prone and Coronary Heart Disease-prone Probands, as Compared with Control Groups and Behavior Therapy Groups." *J. Behav. Ther. and Exp. Psychot*, 21:91-99, 1990.

9 _____: *Personality and Cancer; Prediction and Prophylaxis. Anticarcinogenesis and Radiation Protection 2*. Edited by O.F. Nygaard and A. C. Upton, 1991 Plenum Press, New York.

10 Eysenck, H. J.: "Psychological Factors in the Prognosis, Prophylaxis and Treatment of Cancer and CHD." *Psychological Assessment*, 5(2):181-98, 1989.

11 _____: "Personality, Stress and Cancer: Prevention and Prophylaxis." *Brit. J. of Med. Psychology*, 61:57-75, 1988.

12 Domínguez, B. J. y M. Montes: *Psiconeuroinmunología: Procesos psicológicos, inmunosupresión y efectos en la salud*. Centro Nacional para el estudio y tratamiento del dolor y Departamento de Alergia e Inmunología del Hospital General de México. 1998.

13 Grossarth-Maticek, R. and H. J. Eysenck: "Creative Novation Behavior Therapy as a Prophylactic Treatment for Cancer and Coronary Heart Disease: Part I, Description of Treatment." *Behav. Res. Ther.*, 29(1):1-16, 1991.

14 _____: "Creative Novation Behavior Therapy as a Prophylactic Treatment for Cancer and Coronary Heart Disease: Part II, Effect of Treatment." *Behav. Res. Ther.*, 29(1):17-31, 1991.

15 Spiegel, D., J. R. Bloom, H. C. Kraemer and E. Gottheil: Effect of Psychosocial Treatmente on Survival of Patient with Metastatic Breast Cancer." *The Lancet*, 888-91, 1989.

16 Kiecolt-Glaser, J. and R. Glaser: "Psychoneuroimmunology and Cancer: Fact or Fiction?" *Eur. Journal Canc*, 35(11):1603-7, Oct. 1999.

17 Coker, K. H.: "Meditation and Prostate Cancer: Integrating a Mind/body Intervention with Traditional Therapies." *Sem. Urology Oncol*, 17(2):111, May. 1999.

18 Smith, W. R. and H. Sebastian: "Emotional History and Pathogenesis of Cancer." *J. of Clinical Psychology*, 32(4):63-66, 1976.

19 Cohen, S. and T. B. Herbert: "Health, Psychology: Psychological factor of Human Psychoneuroimmunology." *An. Rev. Psycghol*, 47:113-42, 1996.

20 Solomon, G. F.: *The Healthy Elderly and Long-term Survivors of AIDS: Psychoimmune Connections.* (A conversation with George F. Solomon, M.D). Advances Institute for The Advancement of Health, 5(1):6-14, 1990.

21 Borysenko, M.: "The Power of the Mind to Heal. The State of the Art of Mind-body Medicine in 1995." In: I. Gwaler (Ed). *Mind Immunity and Health. The clinical applications of Psychoneuroimmunology and the Mind body Connection.* 9-40, Australia.

22 Solomon, G. F.: "Psychosocial Factors, Exercise and Immunity: Athletes, Elderly Persons and AIDS Patients." *Int. J. Sports Med*, l2-23, 1990.

23 Sali, A.: "Psychoneuroimmunology. Fact or Fction?" *Aust Fam Physician*, 26(11):1291-4, 1296-9, Nov. 1997.

24 Solomon, G. F.: "Psychoneuroimmunology. Interactions between Central Nervous System and Immune Sustem." *J. of. Neuroscience Research*, 18:1-9, 1987

25 Klaphede, M. M.: "Transplantation Psychoneuroimmunology: Building Hypotheses." *Med. Hypotheses*, 54(6):969-78, Jun. 2000.

26 Siegel, K. and G. H. Christ: *Psychosocial Consequences of Long-term Survival of Hodgkin's Disease.* Edited by J. Mortimer. Lacher and John R. Redman. Copyright L. and Febiger. Philadelphia, 1989.

27 Kobasa, S. C. *et al.*: "Personality and Constitution as Mediators in the Stress-illness Relationship." *J. of Health and Social Behavior*, 22:368-78, 1981.

28 Holland, J.: "Psycho-oncology: Overview, Obstacles and Opportunities." *Psycho-oncology*, 1:1-13, 1992.

29 _____: "Psychosocial Variables are they Factors in Cancer Risk or Survival?" *Current Concepts in Psychooncology*, IV:25-33, 1992.

30 Lorente, L.; J. A. Aller and G. J. Arias: "Psychoneuroimmune Endocrine System: A three Phase Old Response." *J. Of Intern Medicine*, 239(1):83-90, 1996.

31 Dolbeault, S.; A. Szporn and J. C Holland: "Psycho-Oncology: Where Have we Been? Where are we Going?" *Eur J Cancer*, 35(11):1554-8, Oct. 1999.

32 Marinello, Z.: *Nociones y reflexiones sobre el cáncer.* Ed. Científico Técnico, pp. 1-49, La Habana, 1983.

33 De Vita, J. Jr.: *Cancer: Principles and Practice of Oncology.* 8th ed. In: De Vita Jr. S. Hilman and S. A. Rosenberg Lippincot. Raven, 1997.

34 Persky, W.; J. Kempthorne-Rawson and R. B. Shekelle: "Personality and Risk of Cancer: 20-year Follow-up of the Western." *Electric Study. Psychosomatic Medicine*, 49:435-49, 1987.

35 Shekelle, R.; Raynor Jr.; M. Adrian *et al.*: "Psychological Depression and 17-year Risk of Death from Cancer." *Psychosomatic Med*, 2(45):117-125, 1981.

36 Linkins, R. W. and G. W. Comstock: "Depressed Mood and Development of Cancer." *American J. of Epidemiology*, 132(5):962-72, 1990.

37 Faragher, E. B. and C. L. Cooper: "Type A Stress prone Behavior and Breast Cancer." *Psychological Medicine*, 20:663-70, 1990.

38 Walker, L. G. and O. Eremin: "Psychosocial Assesment and Interventions: Future Prospects for Women with Breast Cancer." *Sem Surg Oncol*, 12(1):76-83, Jan-Feb, 1996.

39 Timsland, L.; J. A. Soreidi; R. Matre and F. F. Malt: "Pre-operative Psychological Variables Predictor Immunological Status in Patients with Operable Breast Cancer." *Psychooncology*, 6(4):311-20, Dec., 1997.

40 Eysenck, H. J. and R. Grossarth-Maticek: "Prevention of Cancer and Coronary Heart Disease and the Reduction in the cost of the National Health Service." *The Journal of Soc. Pol. and Economic Studies*, 14(1):25-47, 1989.

41 Morris, T.; S. Greer; K. W. Pettingale and M. Watson: "Patterns of Expression of Anger and their Psychologica Correlates in Woman with Breast Cancer." *Journal of Psychosomatic Research*, 25(2):111-17, 1981.

42 Watson, M.; S. Greer; J. Young; Q. Inayat; C. Burgess and B. Robertson: "Development of a Questionnaire Measure of Adjustment to Cancer: The MAC scale." *Psychological Medicine*, 18:203-209, 1988.

43 Greer, S.: "Mind-body Research in Psychooncology." *Adv Mind Body Me*, 15(4):236-44, Fall, 1999.

44 Levenson, J. L. and C. Bemis: "The Role of Psychological Factors in Cancer Onset and Progression." *Psychosomatics*, 32(2):124-32, 1994.

45 Edwards, J. R.; C. L. Cooper; G. Pearl; E. S. De Paredes; A. O'Leary and M. C. Wilhelm: "The Relationship Between Psychosocial Factors and Breast Cancer: Some Unexpected Results." *Behavioral Medicine*, 5-14, Spring, 1990.

46 Cooper, C. L.; R. Cooper and E. B. Faragher: "Incidence and Perception of Psychosocial Stress: The Relationship with Breast Cancer." *Psychosocial Medicine*, 19:415-22, 1989.

47 Suárez, J. M.: *Prevención, profilaxis y diagnóstico precoz del carcinoma de la mama*. Ed. Científico Técnica, pp. 33-53, La Habana, 1990.

48 Uchino, B. N.; J. T. Cacioppo; W. Malarkey and R. Glaser: "Individual Differences in Cardiac Sympathetic control Predict Endocrine and Immune Responses to Acute Psychological Stress." *J. Pers Soc Psychology*, 69(4):736-43, 1995.

49 Biondi, M. and G. D. Kotzalidis: "Human Psychoneuroimmunology Today." *Journal of Clinical Laboratory Analysis*, 4:22-38, 1990.

50 Levy, S. M.: *Behavioral Risk Factors as Host Vulnerability. Psychological, Neuropsychiatric Substance Abuse Aspects of AIDS*. T. Peter Bridge and Raven Press. pp. 225-239, New York, 1988.

51 Levy, S. M.; R. B. Herberman; M. Lippman; T. D'Angelo and J. Lee: "Immunological and Psychosocial Predictors of Disease Recurrence in Patients with Early Stage Breast Cancer." *Behavioral Medicine*, 348-53, 1991.

52 Garssen, B. and K. Goodkin: "On the role of Immunological Factors aAs Mediators Between Psychosocial Factors and Cancer Progression." *Psychiatry Res*, 85(1):51-60, Jan. 18, 1999.

53 Reynaert, C.; Y. Libert and P. Joane: "Psicogénesis del cáncer: entre mitos, abusos y realidad." *Bull Cáncer*, 87(9):655-64, Sep., 2000.

54 Butow, P. N; J. E. Hiller; M. A. Price; S. V. Thackwaay; A. Kricker and C. C. Tennant: "Epidemiological Evidencie for a Relationship Between Life Events, Coping Style, and Personality, Factors in the Development of Breast Cancer." *J. Psychosom Res*, 49(3):169-181, Sep. 1, 2000.

55 Faller, H.; H. Lang and S. Schilling: "Causal 'cancer personality' attibutional –an expression of maladaptative coping with illness?" *Z Lin Psychol Psychiatr Psychother*, 44(1):104-16, 1996.

56 Holland, J. C.: "Fears and Abnormal Reactions to Cancer. In: Physically Heathy Individuals. In: J. C. Holland and J. H. Rowland (Ed.), *Handbook of Psychooncology*. Oxford University Press, New York, 1989.

57 Waltari, Milka. *Sinuhé el egipcio*. Ed. Arte y Literatura. T. 1, p. 92, La Habana, 1998.

58 Leontiev, A. N.: *Actividad conciencia y personalidad*. Ed. Pueblo y Educación. La Habana, 1981.

59 Suárez Vera, D. M.: "Oncología Psicosocial. Personalidad, tipologías y proceso salud-enfermedad. En: *Psicología y Salud*. Ed. F. Núñez de Villavicencio Porro. Ed. Ciencias Médicas. La Habana 2001.

60 _____: *Mastectomía y Autopercepción Corporal*. Tesis para optar por el título de Especilista de 1er Grado en Psicología de la Salud. Facultad Calixto García. ISCM-Habana, Octubre 2000.

61 Thorne, S. E. and C. Murray: "Social Constructions of Breast Cancer." *Health Care Women Int*, 21(3):141-59, Apr., 2000.

62 Bayés, R.: "Cuidados Paliativos." *Jano*, Ext (XLV):19-21, 1993.

63 _____: *Psicología oncológica*. Ed. Martínez Roca, 2da. ed., cap. 1, p. 26, 1991.

64 Molina, M.: *Estudio psicológico de sujetos adolescentes con enfermedades neoplásicas malignas en período agudo*. Trabajo de diploma para optar por el título de Licenciada en Psicología. Facultad de Psicología. Universidad de la Habana, La Habana, julio, 1988.

65 _____: *Estilo de vida en sujetos del Policlínico Plaza de la Revolución*. Trabajo para optar por el grado científico de Master en Psicología Clínica. Facultad de Psicología. Universidad de La Habana, La Habana, 2001.

66 Grau, J. and W. Guibert: *Actitudes, motivaciones, emociones, creencias y conductas en el control del cáncer. Su importancia para la prevención y educación para la salud.* Soporte material para Seminarios sobre Educación en Cáncer del Programa Latinoamericano contra el cáncer. La Habana, 1997.

67 Jordán, J. R.: "Promoción y prevención de salud." En: *Pediatría.* Ed. Pueblo y Educación, T. 2., pp. 4-19, La Habana, 1996.

68 Andersen, B. L.: "Psychological and Behavioral Studies in Cancer. Prevention and Control. *Health Psychology*, 15(6):411-25, 1996.

69 Segal, R.; W. K. Evans and J. Gaayton *et al.*: "Structured Exercise Improves Pshysical Functioning in Women with Breast Cancer: Results of a Randomized Controlled Trial." *Breast Cancer Res Treat*, 138-150, 2000.

70 Kissen, O.; R. Rasmussen and L. Endrei: "Sedentarismo." *Rev Fed Arg Cardiol*, 28:513-16, 1999.

71 Rodríguez, J.: "Promoción de salud y prevención de la enfermedad." En: *Psicología Social de la Salud.* Ed. Síntesis, pp. 30-50, Madrid, 1995.

72 Prochaska, J. O and C. C. DiClemente: "Transtheoretical Therapy. Toward a more Integrative Model of Clange." *Psychoterapy: Theory, Research and Practice*, 19:276-88, 1982.

73 Weinstein, N.: "The Precaution Adoption Process." *Health Psychology*, 4:355-85, 1988.

74 Suárez Vera, D. M. (citado en): "Oncología psicosocial. Factores psicológicos y sociales en el cáncer." En: *Psicología y Salud.* Ed. F. Núñez de Villavicencio Porro, Ed. Ciencias Médicas, La Habana, 2001.

75 Solomon, G. F.; N. E. Kay and J. Morley: *Endorphins: A link Between Personality, Stress, Emotions, Immunity and Disease? From Enkephalins and Endorphins.* Edited by Nicholas P. Plotnikoff, Robert E. Faith, Anthony J. Murgo and Robert A. Good. Plenum Publishing Corporation, 1986.

76 Ishihara, Y.; K. Matsunaga; H. Ijima *et al.*: "Time-Dependent effects of Stressor Application on Metastasis of Tumor Cells in the Lung And Its Regulation by and Immunomodulator in Mice." *Psychoneuroendocrinology*, 24(7):713-26, Oct., 1999.

77 Bauer, S. M.: "Psychoneuroimmunology and Cancer: An Integrated Review". *J. Adv Nurs*, 19(6):1114-20, Jun., 1994.

78 Kemeny, M. E. and T. L. Gruenewald: "Psychoneuroimmunology Update." *Sem. Gastrointest Dis*, 18(1):20-9, Jun., 1999.

79 Moyniham, J.A. and R. Ader: "Psychoneuroimmunology: Animals Models of Disease." *Psychosomatic Medicine*, 58(6):546-48, Nov-Dec 1996.

80 Stefanaski, V. and S. Ben-Eliyahu: "Social Confrontation and Tumor Metastasis in Rats: Defeat and Beta adrenergic Mechanisms." *Physiology Behav*, 60(1):277-82, Jul., 1996.

81 Blalock, J. E. "The Immune System as a Sensory Organ." *Journal of Immunology*, 122(3):1067-70, 1984.

82 Morley, J. E.; N. E. Kay; G. F. Solomon and N. P. Plotnikoff: "Neuropeptides: Conductors of the Immune Orchestra." *Life Sciences*, 41:527-44, 1987.

83 Álvarez, M. A.: *Stress: Un enfoque psiconeuroendocrino.* Ed. Científico Técnica. La Habana, 1989.

84 Kemeny, M. E.; H. Weinwe and R. Durán *et al.*: "Immune System Changes after the Death of a Partner in HIV Positive gay Man." *Psychosomatic Medicine*, 57(6):547-54, 1995.

85 Ader, R.: "On the Development of Psychoneuroimmunology." *Eur J. Pharmacol,* 29;405(1-3:167-76, Sept., 2000.

86 Mackinnon, L.T.: "Current Challenges and future Expectations in Exercise Immunology: Back to the future." *Med Sci Sports Exerc*, 26(2):191-4, Feb., 1994.

87 Triceri, A.; A. R. Errani; M. Vangeli *et al.*: "Neuroimmunomodulation and Psychoneuroendocrinology: Recent Findings in Adults and Aged." *Panminerva Med*, 37(2):77-83, 1995.

88 Naliboff, B. D.; D. Benton, G. F. Solomon; J. E. Morley; J. Fahey; E.T. Bloon; T. Makinodan and J. E. Gilmore: "Immunological Changes in Young and Old Adults During Brief Laboratory Stress." *Psychosomatic Medicine*, 53:121-132, 1991.

89 Ferrell, B. R.: "The Marriage: Geriatrics and Oncology". *Geriatric Nurs*, 20(5):238-40, Sept-Oct., 1999.

90 O'Leary, A.: "Stress, Emotion and Function Immune." *Psychological Bulletin*, 108:363-82, 1991.

91 Glaser, R.; J. Rice; C. E. Speicher; J. C. Stout and J. K. Kiecolt-Glaser: "Stress depressed interferon production by leukocyte concomitant with a decrease in NK cell activity." *Behavioral Neuroscience*, 100(5)675-78, 1986.

92 Kiecolt-Glaser, J. and R. Glaser: "Psychoneuroimmunology and Health Consequences: Data and shared Mechanisms." *Psychosomatic Med*, 57(3):269-74 May-Jun., 1995.

93   _____: "Psychoneuroimmunology and Immunotoxicology Implications for Carcinogenesis." *Psychosomatic Med*, 61(3):263-70, May-Jun., 1999.

94 Law, H. U.: "Psychooncology." *Arch Gynecol Obstetric*, 257(14): 634-8, 1995.

95 Solomon, G. F.; M. A. Fiatarone; D. Benton; J. E. Morley; E. Bloom and T. Makinodan: "Psychoimmunologic and Endorphin function in the Aged". *Annals of the New York Academy of Sciences*, 521; 1998.

96 Solomon, G. F.; L. Temoshok; A. O'Leary and J. Zich: "An Intensive Psychoimmunologic Study of Long-surviving persons with AIDS. Pilot Work, Background Studies, Hypotheses and Method." *Annals of the New York Academy of Sciences*, Neuro-immune Interactions: Proceedings of the Second International Workshop on Neuroimmunomodulation, 496:647-655, 1987.

97 Levy, S. M.; R. B. Herberman; A. Simons; T. Whiteside; J. Lee; R. McDonald and M. Beadle: "Persistently Low NK Cell Activity in Normal Adults: Immunological, Hormonal and Mood Correlates. Nat. Immun. Cell." *Growth Regul*, 8:173-86, 1988.

98 McClelland, D. C.; E. Floor; R. J. Davidson and C. Saron: "Stressed Power Motivation Sympathetic Activation Immune Function and Illness." *J. of Human Stress*, pp. 11-19, Jun., 1980.

99 McClelland, D. C.: "Motivational Factors in Health and Disease. *American Psychologist*, 44(4):675-83, Apr., 1989.

100 Jemmott III, J. B. and D.C. McClelland: "Secretory IgA as a Measure of Resistance to Infectious Disease: Comments on Stone, Cox, Valdemarsdotter and Neale." *Behavioral Medicine*, 63-70, 1989.

101 Jemmott III, J. B.; C. Hillman; D. C. McClelland; S. E. Locke; L. Kraus; M. Williams and C. R. Valeri: "Motivational Syndromes associated with NK Cell activity", *J. Pers Soc Pshychol*, 13:53-73, 1990.

102 O'Leary, A.; L. Temoshok and , S. R. Jenkins: "Autonomic Reactivity, Immune function and Survival in Men with AIDS." *Psychopshysiology*, 26 (Suppl. 47), 1989.

103 Rappocciolo, G.; J. F. Tose; D. J. Torpey; P. Gupta and C. R. Rinaldo: "Association of Alpha Interferon Production with NK Cell lysis of V 937 Cells infected with Human Immunodeficiency Virus." *J. Clin. Microbiol*, 86:41-48, 1989.

[104] Caudell, K. A and B. B. Gallucci: "Neuroendocrine and Igical Responses of Women to Stress." *West J. Nurse Res*, 17(6):672-92, 1995.

[105] Biondi, M. and P. Pancheri: "Stress, Personality, Immunity and Cancer: A challenge for Psychosomatic Medicine." In: *Behavioral Epidemiology disease prevention*. Edited by R. M. Kaplan and M. H. Criqui Plenum Publishing Corporation,1985.

[106] _____: "Mind and Immunity. A review of Methodology in Human Research." *Advances in Psychosomatic Medicine*, 17:234-51, 1987.

[107] _____: "Depression and Coping Style as Modulators of the Immune Response under Stress." In: *Stress and Immunity*. N. P. Plotnikoff, Murgo, Faith and Wybran. CRC Press Boca Raton Ann Arbor London,1991.

[108] Bryla, C. M.: "The Relationship Between Stress and the Development of Breast Cancer: A Literature Review." *Oncol Nurs Forum*, 23(3):441-8, Apr., 1996.

[109] Biondi, M.; A. Costantini and A. Parisi: "Can loss and Grief Activate Latent Neoplasia? A clinical case of possible interaction Between Genetic Risk and Stress in Breas Cancer." *Psychother Psychosom*, 65(2):102-5, Mar-Apr., 1996.

[110] Kiecolt-Glaser, J. K.; W.Garner, C. Speicher; G. M. Penn; J. Holliday and R. Glaser: "Psychosocial modifiers of Immunocompetence in Medical students". *Psychosom. Med.*, 46:7-14, 1984.

[111] Kiecolt-Glaser, J. K.; R. Glaser; J. S. Willinger: "Psychosocial Enhancement of Immunocompetence in a Geriatric population." *Health Psychology*, 4:25-41, 1985.

[112] Kiecolt-Glaser, J. K.; L. D. Fisher; P. Ogrocki; J. Stout; C. E. Speicher and R. Glaser: "Maritall Quality, Marital Disruption and Immune function." *Psychosomatic Medicine*, 49(1):13-34, 1987.

[113] Schleifer, S. J.; S. E. Keller; M. Camerino and col.: "Supression of Lymnphocytestimulation following Bereavement." *JAMA*, 250(3):374-77, 1983.

[114] Schleifer, S. J.; S. E.Keller; A. T. Meyerson; M. J. Raskin; K. L. Davis and M. Stein: "Lymphocyte function in major Depressive Disorder." *Arch. Gen. Psychiatry*, 41:484-86, 1984.

[115] Schleifer, S. J.; S. E. Keller; R. Bond; J. Cohen and M. Stein: "Major Depressive Disorder and Immunity." *Arch. Gen. Psychiatry*, 46:81-87, 1989.

[116] Schleifer, S. J. and S. E. Keller: "Altered lymphocyte function in the Depressed Patients." *Infections in Medicine*, 8(4):7-8 and 43-46, 1991.

[117] Anderson, J. L.: "The Immune System and major Epression." *Adv Neuroimmunology*, 6(2):119-29, 1996.

[118] Kaye, J.; J. Morton; M. Bowcutt and D. Maupin: "Stress, Depression and Psychoneurimmunology. *J. Neurosci Nurs,* 32(2):93-100, Apr, 2000.

[119] Byrnes, D. M.; M. H. Antoni; K. Goodkin *et al*: "Stressful events, pessimism, Natural Killer Cell Cytotoxicity and Cytotoxic/Supressor T Cells in HIV + black Women at Risk for Cervical Cancer." *Psychosomatic Med*, 60(6):714-2 2, Nov-Dic., 1998.

[120] Andreoli, A.; Ch. Taban and G. Garrone: "Stress, Depression, Immunite: Nouvelles perspectives de Recherche dans le Domaine de la Psychoimmunologie." *Annales Medico-Psychologiques*, 1(147):35-46, 1989.

[121] Andreoli, A.; M. Rabaeus and G. Garrone: "Stress, Angoisse et Immunite." *Cahiers Medico-Sociaux*, 34:115-22, 1990.

[122] Andreoli, A.; S. T. Keller; Ch. Taban and G. Garrone: "Immune Function in major Depressive Disorders: Relation to Panic Disorders Comorbidity." *Proc. Soc. Biol. Psychiatry*. 2:379-95. 1990c.

[123] Schedlowski, M. and R. E. Schmidt: "Stress and the Immune System." *Naturwissenschaften*, pp. 214-20, 1996.

[124] Antoni, M. H.: "Neuroendocrine Influence in Psychoimmunologic and Neoplasia." *Psychology and Health*, 1:3-24, 1987.

[125] Antoni, M. H. and K. Goodkin: "Host Moderator Variables in the Promotion of Cervical Neoplasia: I Personality facets." *J. of the Psychosomatic Research*, 32(3):327-38, 1988.

[126] Pettingale, K. W.; T. Morris; S. Greer and J. L. Haybittle: "Mental Attitudes to Cancer an Additional Prognostic Factor." *Lancet*, 1, 750, 1985.

[127] Bancu, A. C.; M. Gherman; A. Sulica; T. Goto; W. Farrar and R. B. Herberman: "Regulation of Human Natural Citotoxicity by Ig G." *Cellular Immunology*, 114:146-56, 1988.

[128] Levy, S. M.; J. Lee; C. Bagley and M. Lippman: "Survival hazarts Analysis in first recurrent Breast Cancer Patients: Seven years follow-up." *Psychosomatic Medicine*, 50:520-28, 1988.

[129] Herberman, R. B. and J. R. Ortaldo: "NK Cells: Their role in Defenses Against Disease." *Science*, 214:24, 1981.

[130] Fors, L. M; M. Quesada y D. Peña: "La Psiconeuroinmunología, una nueva ciencia en el tratamiento de enfermedades." *Rev. Cubana de Investigaciones Biomédicas*, 118(1):49-53, 1999.

[131] Nee, L. E.: "Effects of Psychosocial Interactions at a Cellular Level." *Soc Work*, 40(2):259-62, Mar., 1995.

[132] Baum, A. and D. M. Posluszny: "Health Psychology: Mapping Biobehavioral Contributions to Health and Illness." *Annu Rev Psychol*, 50:137-63, 1999.

[133] Benjamin, E.; D. Rennick y S. Steward: "Inmunología tumoral." En: *Inmunología básica y clínica*. D. P. Stites, J. Stabo, H. H Fundenberg y J. V. Wills, Ed. Científico Técnica, La Habana, 1987.

[134] Edwards, J. R. and C. L. Cooper: "The Impacts of Positive Psychological States on Physical Health: A review and Theoretical Farmework." *Soc. Sci. Med.*, 27(12):1447-59, 1988.

[135] Scheier, M. F. and C. S. Carver: "Dispositional Optimism and Physical well being: The Influence of Generalized Outcome expectancies on Health." *J. Personality*, 13:121-196, 1994.

[136] Worten, P.: "Humor and Sense of control: An Antidote for Stress." *Holist Nurse Practice*, 10(2):49-56, 1996.

[137] Moreno, B.: *Personalidad y salud*. Conferencias dictadas en la Facultad de Psicología de la Universidad de La Habana. Impresiones ligeras, La Habana, 1999.

[138] Strang, S. and P. Strang: "Spiritual thoughts, Coping and Sense of coherence in brain tumour Patients and their Spouses." *Br. J. Cancer*, 34(5):650-53, Jan. 2001.

[139] Cassileth, B. R.: "The aim of Psychotherapeutic intervention in Cancer Patients." *Support Care Cancer*, 267:9, Jul, 1995.

[140] Spiegel, D.: "Embodying the Mind in Psychooncology Research." *Adv Mind Body Med*, Fall; 15(4):236-244, 1999.

[141] Lissoni, P.; S. Bolis; F.Brivio and L. Fumagalli: "A Phase II Study of Neuroimmunomonotherapu with Subcutaneus low dose IL-2 Plus The Pineal Hormone Melatonin in Untreatable Advanced Hematologic Malignancies." *Anticancer Research*, 20(313):203-205, May-Jun, 2000.

CAPÍTULO II CALIDAD DE VIDA Y SOBREVIDA EN EL ENFERMO DE CÁNCER

Uno de los problemas que confrontan los investigadores de la Oncología Psicosocial es el uso de diferentes indicadores para hacer referencia a una misma interrogante.[1]

La gran variabilidad de aspectos que en diferentes estudios se incluyen dentro de una misma denominación, el uso de denominaciones similares para significar problemas diferentes, es decir, la falta de uniformidad y acuerdo en lo relativo a la definición operacional de los conceptos de esta ciencia, constituye, sin duda, un aspecto que frena un tanto su creciente desarrollo, al mismo tiempo que una tarea que reclama solución.

El análisis que se intentará realizar respecto a los vínculos entre la llamada calidad de vida y la duración de la sobrevida del enfermo de cáncer, obviamente no puede estar exento de algunas de las limitaciones antes señaladas.

En relación con dichos vínculos aflora a primera vista que uno de los factores, que al parecer contribuye en gran medida a precipitar la muerte en el caso de las enfermedades terminales en general, es la ausencia de interés, de motivación, de deseos en el enfermo por sobrevivir y en consecuencia la falta de una estrategia cognitiva afectiva y conductual dirigida a lograr la supervivencia.

No se trata de adoptar una posición voluntarista, marginal a la ciencia, al someter a análisis el papel que al menos desde una posición estrictamente lógica puede suponerse que desempeñan los factores psicosociales, tanto en la duración como en la prolongación de la sobrevida del enfermo de cáncer.

La respuesta debe estar necesariamente ligada a la búsqueda y elucidación de los mecanismos biológicos relacionados con la salud y con el afrontamiento a la enfermedad, los cuales podrían ser activados, y aún más, reforzados por influencia psicosocial.

En este capítulo no se analiza unilateralmente la calidad de vida desde una perspectiva clínica, por el contrario se incluyen otros enfoques como son: la presencia o ausencia de síntomas asociados a la terapia anticancerosa, la conservación de roles y capacidades para ejercitarlos, la evaluación de las condiciones de vida y la satisfacción con la vida, entre los más destacados.

Algunas consideraciones
en torno al concepto calidad de vida

En los últimos años se observa una marcada tendencia al incremento de la supervivencia de los enfermos de cáncer, en correspondencia con los avances del desarrollo científico.

Este hecho tiene importantes implicaciones tanto clínicas como psicosociales y es sobre este último aspecto que se encaminará el análisis de la calidad de vida de las personas que logran sobrevivir durante varios años a los estragos bioclínicos de la enfermedad, y quizás a lo que aún sea más difícil en términos del ajuste psicológico y social: a la amenaza que al menos potencialmente la enfermedad representa.

En Suiza,[2] se reporta el riesgo de suicidio en una población de enfermos de cáncer. Se plantea la existencia de un incremento en el riesgo de suicidio de estos enfermos señalando que este aumento fue similar en ambos sexos en Europa Central en los últimos años. Los valores más altos fueron reportados durante el primer año posterior al diagnóstico, con un decrecimiento de los mismos entre 1,6 y los 5 años siguientes.

Se sugiere en dicho trabajo que el riesgo de suicidio posterior al diagnóstico de cáncer puede ser mayor que el previamente estimado en países desarrollados como Finlandia, Suiza y el encontrado en los Estados Unidos.

Hasta mediados de la década de los noventas del pasado siglo se reportó poca información sobre el suicidio cometido por enfermos de cáncer hospitalizados en instituciones oncológicas, aceptándose en calidad de hipótesis que cuando el enfermo es sometido a régimen de hospitalización disminuye la depresión, la ansiedad y el miedo a la muerte, por sentirse menos solo y más protegido contra su enfermedad, lo que se encuentra en íntima relación con la percepción que realiza el enfermo de cáncer sobre la calidad de su vida.

Las anteriores consideraciones podrían en alguna medida explicar el interés marcado que se observa en la literatura médica en general y en especial en la psicológica y sociológica por la calidad de vida de estos pacientes.

En un breve y fructífero trabajo, Greer[3] define la calidad de vida dentro de un contexto clínico como: "... el bienestar físico y emocional del paciente con cáncer". Añade que esta categoría debe incluir tanto el grado de realización física como el ajuste psicosocial, habiendo sido —señala— este último componente sistemáticamente obviado.

Siegel y Christ,[1] aún cuando no brindan una definición del término, hacen una amplia exposición de las consecuencias psicosociales de la sobrevida en enfermos de Hodgkin, las que afectan de hecho y potencialmente la calidad de vida de los mismos. Entre otros factores, estas autoras hacen referencia al significado que reviste para el paciente la concientización de su tránsito de enfermo a sobreviviente, el miedo a la recurrencia, el que es calificado como omnipresente en el grupo estudiado, la urgencia en la redefinición de las prioridades y objetivos a los que la enfermedad obliga, el reajuste psicosocial y vocacional, teniendo en cuenta la edad temprana en que con frecuencia aparece la enfermedad, la discriminación abierta o encubierta que no pocas veces el enfermo debe encarar, los cambios en las relaciones interpersonales en general y en particular en la relación con la familia, con la pareja, con los amigos.

Conciben que todos los factores citados se vinculan estrechamente al subyacente sentido de mutilación y deterioro físico provocado por la enfermedad, por el tratamiento o por ambos procesos, y al sentimiento de pérdida de atractivo físico y sexual y de la autoestima.

Este cuadro muy vívida y realísticamente muestra una parte de los obstáculos que en diferentes grados, con más o menos recursos de todo tipo, ha de enfrentar y vencer el enfermo en el curso de su supervivencia.

En un trabajo realizado en el Johns Hopkins Oncology Center,[4] con 135 sobrevivientes de transplantes de médula ósea, de ambos sexos, se hace referencia a varios aspectos de importancia en relación con el problema en análisis.

En lo concerniente al marco teórico-estructural del estudio se realizan tres consideraciones fundamentales a tener en cuenta en la investigación de la calidad de vida del enfermo de cáncer:

1. Está dada por el hecho conocido, de que sí bien la calidad de vida es incluida de forma regular en la evaluación de la terapia del cáncer, aún no hay acuerdo de qué es exactamente y de cómo puede ser medida. Sin embargo, las intervenciones psiconcológicas actuales y las nuevas terapias incluyen como un objetivo central el mejoramiento de la calidad de vida y no solo el incremento de la sobrevida.[5]

2. Se refiere a la necesidad de focalizar más el estudio en la calidad de la supervivencia y en la rehabilitación física y psicosocial del paciente oncológico, así como en la evaluación de la calidad de vida subsecuente a la rehabilitación.

3. Se enfatiza en la importancia de considerar lo que los autores denominan "efectos tardíos de la enfermedad" tanto los de orden físico como psicológico y que pueden dañar a los sobrevivientes. Tal es el caso de las complicaciones derivadas de la agresividad de los tratamientos anticancerosos, el estrés de haber estado cerca de la muerte y los efectos estigmatizantes de haber sido etiqueteado como enfermo de cáncer.[4]

Con relativa independencia de los términos en que pueda concebirse la calidad de vida, cualquier variante de discriminación a estos enfermos, constituye una agresión emocional, ética y social. La misma profundiza el deterioro de la autoestima del individuo y en consecuencia afecta la calidad de vida de este, en niveles que en gran medida dependen de su autoeficacia en el afrontamiento a este estresor, y de las repercusiones económicas y psicosociales que de dicha discriminación deriven.

En este trabajo sobre transplante de médula ósea, se señalan tanto los éxitos de esta terapéutica en función de la sobrevida para aquellos enfermos que no pueden ser controlados por otros medios, como los serios riesgos de deterioro físico, psicológico y social que la misma introduce.

La principal hipótesis de dicho estudio y la que fue ampliamente corroborada a través de este, es que la conservación de los roles sociales que eran desempeñados por los pacientes antes de ser diagnosticada la enfermedad, y del transplante, eran significativamente referidos a una más alta calidad de vida. Constituyendo este un indicador relevante, al mismo tiempo que una vía de control y evaluación de la calidad de vida de estos pacientes.

Otro aspecto clave señalado en el estudio es la existencia de diferencias entre los sexos en los patrones de conservación del rol. Aparentemente las mujeres mostraron estar menos afectadas que los hombres por la pérdida de los distintos roles que desempeñaban.

Este hallazgo podría estar influido por el hecho de que tradicionalmente en numerosas culturas, la mujer es educada para asimilar y aceptar con mayor tolerancia los patrones, normas sociales y limitaciones que la cultura en diferentes aspectos y dimensiones impone al sexo femenino. Este patrón de comportamiento aprendido, pudiera condicionar este aparente renunciamiento estoico en el desempeño de distintos roles sociales personalmente significativos de las mujeres estudiadas.

El enfermo de cáncer: indicadores de la calidad de vida

El análisis de los componentes de la calidad de vida del enfermo oncológico aproxima a un amplio espectro de indicadores que incluye tanto aspectos de carácter material o materialmente mediatizadores —objetos, procesos, relaciones— como factores psicosociales que se encuentran en íntima relación con los primeros.

El objeto de este capítulo está focalizado en torno a la consideración de que la percepción por el enfermo de la calidad de su vida, puede constituir un importante indicador pronóstico de la sobrevida de este.

Se han agrupado dentro de la categoría genérica de aspectos de carácter material o materialmente mediatizadores de la calidad de vida un grupo de indicadores, cuya especificidad está en función del sistema socioeconómico del país de que se trate, y por tanto pueden diferir en esencia en su contenido.

No obstante, los mismos de una u otra forma ejercen una determinada influencia sobre la calidad de vida. Estos indicadores pueden ser, entre los esenciales:

1. La disponibilidad de vivienda, alimentación, ropa, calzado adecuados, entre otros.
2. La accesibilidad a los servicios de atención de salud gratuitos, con la calidad requerida, incluyendo hospitalización, tratamientos, determinados medicamentos, etc.
3. El disfrute de los beneficios de la Seguridad Social, en términos de determinada retribución económica por enfermedad, retiro laboral, entre otros.
4. El derecho a recibir de la Asistencia Social, en los casos necesarios, ayuda monetaria y de otro tipo.
5. La posibilidad real de realizar un trabajo en correspondencia con la profesión, calificación u oficio, atendiendo a las limitaciones y secuelas de la enfermedad, ya sean físicas, psicosociales o ambas.

6. La accesibilidad al estudio e igualmente a la superación profesional y técnica en condiciones de gratuidad.
7. La posibilidad de hacer uso de los medios necesarios para la búsqueda de información: centros de información científica, bibliotecas públicas y otros.
8. El derecho a disfrutar de la recreación de acuerdo con las posibilidades económicas del sujeto, sus motivaciones, intereses y posibilidades de salud.
9. La accesibilidad para el uso del transporte público.
10. El derecho a participar activamente, a través de diferentes vías en la vida económica, política y social del país, así como a expresar opiniones y criterios en esta dirección.

Dentro de los factores psicosociales que serán analizados como mediadores de la calidad de vida del enfermo oncológico se encuentran algunos de los considerados más esenciales. Esta clasificación, por supuesto no excluye la valoración de otros factores igualmente significativos en la calidad de vida de estos enfermos, que no han sido considerados en el presente estudio, en el que solo se analizarán:

1. El impacto psicosocial de los tratamientos oncológicos sobre la calidad de vida del enfermo.
2. El afrontamiento del sujeto a la enfermedad y al tratamiento, a sus consecuencias físicas y en particular al dolor, así como a sus secuelas psicosociales, a la modificación del estilo de vida individual que la enfermedad y los tratamientos puedan imponer.
3. La conservación y desarrollo del sistema de roles sociales y de intereses en lo relativo a las actividades fundamentales para el sujeto, teniendo en cuenta la etapa de la vida que atraviesa y las limitaciones inherentes a la etapa de la enfermedad, y a la capacidad funcional residual del enfermo.
4. La eficacia de los sistemas de apoyo social, considerando que esta eficacia está en última instancia condicionada por el respeto a la autonomía, a la autodeterminación y autoestima del paciente, y en consecuencia, en gran medida se expresa mediante la contribución de los sistemas de apoyo social en la conservación y desarrollo de los roles sociales del paciente, y en el afrontamiento a la enfermedad utilizando métodos activos.

Dentro de los sistemas de apoyo social se incluyen:

1. La relación médico-paciente.

2. La pareja.
3. La familia y los amigos.
4. Las instituciones sociales y de salud en Cuba.

Los trastornos relativos a las consecuencias de los tratamientos biológicos anticancerosos aparecen directamente relacionado con el problema de la calidad de vida de los sobrevivientes de cáncer, así como las dificultades en el ajuste psicosocial que la sobrevida impone.[6, 7]

Impacto psicosocial de los tratamientos oncológicos sobre la calidad de vida

Uno de los puntos de mas interés en la evaluacion del costo-beneficio de los tratamientos oncológicos es el impacto de estos sobre la vida del paciente, el cual se expresa en términos de calidad de vida referida a la salud. En este sentido el análisis de los resultados en el uso de la cirugía oncológica puede constituirse en una fuente de información esencial sobre la calidad de vida percibida por los propios enfermos.

En los estudios realizados en lo últimos años en esta dirección se distinguen tres tipos de instrumentos elaborados a los efectos de evaluar la calidad de vida:

1. Los llamados instrumentos genéricos.
2. Los específicos de la enfermedad.
3. Los referidos a la evaluación de síntomas específicos.

Se considera que la medida de la calidad de vida referida a la salud puede ser de gran utilidad en varios sentidos. Primero porque permite identificar si un procedimiento quirúrgico es optimo; contribuye además a decidir si debe valorarse el tratamiento quirúrgico en aquellos pacientes oncológicos que tienen una expectativa de vida limitada y por ultimo refuerza la necesidad de usar el instrumento apropiado de medición a fin de llegar a resultados validos y clínicamente significativos, teniendo en cuenta la importancia de este tratamiento sobre la calidad de vida del enfermo.[8]

La morbilidad subjetiva asociada a los tratamientos anticancerosos no quirúrgicos y dentro de estos la quimioterapia y radioterapia, constituye otro de los aspectos esenciales en el estudio del impacto de los tratamientos oncoespecíficos sobre la calidad de vida del enfermo, y al que se le ha brindado relativamente poca atención, debido más que todo a la falta de instrumentos de valoración adecuados.[9]

Es por ello que en los últimos años se observan crecientes esfuerzos dirigidos a la elaboración de instrumentos de medición válidos y confiables. En este sentido se han utilizado diferentes indicadores para valorar la morbilidad subjetiva en ambos tipos de tratamientos.[9, 10] En uno de estos trabajos se utilizaron dos índices para valorar morbilidad subjetiva, obteniéndose resultados satisfactorios con relación a su validación, confiabilidad y discriminación.

El primero de estos indicadores se encaminó a investigar la duración del sufrimiento experimentado como consecuencia de la quimioterapia, pero sin definir este, solicitando de los pacientes el número de días que sufrían disconfort en relación con el tratamiento.

El segundo índice enfatizó el tiempo específico durante el cual la calidad de vida de las pacientes resulto inaceptable e insoportable para estas.

El tratamiento que presentó mayor morbilidad subjetiva fue CMF (Ciclofosfamida, Metotrexate y Fluoruracil) y FMC (Fluoruracil, Mitoxantrone y Ciclofosfamida) produjo la más baja. Los autores del estudio[9] hipotetizaron que la falta de energía inicial atribuible tanto a la enfermedad como al tratamiento y que experimentada por la casi totalidad de la muestra desempeñó un rol inductor en la depresión psicológica.

Con respecto a las relaciones familiares posteriores al diagnóstico y al tratamiento, los problemas que parecieron afectar más la calidad de vida fueron: relativamente altos valores de divorcio asociados a la enfermedad; incapacidad para tener hijos y cambios en la frecuencia del interés y de la actividad sexual.

Hubo una alta incidencia reportada, de al menos una dificultad confrontada con el trabajo y aproximadamente el 50% de la muestra estudiada valoró esta como consecuencia de la enfermedad. En el análisis general de los resultados de esta investigación se demuestra que alrededor de las tres cuartas partes del grupo, refirió como mínimo un problema en una de las áreas concebidas en el estudio como directamente relacionadas con la calidad de vida del sobreviviente de Hodgkin en particular, y de cáncer en general. Estas fueron: la pérdida de la energía, la depresión emocional, la imagen corporal negativa asociada con dificultades sexuales, los problemas con el empleo y el divorcio aparentemente a causa de la enfermedad.

Los pacientes que fueron diagnosticados y tratados cuando se encontraban en etapas más avanzadas de la enfermedad (estadio 3 y 4) mostraron tendencia a experimentar dos o más problemas en algunas de las áreas estudiadas. A partir de este último hallazgo podría preguntarse si existe alguna asociación entre el incremento en la incidencia de los problemas psicosociales que afectan más de forma negativa la calidad de vida de los pacientes en las etapas más avanzadas del cáncer y la relativamente poca influencia que parecen desempeñar estas variables en el pronóstico de los enfermos en los estadios avanzado y terminal de la enfermedad.

El tratamiento radiante por su parte ha mostrado tener un impacto desfavorable sobre la calidad de vida, en particular en pacientes con cáncer de mama durante la duración del mismo. Al concluir este, las pacientes comparadas con sus controles reportan más síntomas y malestares subjetivos que tienden a disminuir e incluso a desaparecer alrededor del segundo año de concluido el mismo, incluyendo el disgusto reportado por la apariencia de la mama. Resulta de interés destacar el vínculo que en estos casos se establece entre el tratamiento radiante y la disminución de la calidad de vida, especialmente asociada al daño percibido en la imagen corporal. Algo similar ocurre con el impacto de los resultados cosméticos, tanto de los tratamientos quirúrgicos como de la radioterapia en pacientes con cáncer de cabeza y cuello.[11] Estos aspectos hasta la fecha han sido insuficientemente estudiados en el país.

El afrontamiento al cáncer

Uno de los componentes fundamentales que ha sido considerado como determinante de la calidad de vida del enfermo de cáncer y al mismo tiempo uno de los más estudiados, es el tipo de afrontamiento que hace este a su enfermedad. Esta variable con frecuencia ha sido definida por diferentes autores como ajuste mental o respuesta psicológica a la enfermedad.

A continuación se intentará analizar detenidamente un problema que constituye un continuo entre la calidad de vida y la sobrevida del enfermo de cáncer, y que se resumirá con un cita de Greer y Watson:[12] "¿Pueden las actitudes mentales adoptadas por los pacientes en respuesta al cáncer afectar el curso de la enfermedad?"

En el referido trabajo los autores exponen sus criterios sobre los requerimientos metodológicos básicos que deben cumplir los estudios dirigidos a valorar la influencia del ajuste mental al cáncer sobre el pronóstico del enfermo.

Estos requerimientos son:

1. Los estudios deben tener carácter prospectivo y los pacientes deben ser previamente valorados desde el punto de vista psicológico.
2. Las muestran deben ser seleccionadas de forma aleatoria.
3. La evaluación psicológica de los enfermos debe basarse en valoraciones clínicas claramente especificadas o en tests psicológicos estandarizados.
4. Los estudios deben proporcionar en forma detallada los datos concernientes al tipo, etapa del cáncer y los tratamientos.
5. El período de seguimiento de los pacientes debe ser tan largo como sea posible y en cualquier caso exceder los 12 meses.
6. El análisis estadístico de los datos deberá incluir correlaciones entre factores biológicos de pronóstico conocidos y algunos predictores psicológicos observados.

En un trabajo realizado por Greer, Morris y Pettingale[13] se destaca la importancia de que estos estudios sean realizados con enfermos de cáncer en etapas tempranas de la enfermedad, con el propósito de evitar lo más posible la influencia del proceso en si mismo sobre la respuesta psicológica del paciente.

En atención a estas exigencias se han realizado numerosos estudios prospectivos por parte del Cancer Research Campaign Psychological Medical Group de Londres,[13, 14] a fin de comprobar la influencia de determinadas variables psicosociales, entre ellas el ajuste mental al cáncer, en la sobrevida de mujeres con enfermedad maligna de la mama no metastásica, cuya clasificación anatómica inicial fue T0-1, N0-1, M0 y las que fueron tratadas por mastectomía simple.

Una proporción de estas enfermas recibió radioterapia postoperatoria en la región axilar ipsolateral. La valoración psicológica fue realizada a los 3 meses posteriores de la operación mediante entrevistas estructuradas. Las pacientes fueron clasificadas a partir del criterio de ajuste mental a la enfermedad en cuatro categorías mutuamente excluyentes. El ajuste mental fue definido en esta investigación como las respuestas conductual y cognitiva del sujeto a su diagnóstico de cáncer. Comprende:

1. Una valoración de la enfermedad, es decir cómo el paciente percibe las implicaciones del cáncer.
2. Las reacciones consiguientes, qué piensa y hace el enfermo para disminuir la amenaza que esta le plantea.

Los cuatro tipos de ajuste que sirvieron como criterios de clasificación para el grupo estudiado, inicialmente fueron:

1. Espíritu de lucha, el que se caracteriza por la aceptación del diagnóstico con optimismo, por la búsqueda de información sobre el cáncer y la toma de la decisión de luchar contra la enfermedad activamente.
2. Negación, manifiesto rechazo, por la no aceptación o minimización del diagnóstico.
3. Aceptación estoica, ajuste que se caracteriza por la aceptación del diagnóstico con actitud fatalista. No hay búsqueda de información sino resignación.
4. Desamparo/desesperanza, el que se manifiesta por estar el paciente abrumado por el diagnóstico y su vida diaria estar interrumpida por la preocupación acerca del cáncer y la muerte.

Todas las mujeres estudiadas fueron pareadas en términos de: etapa clínica de la enfermedad, grado histológico, apariencia mamográfica, así como de varios indicadores hormonales e inmunológicos.

En la primera parte de este extenso estudio prospectivo[13] emerge un aspecto de especial interés por resultar de controversia. A los 5 años en el primer seguimiento a las enfermas, no se encontraron asociaciones significativas entre los resultados de la enfermedad expresados en dos categorías fundamentales y excluyentes, a saber: supervivientes libres de recurrencia y sobrevivientes con enfermedad metastásica, y un conjunto de variables demográficas y psicosociales. Entre estas variables se encuentran: la edad, la clase social, la reacción de la enferma en el primer momento en que descubrió la tumoración, la demora en buscar consejo médico, la reacción habitual al estrés, la expresión o supresión de la ira, los valores de la depresión y de la hostilidad, el estrés psicológico incluyendo la pérdida anterior de personas significativas, el ajuste sexual, las relaciones interpersonales, los valores de la extraversión y el neuroticismo, entre las más relevantes.

Estos hallazgos, específicamente en lo relativo al comportamiento de algunas de las variables psicosociales que fueron controladas, contrastan con los resultados de otros investigadores,[15-24] las variables a que se hace referencia son: la reacción o respuesta habitual al estrés psicológico, la expresión/supresión de la ira, las características de las relaciones interpersonales, los valores de extraversión/neuroticismo.

El tipo de ajuste mental a la enfermedad, sin embargo se contrastó con la sobrevida de las enfermas a los 5 y a los 10 años y se comprobó en ambos momentos que las enfermas que asumieron como tipo de ajuste, el "espíritu de lucha" y "la negación":

1. Tuvieron una sobrevida significativamente más prolongada.
2. Estuvieron significativamente más libres de recurrencia que las enfermas que enfrentaron la enfermedad con "aceptación estoica" y con "desamparo/desesperanza".

Otra conclusión importante derivada de estos trabajos, consiste en que el ajuste mental al cáncer resultó ser independiente de los factores de pronóstico biológico.

A los 15 años de comenzado el estudio inicial se realizó un tercer seguimiento con el grupo[14] y se encontró que el 45 % de las mujeres que enfrentaron la enfermedad con "espíritu de lucha" y de "negación o evitación activa", como se designó posteriormente a esta categoría, estaban vivas y no mostraron evidencias de recurrencia. Por el contrario el 51,9 % de las mujeres clasificadas a partir de ajuste mental al cáncer, en las categorías de "desamparo/desesperanza", "aceptación estoica" y "preocupación ansiosa" en la fecha en que se realiza este último seguimiento habían fallecido a consecuencia del cáncer de mama.

De nuevo la respuesta psicológica a la enfermedad, demostró ser independiente de los indicadores biológicos de pronóstico de esta.

Estos hallazgos tienen puntos de coincidencia y divergencia con los de Fawzy y colaboradores,[25] quienes en un estudio prospectivo realizado con enfermos de melanomas malignos de piel, a los 6 años de seguimiento, encontraron que los sobrevivientes, coincidentemente con el trabajo anterior,[24] fueron quienes mostraron afrontamientos más activos. Sin embargo, la negación, aunque inmediatamente después del diagnóstico, resultó de ayuda, cuando se mantuvo a lo largo del tiempo, demostró que puede interferir la movilización de recursos y conductas incrementadoras tanto de la calidad como de la cantidad de la sobrevida. En general las estrategias de evitación en sus diferentes grados: eludiendo el contacto con otros, ocultando los sentimientos o rechazando hablar sobre la enfermedad, se asociaron con mayor recurrencia y más bajos niveles de sobrevida. Sorpresivamente el grupo de pacientes que reportó más altos niveles de distres emocional en el momento del diagnóstico y durante el tratamiento, exhibió más bajos indicadores de recurrencia y muerte por la enfermedad.[26]

En otro de los trabajos del Cancer Research Campaign Psychological Medical Group de Londres[27] dirigido al desarrollo de una escala autovalorada para medir el ajuste mental a la enfermedad (Mental Adjustment Cancer, MAC) se encontró una incidencia estadísticamente significativa del tipo de ajuste denominado "preocupación ansiosa". Este ajuste caracteriza a los pacientes que muestran ante el conocimiento de su diagnóstico, excesiva ansiedad y preocupación. Buscan información activamente, pero tienden a interpretar esta de forma fatalista, a diferencia del ajuste denominado "espíritu de lucha". En esta investigación se seleccionaron 235 pacientes portadores de varios tipos de cáncer, en diferentes estadios. Se excluyeron los moribundos, los enfermos con metástasis cerebral y los menores de 16 años. Del total de la muestra hubo 89 pacientes con enfermedad avanzada o generalizada. En este estudio se hizo una comparación del ajuste mental de pacientes en etapa temprana de la enfermedad, y el ajuste de los que se encontraban en etapa avanzada, con el objetivo de determinar la influencia de la etapa de la enfermedad sobre el ajuste mental del enfermo a esta. Los resultados se muestran en la tabla 1.

TABLA 1
Promedio de los valores de la escala MAC de los pacientes con enfermedad en etapa temprana y avanzada[27]

	Temprana	Avanzada	Significación
Espíritu de lucha	52,3	53,1	No sign.
Preocupación ansiosa	19,5	21,7	$p < 0,001$
Fatalismo	20,8	20,0	No sign.
Desamparo/desesperanza	9,4	9,6	No sign.
Negación	1,9	1,9	No sign.

Estas cifras pueden traducirse en dos conclusiones:

1. El "espíritu de lucha" como afrontamiento positivo a la enfermedad no se redujo significativamente en los pacientes con enfermedad avanzada.
2. La "preocupación ansiosa" como variante patológica de enfrentar el cáncer fue significativamente mayor en pacientes con enfermedad avanzada.

Resulta importante enfatizar, a los efectos de la confiabilidad de los resultados obtenidos, que aún y cuando se utilizó un instrumento de medición en desarrollo, la escala MAC, esta demostró su estabilidad, validez, confiabilidad y consistencia.

Estudios posteriores aportaron significativas evidencias empíricas respecto al hecho de que el afrontamiento de desamparo/desesperanza está asociado a desfavorables resultados de la enfermedad en ciertos tipos de cáncer. De igual forma estudios psicoinmunológicos, parecen corroborar que los afrontamientos "maladaptativos al cáncer" como el desamparo, la desesperación, la preocupación ansiosa provocan una sobrecarga psicológica que actúa en calidad de estresor crónico y deteriora así varias funciones inmunes, de la inmunidad celular, entre estas provoca disminución de las células Natural Killer (NK).[24]

Dentro de este propio campo se han realizado diferentes trabajos que se proponen investigar la influencia que el estilo de afrontamiento, el ajuste mental o respuesta psicológica a la enfermedad, ejerce sobre los efectos colaterales de diversos tratamientos anticancerosos y específicamente de la quimioterapia.

En esta dirección se realizó un estudio con un grupo de pacientes seleccionados al azar, de ambos sexos y con edades superiores a los 18 años.[28] Se excluyeron los enfermos con una expectativa de vida menor de 6 meses, los que habían hecho metástasis al cerebro y los que presentaban obstrucción del canal alimentario.

El referido trabajo[28] se propuso dos objetivos esenciales:

1. Determinar la relación del estilo de afrontamiento al cáncer con los efectos colaterales de la quimioterapia.
2. Determinar si el estilo de afrontamiento constituye un mediador del impacto que ejerce el tratamiento de relajación sobre la ansiedad, la depresión y las náuseas asociadas con la quimioterapia anticancerosa.

Para cumplir ambos propósitos se formaron aleatoriamente dos grupos. El experimental recibió entrenamiento de relajación muscular progresiva antes de la quimioterapia, y el grupo de control recibió solo los cuidados habituales establecidos, previos a dicho tratamiento.

Se clasificaron los sujetos de acuerdo con el estilo de afrontamiento a la enfermedad, con ayuda de la "Miller Behavioral Style Scale" en:

1. "*Blunting*", caracterizados por un estilo de afrontamiento orientado a la evitación de situaciones amenazantes, mediante la distracción.
2. "*Monitoring*", quienes se identifican por tener un estilo de afrontamiento de búsqueda de información y de vigilancia aumentada ante las situaciones estresantes amenazadoras.

En la validación estadística de los resultados se utilizó el método de correlación de Spearman el cual facilitó la elaboración de las siguientes conclusiones:

1. El estilo de afrontamiento a la enfermedad basado en la distracción con respecto a la situación estresante, se asocia con menos ansiedad anticipatoria al tratamiento, menor depresión psicológica y menos náuseas durante y después de la quimioterapia.
2. En los sujetos, por el contrario con un estilo de afrontamiento basado en la búsqueda de información y en el aumento de la vigilancia al estresor, este se asoció con más ansiedad anticipatoria y más náusea antes y durante el tratamiento.

Los hallazgos de este estudio sugieren que la relajación fue efectiva con respecto a la ansiedad anticipatoria a la quimioterapia, solo entre los "*blunting*" o los que enfrentan las molestias del tratamiento mediante la distracción. La relajación no mostró, sin embargo, su efectividad entre los "*monitoring*" o buscadores de información, quienes se conducen hipervigilantes en relación con las amenazas.

Una explicación tentativa a este último hallazgo, en el criterio de los autores, descansa en la consideración de que la relajación como estrategia de distracción respecto a los estresores ambientales, es consistente con el estilo de afrontamiento característico de los "*blunting*". Parece sin embargo más plausible valorar este hallazgo a partir de la hipervigilancia e hiperconcentración de la atención de los *"monitoring"* o buscadores de información en su propia cenestesia, lo cual facilita el incremento de la concientización de las reacciones secundarias que pueden ser inducidas por la quimioterapia anticancerosa.

Levy y colaboradores[29, 30] estudiaron muestras de pacientes con cáncer de mama en etapa de recurrencia. El objetivo de estos trabajos fue identificar los predictores biológicos y psicológicos del tiempo de sobrevida, por lo que fueron valorados al inicio y a los 3 meses un grupo de ambos tipos de variables. Estas fueron respectivamente: distres psicológico, ajuste mental a la enfermedad y estado del humor por una parte, y por otra, el intervalo libre de enfermedad, el número de sitios metastásicos al diagnóstico, el número de ganglios positivos al diagnóstico inicial y la edad promedio, la que fue de 52 años.

Los factores que demostraron ser significativamente predictores de la sobrevida en el grupo estudiado, fueron en orden de importancia:

1. El intervalo libre de enfermedad: variable biológica que se considera refleja la capacidad del organismo de evitar la diseminación y el crecimiento tumoral.
2. El humor positivo de alegría o júbilo: variable psicológica que contrariamente al supuesto inicial, predijo una más extensa sobrevida.
3. El criterio del médico con relación a la duración de la sobrevida: los pacientes que de acuerdo con el pronóstico de su médico vivirían más tiempo, lograron efectivamente una sobrevida más larga.
4. El número de sitios metastásicos: variable biológica que expresa el grado de agresividad del tumor.

Aunque puede resultar paradójico que una mujer con enfermedad recurrente de la mama muestre un humor positivo, los autores del trabajo valoraron este hecho como una expresión de esperanza y de optimismo disposicional en la muestra estudiada.

Es oportuno hacer notar que estas enfermas tenían conocimiento de sus diagnósticos, por lo que este resultado referido al humor corrobora una vez más que en los seres humanos, la controlabilidad, tal como es concebida por diferentes investigadores[31-32] no es una propiedad fijada a una situación que puede resultar amenazante en mayor o menor grado. Por el contrario, "la controlabilidad es una propiedad relacional, que se logra en el encuentro entre la autoeficacia percibida por el sujeto en el control de los estresores y los aspectos amenazantes y potencialmente dañinos del ambiente".

Una observación de importancia teórico-práctica es realizada en esta dirección por Temoshok y colaboradores,[21] en uno de sus estudios con enfermos de melanomas malignos cutáneos.

Basados tanto en evidencias clínicas como en los hallazgos de la referida investigación, plantean que el conocimiento del diagnóstico de una enfermedad no hace cambiar de pronto a las personas su estilo habitual de afrontamiento al estrés. Es decir, cuando un sujeto conoce que está enfermo de cáncer, y específicamente que se trata de un melanoma maligno, tiene que movilizar sus recursos preexistentes de aquel al estar obligado de alguna forma a enfrentar la enfermedad y su tratamiento.

En un intento por responder a una indagación similar respecto a la influencia que pueden ejercer los factores psicosociales en el curso y pronóstico del cáncer,[35] se proponen examinar la hipótesis del papel modulador de un grupo de variables psicosociales en relación con la influencia que se supone ejerce el estatus socioeconómico en la sobrevida del enfermo de cáncer. Con este propósito se estudió un grupo de enfermos con neoplasias malignas de diferentes localizaciones. Solo en los que sufrían de cáncer de pulmón se llevó a cabo el análisis de la relación entre los resultados de la enfermedad 1 año posterior a ser diagnosticada y algunas variables psicosociales en términos de *locus de control*, apoyo social y características de personalidad. Se investigaron sujetos de ambos sexos, con un riguroso control de dos variables biológicas: estadio de la enfermedad y diagnóstico anátomopatológico.

Al concluir el seguimiento de 1 año se mostró que una alta necesidad de apoyo expresada mediante una marcada necesidad de cuidados y simpatía, asociada a una personalidad reservada y a características extremas de "calma", incrementaron significativamente las diferencias de la mortalidad entre los sujetos de ambos sexos. Las diferencias observadas entre los valores (bajo, promedio, alto) del llamado *locus de control*, entre los sujetos fallecidos y los sobrevivientes al año fueron atribuibles al azar.

El estadio de la enfermedad al diagnóstico como era de esperar, tuvo un efecto estadísticamente significativo sobre los resultados del cáncer de pulmón obtenidos en este estudio, en términos de fallecimiento o sobrevida de los pacientes al concluir el seguimiento. Esta influencia ha sido corroborada en otros trabajos en los que los factores psicológicos parecen actuar sinérgicamente.[36-40]

Se realizó una investigación[41-42] con 2 163 mujeres en una clínica de Manchester, a la cual acudieron para ser sometidas a chequeos médicos de rutina en unos caso y en otros a despistaje de enfermedad mamaria. El propósito de los referidos autores fue concebido en dirección a la evaluación del número y la variedad de habilidades de afrontamiento utilizadas por las mujeres con enfermedad de la mama. De acuerdo con el diagnóstico médico, las enfermas fueron clasificadas en:

1. Portadoras de cáncer de mama.
2. Con quiste mamario.
3. Portadoras de enfermedad benigna de la mama.
4. Libres de enfermedad.

Las estrategias de afrontamiento valoradas previamente se concibieron en términos de:

1. Negación, caracterizada por la evitación, aunque incluyó también el rechazo y la evitación parcial
2. Internalización, la cual depende fundamentalmente de los recursos internos del sujeto.
3. Externalización, la cual es considerada como la antítesis de la anterior, ya que incluye estrategias encaminadas a fortalecer la percepción del *locus de control*, mediante la optimización del apoyo de la familia y los amigos.
4. Salida emocional, basada en la expresión de las emociones mediante lágrimas, explosiones de ira entre otras.

Los resultados del trabajo confirman que la habilidad para expresar las emociones puede tener una influencia positivamente mediadora de los efectos nocivos del estrés.

La externalización, por su parte, dio evidencias de ser igualmente una estrategia de ayuda, pero no con efectos inmediatos sino acumulativos. Tanto las mujeres diagnosticadas libres de enfermedad —grupo control— como las que sufrieron enfermedad benigna de la mama, usaron un mayor número de estrategias de afrontamientos y estas permitieron resultados más positivos, en tanto posibilitaron la búsqueda de apoyo externo y de apoyo interno y contribuyeron al fortalecimiento del *locus de control*. Dicho en otras palabras, estimuló el incremento de la autoeficacia percibida en el afrontamiento y en el control de los estrés, así como la eficacia percibida por el paciente del apoyo social que recibían.

Aún y cuando la significación estadística encontrada entre el diagnóstico médico y las estrategias de afrontamiento fue pequeña, se considera que, sin obviar la importancia de dichas estrategias en estudios futuros, deberá asumirse, de manera especial, la valoración de las características de personalidad, por comportar la misma una gran relevancia como factor de riesgo en la aparición del cáncer de mama.

En un estudio prospectivo con mujeres de 50 años y más, las que tres meses antes habían sido sometidas a mamografía[43] se incluyeron las mujeres cuyo resultado fue normal, así como las que tuvieron mamografías de baja y alta sospecha de malignidad, excluyéndose aquellas con 98 % de certeza de enfermedad maligna de la mama.

Se controlaron una serie de variables, sociodemográficas, médicas y las propias de la historia familiar. Las variables psicosociales estuvieron referidas al nivel de ansiedad acerca de los resultados de futuras mamografías, preocupación global sobre la posibilidad de desarrollar cáncer de mama, deterioro del humor y de las actividades diarias como expresión del alcance de la preocupación.

Se investigaron también las creencias en relación con la salud, específicamente las que exploraron el riesgo percibido por la mujer de enfermedad de cáncer de mama y los criterios personales de amenaza de las mujeres con respecto a padecer la enfermedad.

Las respuestas permitieron valorar el distres psicológico, el grado de preocupación y los criterios de amenaza percibida acerca de contraer cáncer de mama, a los tres meses posteriores de conocer el resultado de la mamografía. En los resultados se encontró que aún cuando no se informó a las mujeres con baja y alta sospecha que conformaban un grupo de mayor riesgo, las mujeres con mamografías altamente sospechosa mostraron la mayor influencia del resultado del estudio mamográfico sobre su funcionamiento psicológico. Esta se expresó a través de una ansiedad autorreferida extrema y la repercusión negativa sobre el humor y el funcionamiento diario.

Las mujeres con mamografía de baja sospecha mostraron menor deterioro psicológico que el grupo de alta sospecha y mayor que el grupo de mujeres con mamografía normal. El distres psicológico sin embargo, no afectó desfavorablemente la participación de las mujeres en los seguimientos por mamografías, tanto en las mujeres con resultados mamográficos normales como en las mujeres con imágenes anormales. Los autores del trabajo sugieren la realización de estudios posteriores focalizados en torno a las consecuencias psicológicas y conductuales de los resultados de la mamografía, ya que en su consideración y en la de otros investigadores, este factor ha sido insuficientemente estudiado.

Este trabajo resulta de importancia en el sentido de que aún cuando no estudia exactamente el afrontamiento al cáncer, ofrece resultados concretos de la influencia que tiene este, anticipado a la posibilidad de sufrir la enfermedad, sobre el estado psicológico de las mujeres y en particular sobre las conductas directamente vinculadas a la salud. Estos resultados han sido contrarios en estos aspectos a otros reportados, ya que en este último la ansiedad anticipatoria no obstaculizó las conductas de búsqueda de atención en las mujeres sanas, como tampoco en las mujeres sospechosas de padecer la enfermedad. En Cuba las investigaciones en esta dirección, son prácticamente inexistentes.

La personalidad y la integración del funcionamiento psicológico premórbido constituyen variables que condicionan el tipo de ajuste mental o afrontamiento al cáncer, de acuerdo con numerosos investigadores.

En los trabajos de Holland se señala[44-45] que la existencia previa de ansiedad generalizada, da lugar a que esta se active durante el período de tratamiento del cáncer y pueda convertirse en un obstáculo o complicar seriamente el mismo. Este trastorno incorpora al afrontamiento preocupaciones crónicas no realistas que se acompañan de aprensión, hipervigilancia y que fisiológicamente traducen hiperreactividad autonómica, la cual afecta principalmente a los sistemas respiratorio, cardiovascular e inmune.[46] También expresa que la ansiedad reactiva acompañada de depresión se ha convertido en la manifestación más frecuente de distres psicológico en este tipo de enfermos.[44, 45] Estas alteraciones son más manifiestas cuando el paciente atraviesa puntos críticos en el curso de su enfermedad, como son: el diagnóstico, los cambios de tratamientos, particularmente en los estadios avanzado y terminal de la misma. Un aspecto significativo tanto en el orden teórico como metodológico que debe ser analizado se refiere al período de tiempo que transcurre entre el estrés agudo que comporta el conocimiento del diagnóstico de cáncer autorreferido y la clasificación del enfermo atendiendo al tipo de respuesta psicológica o de ajuste mental a la enfermedad.

Justamente por el valor predictivo que en diferentes estudios ha demostrado esta categoría psicológica, en las investigaciones de Oncología Social podría ser analizada una modificación del procedimiento para establecer la clasificación del paciente de acuerdo con la referida respuesta. En tal dirección resultaría factible la realización de un retest con el instrumento que a tal efecto se utilice. Esta aplicación se haría preferentemente una vez que el paciente concluya el tratamiento inmediato al diagnóstico, asuma la condición de sobreviviente, se reincorpore a sus actividades habituales, retome en mayor o menor medida aquellos roles sociales para los cuales dispone de la capacidad funcional residual necesaria. Esta valoración resulta tanto posible como necesaria, particularmente cuando se trata de paciente con enfermedad en etapa temprana. La misma brindaría un criterio cualitativo de la evolución del ajuste mental a la enfermedad, cuyo valor pronóstico deberá ser confirmado y validado experimentalmente.

La conservación de los roles sociales

Como fue analizado anteriormente, uno de los aspectos fundamentales que condicionan la calidad de vida del enfermo oncológico es la conservación de los roles sociales que desempeñaba, antes de tener que asumir la penosa condición social, familiar y personal de enfermo de cáncer. A partir de la experiencia en la atención psicológica a enfermos de cáncer se conoce que en muchas oportunidades el sobreviviente no quiere renunciar a su condición de enfermo y se aferra a ella.[1] Cabría una indagación en este sentido en la población cubana, por su trascendencia en el período de sobrevida y en el ajuste personal-social de estos pacientes.

El aferramiento al rol de enfermo, y la búsqueda por conservar, recuperar y perfeccionar los roles sociales característicos de la etapa premórbida, constituyen al mismo tiempo expresión y parte integrante de determinados estilos de afrontamiento a la enfermedad. Igualmente constituyen un reflejo del nuevo estatus socio familiar, personal y sexual. Este estatus es obtenido en gran medida, a través de la valoración que el individuo realiza de la eficacia del apoyo que percibe de su médico, de su pareja, de su familia, de sus amigos y de la sociedad en su conjunto a través de sus instituciones, así como de la valoración que realiza del apoyo que él es capaz de brindar en sus nuevas condiciones de existencia.

La etapa de la enfermedad en que se encuentre el sujeto, la eficacia lograda en el control biológico de esta y muy en especial la capacidad funcional residual del enfermo, influye decisivamente en el abandono o subordinación de los roles anteriores desempeñados, al rol de enfermo oncológico.

Es por todos conocida la influencia clave que ejerce el estado físico del sujeto sobre su actividad en general, tanto física como psíquica. No obstante, algunas actividades inherentes a roles específicos, pueden ser sustituidas por otras en la propia estructura del rol, con el correspondiente reforzamiento de la autoestima del enfermo. Esta modificación constituye una expresión directa de la autoeficacia percibida en el afrontamiento activo a la enfermedad y refleja al mismo tiempo la calidad del apoyo que el enfermo percibe.

Lo antes dicho equivale a la no exclusión total de un rol determinado que ha sido y continúa siendo significativo para el enfermo, sino a su modificación en correspondencia con sus capacidades residuales y posibilidades psicológicas.

El apoyo social cuando es efectivo, estimula la conservación de los roles propios de la etapa premórbida, respeta por otra parte la decisión e independencia del paciente y sirve de amortiguador del distres que este puede experimentar en sus afrontamientos con la lástima, discriminación o la indiferencia de algunas personas. El interés excesivo como la ausencia de interés constituyen los polos extremos de uno de los más importantes escollos sociales con los que tiene que enfrentarse el sobreviviente de cáncer para mantener y enriquecer cuanto sea posible sus roles sociales anteriores. De esta forma enriquecer su propia vida y lograr la gratificación emocional, el estatus y el prestigio social y familiar que pueden derivarse de su eficacia en el cumplimiento eficiente de dichos roles.

Sistemas de apoyo social: aspectos generales

Uno de los factores que ejerce una significativa influencia en la calidad de vida del enfermo oncológico es la percepción que este realiza de la eficacia del apoyo social que recibe.

En etapas tempranas del estudio de los aspectos psicosociales del enfermo oncológico, se analizó[47] que el apoyo social puede actuar directa e indirectamente sobre la salud, en calidad de inductor de la autoeficacia en el afrontamiento con los estresores y como reductor del distres. En esta área específica también se muestra la necesidad de una integración metodológica que incluya la conceptualización y jerarquización de los diferentes componentes y variables concernientes a los sistemas de apoyo social.

En el criterio de Broadhead y colaboradores,[48-49] lo antes expuesto significa la elaboración de instrumentos de medición confiables, válidos y breves en función de su operatividad con el enfermo de cáncer. Estos autores igualmente señalan la falta de uniformidad en los indicadores específicos de apoyo social, la insuficiente operacionalización de los mismos, la ausencia de indicadores estandarizados, y en los casos en que los hay, la falta de compatibilidad de estos, así como su limitación a dos variables fundamentales: mortalidad y ajuste al cáncer.

En otro trabajo[49] se propone que los medidores de apoyo social pueden clasificarse atendiendo a sus objetivos en:

1. Los que valoran aspectos cualitativos o funcionales de la relación de apoyo.
2. Los que tratan con los aspectos cuantitativos estructurales.

Sin embargo, otros estudios parecen demostrar que la calidad del apoyo social sobre la salud asume mayor importancia que los indicadores cuantitativos de este. En el trabajo[50] sus autores consideran que entre los aspectos cuantitativos y cualitativos del apoyo social existe una interconexión mínima, por lo que no es apropiado combinar indistintamente ambos indicadores.

Este último aspecto es muy acertado toda vez que la eficacia que un individuo puede percibir de sus sistemas de apoyo social no depende de la cantidad de apoyo que recibe, sino de la calidad que él percibe del mismo.

Los sistemas de apoyo social son concebidos por algunos investigadores dentro de la categoría de mediadores psicológicos de la respuesta al estrés. En el trabajo realizado por Álvarez,[49] se hace mención a otros modelos en los que se valora que el apoyo social ejerce por si mismo efectos positivos sobre la morbilidad y la mortalidad. Estos modelos parecen haber sido seriamente estudiados en el contexto de la relación del apoyo social, la hostilidad y la muerte por infarto.

Cohen[51] elaboró dos modelos genéricos para explicar los efectos del apoyo social sobre la salud. Uno de ellos es el llamado "modelo del efecto principal", según el cual el apoyo puede influir sobre la enfermedad por dos vías.

1. Produciendo respuestas biológicas que actúan positivamente sobre la enfermedad.
2. Contribuyendo directamente en la elaboración de un patrón de conducta que puede incrementar o por el contrario decrecer el riesgo de la enfermedad mediante respuestas biológicas.

El otro modelo elaborado por Cohen es el llamado "modelo amortiguador del estrés". El mismo se focaliza en torno a la concepción del estrés como productor de enfermedad, bien sea mediante respuestas endocrinas negativas, de conductas negativas para la salud o por una combinación de ambas.

En el referido modelo de Cohen, el apoyo social puede actuar en dos momentos:

1. Previo a las respuestas neuroendocrinas negativas concomitantes al estrés. En este caso el apoyo induce en el sujeto la realización de una valoración cognitiva "benigna" del evento estresante.
2. Una vez que las respuestas neuroendocrinas negativas que acompañan al estrés se han desencadenado, el apoyo social puede amortiguar las consecuencias negativas de este para la salud, ya sea por una revaloración del evento y la consecuente producción de una correspuesta biológica adaptativa o por la inhibición de las respuestas que conducen a una mala adaptación.

Broadhead y Kaplan[49] valoran que en la concepción de Cohen, los componentes psicológicos, tales como: la información del ambiente, la autovaloración, los recursos para el afrontamiento, pueden afectar la salud en diferentes formas. Una de ellas es referida a la participación de dichos componentes en la elaboración de una valoración benigna de los eventos o situaciones estresantes. Otras se relacionan con su influencia en el mejoramiento del afrontamiento al estrés, mediante la evitación de respuestas conductuales y biológicas negativas inducidas por este y que contribuyen a deteriorar la salud a través del incremento de la función inmune, así como por medio de las conductas que favorecen el referido proceso.

Es importante destacar el rol que, en la teoría de Cohen relativa al apoyo social y a la participación, tiene esta variable en el proceso salud-enfermedad, se concede a las valoraciones y revaloraciones cognitivas del sujeto sobre los eventos y situaciones estresantes a que tiene que enfrentarse.

Estas valoraciones inducidas y reforzadas por los sistemas de apoyo social contribuyen en gran medida a la elaboración de estrategias de afrontamiento que pueden disminuir el riesgo de enfermedad e influir positivamente sobre la salud al reforzar el sentido de autoeficacia del individuo en el control de las demandas ambientales.

Es evidente la necesidad de investigar con profundidad los mecanismos biológicos que vinculan los sistemas de apoyo social con la calidad de vida y con la problemática de la sobrevida del enfermo de cáncer.

En el trabajo[48] se expone una taxonomía de las etapas del cáncer y las estrategias de los sistemas de apoyo social correspondientes, que a lo largo de estos años no ha sido superada, a pesar de presentar algunas limitaciones (Tab. 2).

TABLA 2
Taxonomía de las etapas del cáncer y las estrategias de apoyo
(Broadhead y Kaplan)[49]

Etapas	Estrategias de apoyo
Diagnóstico	Protección contra la desolación. Manejo del miedo a la incapacidad, a la muerte o a ambas. Empatía.
Tratamiento variará con la edad, la posición social, el estadio de la enfermedad, tipo(s) de tratamientos y tipos de cáncer	Extraer del paciente, su familia y otras personas significativas para este preocupaciones sociales y emocionales. Información detallada al paciente para la aceptación del estadio de la enfermedad. Conocer las necesidades del enfermo. Estimular en él el control lo más posible. ¿Quién sirve de apoyo al paciente? ¿Quién sirve de apoyo al apoyo del paciente?
Progreso de la enfermedad incluye recuperación	Control Información sobre los "peligros pasados". Autoestima y vulnerabilidad.
Proceso de muerte	Religión, soporte existencial o ambos. Lo que el paciente desee.

Sin dudas la anterior clasificación constituye un valioso esfuerzo dirigido a sistematizar el apoyo social con el enfermo de cáncer. No obstante la creación de una metodología dirigida a lograr la máxima efectividad de los sistemas de apoyo social con estos enfermos, deberían tenerse en cuenta otros requerimientos. Algunos de ellos son: la selección y planificación de los recursos para el apoyo por parte de la familia, de la pareja, entre otros; la individualidad del enfermo, la definición inicial y la redefinición en cada etapa de la enfermedad de las características más relevantes de su personalidad, de sus motivos fundamentales y especialmente sus patrones de afrontamiento al estrés en general y en especial a la enfermedad y al tratamiento, así como la autoeficacia que percibe en dichos afrontamientos

Deben tomarse en consideración también, los requerimientos psicosociales propios de la etapa de desarrollo de la personalidad en que el paciente se encuentre, sus capacidades funcionales residuales, el grado de validismo, así como las características predominantes del funcionamiento familiar de la que es parte integrante.

Estos son algunos de los factores que se valoran como condicionantes necesarios en la elaboración de las distintas modalidades de apoyo social que pueden ser adoptadas por la pareja, la familia, los amigos, el equipo de salud, y dentro de este último el médico como figura más significativa en la relación de apoyo con el enfermo.

Es importante tener presente que el apoyo social en la relación médico-paciente, no depende solo de las características de personalidad del médico, de su experiencia previa, de su entrenamiento. También depende de "... las obligaciones y organización del conjunto médico que pueden facilitar o inhibir tal apoyo"[47] es decir, del sistema de salud en que dicha relación se integra.

Levy[29-30] demostró que el apoyo social percibido por el enfermo, resultó un significativo indicador psicosocial de pronóstico con respecto a la sobrevida en enfermas de cáncer de mama primario. Por otra parte, las relaciones interpersonales en general y en particular concebidas en calidad de apoyo social, desempeñan un papel determinante en el afrontamiento que hace el individuo al cáncer.

El apoyo social, cuando es valorado como adecuado por el enfermo de cáncer, participa decisivamente en el afrontamiento que hace el individuo a la enfermedad, y ejerce una influencia determinante, tanto sobre los componentes emocionales como cognitivos de la personalidad y la conducta.

El apoyo social influye sobre los componentes emocionales del individuo:

1. Favoreciendo el reforzamiento de la autoestima del paciente.
2. Mejorando la autoeficacia percibida por el enfermo en el afrontamiento, al percibirse valorado y aceptado por otras personas íntimas a él.

También el apoyo social influye sobre las valoraciones cognitivas que realiza el enfermo a través de dos procesos esenciales:

1. Posibilitando el aprendizaje de estrategias de afrontamiento a la enfermedad más adecuadas para combatir estas.
2. Brindando información sobre la enfermedad y sus consecuencias para poder planificar la anticipación de afrontamientos exitosos con la enfermedad, con los progresos de esta y con los problemas más relevantes que ha de confrontar el enfermo, entre ellos el dolor.

Greer y colaboradores[12] también consideran que el ajuste mental del enfermo de cáncer, está decisivamente influenciado por el grado de apoyo emocional que percibe de su familia, de sus amigos, del médico y del equipo de enfermería.

De una u otra forma, la mayoría de los investigadores atribuyen al apoyo social un efecto directo sobre los procesos del organismo vinculados con la regeneración biológica, así como un efecto indirecto a través del amortiguamiento del distres y de sus consecuencias negativas para la salud.

El apoyo social es uno de los indicadores de la calidad de vida más estudiados, y se considera que puede desempeñar un importante rol en la salud y en la enfermedad,[51] así como en la progresión de enfermedades.[52]

En otros trabajos[53-56] se ha logrado demostrar la negativa repercusión sobre la función inmunológica, tanto del apoyo social deficiente como de los sentimientos de soledad que a él se asocian.

Comunicación con el enfermo oncológico

Uno de los problemas más debatidos por su sentido humano, por sus implicaciones éticas y por tener importantes áreas tangenciales con la Psicooncología, la Bioética y la Psicología Oncológica entre otras ciencias, ha sido tradicionalmente expresado en la pregunta: "¿Se debe decir la verdad al enfermo oncológico?" En opinión de Gómez Sancho el problema real que subyace en el anterior cuestionamiento puede ser solucionado mediante la respuesta a la siguiente pregunta: "¿Cómo ayudar al enfermo oncológico a encontrar por sí mismo la propia verdad en esta situación, que es la suya?"[57]

Hoy en día existen dos posiciones bien delimitadas respecto a la comunicación del diagnóstico al enfermo de cáncer. Una de ellas sostiene que la comunicación del diagnóstico verdadero es una "inútil crueldad". La otra defiende la comunicación con el paciente basada en la "franqueza y la transparencia".[57]

Las personas que toman partido a favor de la comunicación auténtica con el enfermo —posición que es compartida por la autora— enfatizan los nocivos efectos del silencio, y del falseamiento de la realidad: la instauración de un clima de hipocresía, la aparición o reforzamiento de sentimientos de abandono y soledad para el paciente, el sufrimiento moral del mismo, así como la imposibilidad de elaborar su angustia[57] y reelaborar dentro de nuevos límites su proyecto de vida.

La autenticidad de la comunicación con el enfermo oncológico obliga a que este proceso transite en armonía con la etapa de la enfermedad que atraviesa el paciente. Esto es expresión de que el intercambio comunicativo es justamente la herramienta más útil al alcance del equipo de salud, de la familia y de los íntimos para fortalecer la autonomía del paciente, contribuir al desarrollo de su sentido de control sobre la enfermedad y del resto de las situaciones asociadas a esta, así como de las situaciones propias de la vida cotidiana.

Gómez Sancho[58] insiste en la necesidad de individualizar y personalizar la comunicación tanto del diagnóstico, como del pronóstico, teniendo en cuenta las demandas del paciente y el diagnóstico previo realizado por el responsable de dar la información, generalmente el médico de asistencia, sobre la disponibilidad de recursos del paciente, así como sobre cuáles son los límites psicológicos de la "verdad soportable" de su paciente.[59]

De esta forma se está expresando que la comunicación con el paciente no admite improvisación. Es decir, demanda del conocimiento de la soportabilidad del sujeto concreto sobre aquella información que en sus actuales circunstancias le resulta asimilable y aceptable.

En este sentido, explica González Barón,[59] que el problema más frecuente es la ansiedad provocada por el desconocimiento de la evolución de la enfermedad, a lo que se suma el desacuerdo con los criterios sobre la actuación que se establece entre los familiares, médicos y enfermeros sobre quién, qué, cómo y cuándo deben informar al paciente. De acuerdo con el mencionado autor, quien informa es el médico o mejor aún aquella persona a quien elija el paciente, lo que se informa es la verdad soportable, es decir aquella información que siendo cierta es susceptible por el paciente de ser asimilada y aceptada. La información debe brindarse de un modo inteligible y sistemático y en el momento en que el paciente lo demande.

El proceso relativo a la comunicación de diagnóstico al enfermo, va precedido de un período de exploración y de búsqueda de las evidencias e indicadores necesarios —aunque no en todos los casos suficientes— para la formulación del diagnóstico. En esta primera etapa en la que el médico duda, y deberá mostrarse poco comunicativo, el paciente y la familia pueden inquirir y demandar respuestas prematuras relativas al problema en estudio, detrás de las cuales subyace un abrumador costo psicológico, en particular para el paciente. Las mejores herramientas comunicativas para este momento suelen ser la reserva, la cautela y el respeto, así como evitar a toda costa el falseamiento de la realidad —las mentiras—, el que resulta ser insalvable con una alta frecuencia para el establecimiento de una relación terapéutica con el paciente.

La utilización de la estrategia general de comunicación del diagnóstico, recomienda[57] tener en cuenta un conjunto de variables encaminadas a preservar la integridad psicológica del paciente. Estas son: el equilibrio psicológico previo del enfermo, su estructura psicológica de base, la gravedad de la enfermedad y el estadio evolutivo, la edad cronológica del individuo, el impacto emocional que puede tener la comunicación del diagnóstico de cáncer cuando la lesión primaria está localizada en aquellas partes del organismo más íntimamente ligadas a la imagen corporal, a la autoestima vinculada a relaciones sociales y a la sexualidad, como es el caso del cáncer del pene, mamas, macizo cérvico-facial, intestino grueso, por solo mencionar algunas de estas localizaciones. También debe ser tomado en consideración el tipo de tratamiento, ya que en muchos casos condiciona la necesidad de una mayor amplitud, detenimiento y delicadeza en la explicación, como es el caso de la cirugía mutilante y los tratamientos oncoespecíficos sobre todo por sus efectos adversos. Debe considerarse igualmente el rol social del enfermo y el impacto que puede tener el diagnóstico y sus implicaciones sobre el desarrollo del proyecto de vida del sujeto.

La comunicación del diagnóstico y del espectro de posibilidades pronósticas es, según Gómez Sancho,[58] por una parte la única forma de permitir al enfermo oncológico que haga o pueda hacer uso de su autonomía, participar en las decisiones respecto a la elección de uno y otro tratamiento, así como de evitar el encarnizamiento terapéutico, el que resulta tan nocivo física, psicológica y moralmente, para la calidad de vida del enfermo.

La trascendencia de cada una de las acciones que integran el complejo proceso de informar el diagnóstico de cáncer al enfermo, se pone de manifiesto en el hecho de que en dependencia de cómo se informa, de quién realice esta información, de cuál sea el contenido de la misma, del momento en que se realice puede incidir de manera importante en la futura calidad de vida del paciente, en su adherencia terapéutica, en el desarrollo y manifestación de trastornos que precisen atención psicológica o psiquiátrica y de acuerdo con las nociones más recientes de la psiconeuroinmunología, con el funcionamiento biológico del enfermo.[59]

Por otra parte, el enfoque psicooncológico de finales del siglo XX e inicios del actual respecto al papel de la comunicación en la calidad de vida del enfermo se sustenta en un postulado básico, que podría ser resumido en los siguientes términos: "Un paciente oncológico mejor informado es un paciente más satisfecho".[60] Esta afirmación ha sido corroborada en diferentes estudios en los cuales el uso de la información dada a los pacientes ha contribuido a mejorar la satisfacción de los enfermos relacionadas con las decisiones que deben tomar respecto a las diferentes opciones de tratamiento oncológico.[61-63] Este resultado fue más notable en aquellas decisiones en las que se introdujo como apoyo un programa computarizado de ayuda para la toma de decisiones de los pacientes. Este programa fue instrumentado con mayor éxito en forma de decisión guiada.[62]

Aún cuando se ha comprobado que el hacer accesible al paciente herramientas de información, ha contribuido en múltiples casos a mejorar la calidad de vida de los enfermos, por la vía del aumento de la autonomía personal y del incremento del sentido de control sobre los resultados de la enfermedad y de su vida, en el país se han reportado trabajos en los que no se corroboran sustancialmente estos resultados.[63]

Se realizó un estudio en el Instituto Nacional de Oncología y Radiobiología, en Cuba, durante el año 1998,[64] encaminado a evaluar el impacto de la comunicación, en particular del diagnóstico de cáncer sobre la calidad de vida de un grupo de pacientes, mediada esta por un conjunto de variables que fueron objeto de control.

Estas variables fueron: estados emocionales, grado de ajuste, afrontamientos a la enfermedad y a los tratamientos oncoespecíficos y adherencia terapéutica.

En este trabajo la comparación de un grupo de pacientes informado de su diagnóstico verdadero con otro grupo al que se había comunicado un diagnóstico alternativo puso de relieve la ausencia de diferencias significativas entre ambos grupos de pacientes en lo relativo a las variables antes reportadas. El análisis intragrupo evidenció que los pacientes que recibieron información sobre su diagnóstico verdadero, aunque incrementaron sus registros de ansiedad y depresión reactivas en lo concerniente a los afrontamientos, las respuestas cognitivas y conductuales ante la enfermedad y la adherencia terapéutica potencial, mostraron en lo fundamental respuestas similares a las exhibidas por los enfermos en la etapa previa al conocimiento del diagnóstico.

La relación médico-paciente oncológico

"La investigación documenta la realidad de las interacciones interesantísimas que se producen entre los estados fisiológico, psicológico y social del hombre. La información actual obliga a reconocer que el médico de hoy puede llevar a cabo su misión de una manera completa y responsable solo si dedica ayuda y atención a las dimensiones psicológicas y sociales de los pacientes".[65]

El referido investigador también considera que la atención al enfermo oncológico constituye al mismo tiempo que un reto personal y profesional para el médico, un estresor intenso, frente al que se movilizan las defensas inconscientes de este y median su relación con el paciente.

El cáncer es una de las enfermedades terminales en las que la relación médico-paciente va a constituir un marco esencial y probablemente en el que con mayor intensidad se producirá la movilización de mecanismos de afrontamientos conscientes e inconscientes en ambos participantes. Estos mecanismos van a mediar en gran medida el tipo de relación que se va a establecer y sobre todo el éxito de la relación, en especial en lo relativo a sus aspectos éticos y emocionales, de los que depende grandemente la calidad de vida del enfermo.

Es justamente en el marco de la relación médico-enfermo oncológico en que va a producirse —si la comunicación está bien orientada— la participación del paciente en la toma de decisiones. Señala Zittoun,[66] que por ser la participación una relación contractual, tanto el médico como el paciente encaran sus responsabilidades de forma operacional y ética.

La información que recibe o que descifra utilizando sus recursos emocionales e intelectuales para la oportuna decodificación de los mensajes del médico debe de servir al enfermo para lograr una vida de más calidad.

Sin embargo, es muy frecuente y común una queja de los enfermos de cáncer, consistente en que no pueden hablar con nadie ni siquiera con su médico de su enfermedad, es la llamada por Gómez Sancho[57] "conspiración del silencio" en la que se involucra esencialmente la familia, pero cuya elaboración y mantenimiento se produce con la ayuda del médico de asistencia, lográndose definitivamente la incomunicación del paciente o su involucramiento en un mundo sostenido a partir de mentiras y del que ya no podrá escapar a ningún costo.

La estructura de personalidad del médico y la del paciente son en última instancia factores condicionantes, y al mismo tiempo condicionados por las estrategias de afrontamiento de ambos y transitivamente pueden contribuir o no al éxito de la relación.

Con alguna frecuencia se asiste a una simplificación del problema, circunscribiéndole a la falta de preparación del médico en el sentido de insuficiente desarrollo en las habilidades inherentes a la conducción de la comunicación con el paciente y con los familiares, a su capacidad para ser empático y conducir adecuadamente la relación.

Es importante significar que sin restarle la importancia que los aspectos mencionados tienen en la relación médico-paciente y asumen en la calidad de vida de ambos, se valora que el éxito en la comunicación no depende solo de que el médico domine técnicas de comunicación. Tan o más importante es que sepa cuál ha de ser el contenido de su comunicación con cada paciente en particular, cuáles han de ser los límites terapéuticamente válidos del contenido de lo que comunica, en función de la movilización de un ajuste mental activo del paciente, del respeto a las barreras éticas que las estrategias de afrontamiento del enfermo imponen a la relación y de sus propios límites como ser humano.

No se trata de mistificar el problema de la comunicación creando una falsa dicotomía entre la importancia real que tienen los mensajes verbal y extraverbal del médico, que solo conduciría a un callejón sin salida. Se trata de enfatizar en esta oportunidad la importancia de ambos contenidos comunicativos a tenor de las necesidades de apoyo informacional y emocional de los enfermos, las que necesariamente reflejan e influyen en su estilo peculiar de enfrentar la enfermedad.

En relación con los aspectos inicialmente abordados, se cuenta con diferentes estudios. En uno de los servicios de oncología de Londres,[67] en un grupo de 77 pacientes con cáncer metastásico y los que acudieron para modificación de su tratamiento, se investigó la satisfacción de estos con la información recibida del médico. Esta información estuvo referida a las pruebas e investigaciones que se le realizaban a los enfermos, a sus síntomas, al tratamiento de su enfermedad, así como la satisfacción con los cuidados generales del servicio que estaban recibiendo, el conocimiento adquirido en relación con el cáncer y otras condiciones médicas. Por último se valoró la ansiedad experimentada por estos individuos.

En particular se analizó el estilo habitual de afrontamiento al estrés de los pacientes, clasificándoles de acuerdo con este criterio en dos grandes grupos: los buscadores y los evitadores de información, utilizándose para ello la Escala Miller de Estilo Conductual. Los resultados mostraron que aunque los niveles de satisfacción de los pacientes fueron generalmente altos, los enfermos clasificados como "evitadores de información", estaban menos ansiosos y más satisfechos con la información recibida que los pacientes con un estilo de afrontamiento que los clasificó como "buscadores de información". Los pacientes menos satisfechos con la información recibida fueron aquellos que mostraron un conocimiento factual mayor sobre el cáncer. Se comprobó en el estudio que los patrones de afrontamiento no fueron dependientes ni de la edad ni de la educación de los enfermos. Estos resultados argumentan que la satisfacción del enfermo de cáncer en lo relativo a la comunicación con su médico no depende linealmente de las habilidades comunicativas del último ni del hecho de que el médico proporcione una información bien estructurada.

Las estrategias comunicativas del médico deben tomar en cuenta entre otras variables, los procesos de afrontamiento al estrés, a la enfermedad y al tratamiento que asume el enfermo, así como la calidad del apoyo social percibido. Los autores señalan que la adquisición de altos niveles de conocimiento sobre el cáncer mediante la búsqueda de información o monitoreo por los pacientes, puede elevar en estos el sentido de poder o dominio sobre el curso de su enfermedad. Esta aseveración es válida, en dependencia de la percepción de autoeficacia por el enfermo en el control de las demandas y de la enfermedad como un estresor *sui generis*.

Se investigaron 276 enfermos —ambulatorios— de cáncer, en una institución oncológica en Newcastle —Australia—[68] con dos objetivos fundamentales:

1. Conocer entre los componentes del cuidado que reciben, cuáles consideran los enfermos los de mayor importancia.
2. Identificar la satisfacción o insatisfacción de los pacientes con los diferentes componentes del cuidado.

Los componentes valorados fueron:

1. La competencia técnica de los médicos.
2. Habilidades interpersonales (empatía y grado de interacción mutua).
3. Habilidades para la comunicación (para dar y recibir información adecuada sobre el diagnóstico, sobre la enfermedad y su evolución).
4. Accesibilidad y continuidad de los cuidados (proximidad física al centro, transporte, etc.).
5. Cuidados de la clínica.
6. Cuidados del personal no médico.
7. Cuidados de la familia.
8. Finanzas.

Los enfermos consideraron como los componentes más importantes de su atención, tratamiento y cuidado, en orden de importancia:

1. La competencia técnica del médico.
2. Las habilidades interpersonales de este.
3. Las habilidades comunicativas del médico.
4. Los cuidados del hospital y de la clínica.
5. La accesibilidad de los cuidados.

Aunque la mayoría de los enfermos se mostró satisfecho tanto con la competencia como con las habilidades interpersonales y comunicativas mostradas por el médico, en el estudio se aborda la necesidad de proporcionar entrenamiento a los médicos pre y postgraduados.

El mismo tendría como objetivo la adquisición de las habilidades para satisfacer diferentes necesidades de los pacientes, que en opinión de los autores no fueron debidamente valoradas sino por la minoría de los enfermos: "Por estar también imbuidos del llamado enfoque biotecnológico en su relación con el médico".

El médico es una de las principales fuentes de apoyo para el enfermo oncológico y es en el contexto de esta relación, en el que debe comenzar la preparación psicológica del paciente para enfrentar activamente la tarea más difícil que es muy probable que nunca antes enfrentara: su propia supervivencia.

Siegel y Christ[1] expresan que la preparación del paciente comienza en el momento del diagnóstico y se mantiene a lo largo del tratamiento con las diferentes tareas adaptativas propias de esta nueva condición. Añaden que el enfermo debe ser ayudado a aceptar las modificaciones de su imagen corporal, así como ayudado a vivir con la incertidumbre que implica su enfermedad. Igualmente deberá ser ayudado a enfrentar las tareas encaminadas a normalizar su vida. En opinión de las mencionadas autoras, el médico debe reflejar optimismo y esperanza. En igual medida debe evitar la tendencia a focalizar la dinámica con el paciente en el buen pronóstico de su enfermedad, ya que esta tendencia puede inconscientemente favorecer en el enfermo la disminución de los esfuerzos para luchar por su vida.

Estas actitudes del médico al mismo tiempo que optimismo y esperanza deben brindar una valoración realística de las tareas que el paciente debe realizar y la comunicación con este debe ser un estímulo para la apertura y exteriorización de los hechos y sentimientos que el enfermo experimenta.

En una secuencia de artículos estructurados en torno al problema del mejoramiento de las habilidades de los médicos y enfermeros en su relación con enfermos de cáncer,[69] se brinda la experiencia de un breve pero intensivo taller. El mismo estuvo dirigido a ofrecer ayuda a los referidos profesionales para mejorar las habilidades en la entrevista, valoración y consejo. El taller tuvo como punto de partida el reconocimiento de que en la mayoría de los pacientes el equipo de salud constituido por el médico y el enfermero, evitan abordar los aspectos emocionales del paciente y se distancian de estos por dos razones principales:[70]

1. La falta de habilidades para manejar los problemas y dificultades y las emociones fuertes que pueden emerger si hablan a profundidad con el paciente y los familiares.

2. No menos importantes, es que temen dañar psicológicamente a los enfermos mediante el análisis de dichas situaciones.

En este entrenamiento se utilizaron un conjunto de métodos que permiten la identificación de los problemas, el establecimiento de una jerarquía en las prioridades, así como estimular en los pacientes la expresión de sus sentimientos y preocupaciones para discutirlos abiertamente. El rol *playing* es muy utilizado en este taller con el propósito de contribuir al aprendizaje de los participantes en la solución de los problemas que tienen mayor incidencia. Dentro de estos: cómo informar malas noticias al enfermo, cómo relacionarse con un paciente irritado y cómo responder a las preguntas difíciles, en tanto la respuesta a las mismas puede implicar la confirmación de una duda de carácter amenazante en relación con la enfermedad.[71]

Las diferentes estrategias que los participantes aprenden y utilizan en su comunicación con los enfermos están determinadas por las características y tipos de respuestas de los pacientes y no por criterios unilateralmente preconcebidos del médico, del enfermero o del equipo en general.

La comunicación de noticias desfavorables relacionadas con la enfermedad requiere la exploración y el conocimiento de los sentimientos más fuertes de los enfermos y la identificación de las preocupaciones claves, a fin de poder conducir efectivamente la comunicación. La velocidad en la emisión de información —explican— sobre el diagnóstico al enfermo y el contenido en sí mismo del mensaje requieren de habilidades por parte del médico y del enfermero. Toda comunicación abrupta sobre el diagnóstico, por lo general obra en el sentido de desorganizar psicológicamente al paciente y de dificultar su aceptación de esta repentina amenaza.

Se recomienda siempre que sea posible la sustitución del término cáncer por uno de los numerosos componentes "... de la amplia jerarquía de eufemismos" de este término dentro del vocabulario accesible al enfermo . Otro aspecto importante abordado en dicho trabajo consiste en que las reacciones del paciente deben ser objeto de un monitoreo continuo. Esto hará más accesible la exploración de sentimientos y las razones de sus respuestas y al mismo tiempo posibilitará estimularlo a discutir preocupaciones y sentimientos, estableciendo con claridad la naturaleza de estos y el rol que desempeñan en el estado psíquico del individuo. De acuerdo con este enfoque una respuesta eficaz a las llamadas preguntas difíciles requiere, ante todo, de la exploración y el conocimiento consecuente de cuáles son las verdaderas razones que motivan las preguntas. En estrecha relación con el anterior aspecto se encuentra el problema ético, de cuál es la respuesta que el paciente realmente desea escuchar y con qué propósito.

En el trabajo en cuestión, se enfatiza la necesidad de alentar y mantener la esperanza en el enfermo de cáncer. "Esperanza acerca de que el resultado del tratamiento debe ser el apropiado y ofrecer buenos resultados, esperanza inclusive cuando el pronóstico es pobre, esperanza, siempre, en que algo puede ser hecho". Como puede observarse esta experiencia contribuye a incrementar el profesionalismo en la atención al enfermo de cáncer. El tipo de relación que se establece entre el médico, el enfermero y el paciente deviene en un apoyo real para el último, aún y cuando el diagnóstico ni se niega ni es tampoco ocultado, salvo cuando las características psicológicas del paciente lo reclamen, a fin de fortalecer en este caso un afrontamiento basado esencialmente en la negación activa.

Antes de concluir el análisis de la relación oncólogo-paciente se quiere reseñar brevemente el aspecto concerniente al estrés que el oncólogo experimenta en el afrontamiento que como profesional en el desempeño de sus funciones tiene que hacer a esta enfermedad.

Se hacen referencias a determinadas condiciones que predisponen a los médicos en general y a los oncólogos en particular al estrés crónico.[72] Citan entre estas, características de personalidad que les conducen a trabajar largas horas y a tener poca recreación, el tener que permanecer mucho tiempo fuera de sus hogares, las interrupciones en la vida familiar y en las relaciones maritales y con los hijos, la reducción de la socialización de las relaciones con sus colegas por las razones apuntadas, así como el insuficiente descanso, la pérdida del sueño y la fatiga. A ello se suma el distres personal por los frecuentes análisis con el paciente y los familiares en torno al diagnóstico de cáncer, a la imposición, cambio o suspensión de un tratamiento, al contacto frecuente con la muerte y en particular el impacto repetido de la muerte de aquellos pacientes con los que se siente emocionalmente más comprometido.

Estos factores que afectan la dimensión personal de la vida del oncólogo, participan en la dinámica de su relación con el enfermo y necesariamente influyen en el éxito y en la calidad de vida de ambos.

El "burnout" como forma típica de estrés laboral desde la década de los años setenta del pasado siglo, viene centrando la atención de los servicios de salud[73] en especial en los equipos consagrados a brindar cuidados paliativos al enfermo de cáncer terminal.[73] Una prueba reciente de este creciente interés se puso de manifiesto en la realización de un estudio en el que se compararon los efectos de estresores profesionales experimentados por enfermeros y médicos oncólogos que brindan cuidados en el hogar a enfermos terminales, oncólogos que laboran en instituciones oncológicas y estos mismos especialistas que brindan servicios fuera de dichas instituciones. En cada uno de los grupos constituidos se evaluó: *burnout*, distres psicológico, síntomas físicos, estrategias de afrontamiento y apoyo social.

Se pudo concluir al finalizar este estudio que los miembros del equipo que brindaron cuidados en el hogar experimentaron mayor fatiga emocional, un sentimiento de distanciamiento emocional hacia los pacientes más intenso y más pobre sentido de realización personal. Sin embargo los atributos de personalidad concebidos como "fuertes" constituyeron amortiguadores del *burnout*. Los enfermeros presentaron más síntomas físicos que los oncólogos, aunque menor distanciamiento emocional hacia los pacientes, más bajo sentido de realización personal y mayor distres. Los miembros de los equipos de cuidados en el hogar fueron los más estresados y los que reportaron mayor cantidad y más severos síntomas de estrés.[74]

En general, las cuatro estrategias de afrontamiento más utilizadas por todos los sujetos fueron:

1. Establecer conversación con los amigos.
2. Usar frecuentemente el humor.
3. Beber o comer.
4. Mirar la televisión.

Es interesante resaltar que los niveles de *burnout* variaron tanto en función de los atributos de personalidad como de las características socialmente construidas que contribuyen a que cada individuo realice su definición de lo masculino y lo femenino —género.[75] Un hallazgo de interés se centró en que la presencia de creencias religiosas de los sujetos hizo que estos exhibieran un nivel sensiblemente más bajo de *burnout*.

La relación con la pareja

Un aspecto relevante en la dinámica de la pareja es la comunión sexual de sus miembros, la que en los seres humanos responde en esencia a la necesidad que estos experimentan de dar y recibir amor, sentimiento que también incluye el erróneamente llamado amor físico o en términos más exactos, tiene componentes íntimamente relacionados con la sexualidad.

Los problemas relativos a la sexualidad del enfermo de cáncer,[76] han recibido un tratamiento superficial por parte de los oncólogos. Debe ser tomado en cuenta que el diagnóstico de cáncer provoca múltiples temores en quienes sufren la enfermedad, tales como el temor a la pérdida de la capacidad de respuesta sexual. En el hombre aparecen frecuentemente dudas de su capacidad sexual y en las mujeres son muy conocidos los temores a ser rechazadas por su pareja. Los problemas más frecuentes en la esfera de la sexualidad de estos enfermos son: la disminución del interés sexual y de la excitación, así como la disminución o la pérdida de la capacidad de experimentar el orgasmo. En esta dirección se proponen un conjunto de medidas que se orientan básicamente hacia tres tipos de tratamientos: quirúrgicos, los que posibilitan tanto la implantación de prótesis en las enfermas de cáncer de mama, pélvico-genital, del pene y los testículos, como en otros tipos de cáncer no relacionados con los genitales.

El tratamiento conductual está dirigido a promover la ejecución de tareas sexuales del paciente en colaboración con su pareja, con el propósito de rehabilitar hasta donde sea alcanzable la sexualidad del enfermo y posibilitar que experimente gratificación sexual.

Por último, el tratamiento psicológico se propone la solución de los conflictos intrapsíquicos que necesariamente repercuten sobre la conducta en general y en particular sobre la conducta sexual del paciente oncológico.[76]

Como puede inferirse del modelo de tratamiento antes descrito, la pareja constituye un apoyo insustituible en la conservación del rol sexual y por tanto en el reajuste emocional y social de estos enfermos. Una de las variables que ha sido comúnmente utilizada como indicador de apoyo social es el estatus marital, aunque con pocas excepciones, el interés se focaliza sobre la existencia o ausencia de pareja, sin tomar en consideración la naturaleza de la relación entre esta y el enfermo.[77]

En uno de los estudios realizados en 1979,[12] con enfermas de cáncer de mama se abordan aspectos cualitativos de la relación entre la enferma y su pareja y se mostró en el mismo la tendencia de la calidad de la relación marital a influir sobre los resultados de la enfermedad. Las enfermas que no estaban casadas o aquellas que reportaron una peor calidad en su relación marital mostraron tendencia a tener resultados menos favorables en términos de sobrevida a los 5 años de diagnosticadas.

Este trabajo incluyó una amplia revisión de estudios realizados en este campo, en los que se reporta una marcada inconsistencia en los hallazgos sobre el papel del estatus marital en la sobrevida o en el tiempo de recurrencia del cáncer en enfermas de cáncer de mama.

En años recientes se han acumulado numerosos reportes en el campo específico de la imagen corporal. A pesar que este término ha sido asociado con múltiples definiciones dentro de la Oncología Psicosocial y que inicialmente ha sido objeto casi exclusivo de la psicología de los trastornos alimentarios, es un hecho bien conocido que con una alta frecuencia el cáncer y su tratamiento van acompañado de cambios en la apariencia física[78] y en consecuencia modificaciones en la autopercepción corporal en respuesta a la enfermedad y a los tratamientos.

En pacientes sometidas a vulvectomía se han encontrado alteraciones altamente significativas en la imagen corporal con posterioridad al tratamiento quirúrgico, así como un significativo decrecimiento de la frecuencia sexual en términos de aversión sexual y de trastornos de la excitación.[79] También en las mastectomizadas se han registrado alteraciones en la imagen corporal que a diferencia de las encontradas en estudios de otras latitudes no resultaron significativas en un trabajo concluido en el país,[80] al comparar pacientes sometidas a mastectomía radical modificada y a cirugía conservadora, aunque en el mismo se recomienda la realización de estudios posteriores más amplios que posibiliten la generalización de uno u otro resultado.

Es un hecho por todos aceptados que el funcionamiento sexual tiene un fuerte impacto en la calidad de vida del enfermo de cáncer,[81] y que se requiere orientación y entrenamiento al enfermo y su pareja a fin de lograr prácticas alternativas, que permitan la rehabilitación del paciente y de la relación de ambos en esta importante dimensión.

La familia y los amigos

En las consideraciones generales acerca de los sistemas de apoyo social se hizo referencia a la influencia que ejerce tanto la presencia de apoyo social como especialmente la eficacia que el enfermo percibe en estos, sobre el estilo de afrontamiento a los estresores y en particular sobre el tipo de ajuste o afrontamiento al cáncer.

Siendo consecuentes con esta idea ha de tomarse en cuenta la nocividad que en no pocas ocasiones puede tener un inadecuado apoyo social, o más exactamente, un ineficiente apoyo de la familia y los amigos. Nociva resulta cualquier modalidad o variante de apoyo que lesione la autoestima del enfermo, insatisfaga la necesidad de autonomía e independencia y le haga sentir marginado aún en medio de las personas.

Se ha insistido frecuentemente en la nocividad de la llamada "técnica de distracción" mediante la cual la familia trata de evadir el tener que abordar determinados aspectos de la situación que atraviesa el paciente y evitar así que el enfermo pueda expresar sus preocupaciones, ansiedad, temores, hostilidad y miedos.[1] En opinión de estas autoras, esta conducta "de apoyo" por parte de la familia provoca en el enfermo "sentimientos de abandono y desolación". Este tipo de apoyo, evidentemente contribuye al reforzamiento de un estilo de afrontamiento a la enfermedad, que puede estimular en determinado tipo de individuo la represión de sus emociones negativas.

El apoyo social cuando es eficiente, tanto por parte de la pareja, de la familia, de los amigos, de las instituciones sociales, ha de encaminarse en el sentido de respetar la autonomía del paciente, su autodeterminación, su sentido de autogobierno, de productividad social y de autoeficacia en el afrontamiento al cáncer. Esto puede producirse aún en las etapas avanzada y terminal de la enfermedad, inevitablemente, a partir de las posibilidades reales de autodirección del enfermo en dichos períodos.

Holland[82] aborda el problema de la familia en el enfermo de cáncer desde el punto de vista de las necesidades de sus miembros. Estos tienen la enorme responsabilidad de tomar decisiones con respecto a los cuidados paliativos del enfermo, deben sostenerlo emocionalmente y mantener su propio equilibrio. Deben enfrentar sus propios temores fundados con mayor o menor conocimiento en la posibilidad real de enfermar de cáncer, así como mantener la dinámica de la familia dentro de la mayor normalidad posible.

Un aspecto de interés con relación al estudio de los problemas y repercusiones concernientes al apoyo social en los enfermos de cáncer es la respuesta a la siguiente cuestión: *¿quién sirve de apoyo al apoyo del paciente oncológico?* Este tema, ha sido hasta la fecha, insuficientemente estudiado, a pesar de la trascendencia que el mismo podría tener, no solo para el propio enfermo en lo que a calidad de vida se refiere, sino particularmente por la significación que asume en la comprensión y tratamiento del funcionamiento familiar y de la calidad de vida de los familiares del paciente.

Instituciones sociales y de salud en Cuba

En Cuba la organización de la sociedad y sus instituciones en general y en particular las de salud, las que están jurídicamente establecidas y sancionadas en la Constitución y en los restantes documentos rectores de la vida social, política y económica del estado cubano, constituyen una red de apoyo social para el enfermo de cáncer.

En muchos países desarrollados, el enfermo oncológico, solo por el hecho de serlo, es convertido en un alienado social, debiendo mantener oculta su identidad de paciente oncológico a riesgo de no ser admitido en un empleo. Como consecuencia de lo anterior puede estar también sometido a la inseguridad económica, a la falta de recursos suficientes para sustentarse a si mismo y a su familia, y en especial a la imposibilidad de solventar y sostener su costoso tratamiento anticanceroso.

Con mucha frecuencia solo unos pocos amigos conocen su condición de enfermo, por el justificado temor del último a ser rechazado o condenado al ostracismo. No resulta tampoco bien aceptado en estos países la llegada de unos nuevos vecinos con un pequeño o cualquier otro miembro de la familia, aquejado de una enfermedad oncológica.

En el trabajo realizado con sobrevivientes que han recibido transplantes de médula ósea,[4] se señala que en los Estados Unidos, aproximadamente un 25 % de los cinco millones de enfermos de cáncer existentes, son discriminados laboralmente de alguna forma, solo por conocerse sus historias clínicas.

Por todo esto se considera que tanto los mejores seguros de salud, como toda la ayuda de organizaciones filantrópicas de lucha contra el cáncer, no podrían en modo alguno saldar la deuda que esta forma de organización social y sus instituciones contraen con las personas que sobreviven a la enfermedad.

En Cuba, el enfermo de cáncer no es *per-se* objeto de discriminación social, laboral o de otro tipo. Con independencia de la raza, el credo, la condición social e integración política del paciente, este dispone de servicios de oncología gratuitos, al igual que los restante servicios de salud en todo el país, en los que es atendido por oncólogos especializados de cuya formación se responsabiliza el estado. Todo enfermo tiene derecho a realizarse sin costo alguno para él, las pruebas diagnósticas que sean necesarias, con equipos de la más alta y novedosa tecnología, así como los exámenes de laboratorio clínico, de imagenología, de medicina nuclear, que sean necesarios. También tiene derecho a recibir hospitalización y tratamientos quirúrgico, radioterapia, quimioterapia, inmunoterapia, fisioterapia, psicoterapia, en condiciones de gratuidad.

En el país existen tres programas establecidos para la detección y tratamiento precoz del cáncer. Estos son: el Programa de detección precoz del cáncer cérvico-uterino, el referido al diagnóstico y tratamiento del cáncer bucal y el focalizado en la detección precoz del cáncer de mama.

Por su parte, la Seguridad Social regula la remuneración económica de los trabajadores durante el período de hospitalización y de tratamiento ambulatorio. Igualmente posibilita la reubicación laboral o la jubilación de los enfermos que laboran, atendiendo a la formación profesional de estos, a sus capacidades residuales y a las disponibilidades existentes. La Seguridad Social también posibilita medios de vida y pensión económica a aquellos enfermos desvinculados laboralmente y que no disponen de apoyo económico familiar.

Todos estos factores que proporcionan al enfermo recursos, disponibilidad de atención y sostén material, contribuyen de forma esencial a mejorar la calidad de vida.

El enfermo en etapa terminal: calidad de vida

"El dolor de cáncer y el cuidado paliativo figuran entre los cuatro objetivos del Programa Comprensivo del Control de Cáncer de la Organización Mundial de la Salud, junto con la prevención, la temprana detección y el establecimiento de programas nacionales para el control del cáncer".[83]

Los últimos objetivos que aparecen en la cita, podrían ser vistos de forma longitudinal, como correspondientes a las etapas precoz y temprana de la enfermedad. Los dos anteriores se insertan en la

etapa final y éticamente más difícil del cáncer. Difícil para el enfermo, para sus allegados e íntimos, para el médico, quien no puede estar totalmente ajeno ni marginado del sufrimiento y la frustración que la enfermedad causa, y de igual forma para la sociedad y para la instituciones de salud de que dispone.

Estas instituciones son responsables cuando la prevención fracasa, de controlar la enfermedad, y en los casos en que este control se hace inoperante, de aliviar el sufrimiento físico, mental y espiritual del enfermo, utilizando todos los recursos médicos, psicológicos y sociales disponibles.

En breves palabras, la responsabilidad moral de la sociedad, de las instituciones de salud y de la familia con el enfermo de cáncer terminal se objetiva en influir positiva y eficazmente sobre las necesidades objetivas y subjetivas del enfermo, en particular sobre las concernientes a esta última etapa y contribuir así a mejorar hasta el máximo alcanzable la calidad de su vida.[84]

El cumplir con esta responsabilidad significa dignificar este período final del enfermo que lo conduce irremisiblemente a la muerte, con lo que también se contribuye a humanizar la práctica de la oncología como rama de las ciencias médicas.

La filosofía que sustenta el enfoque sobre los cuidados paliativos con el enfermo oncológico se articula sobre un principio ético básico: cualquier acción de salud que se realice con un enfermo terminal de cáncer ha de tener como propósito esencial y por supuesto inmediato, mejorar la deteriorada calidad de vida de este ser humano.

Este mejoramiento de la calidad de vida, de forma resumida, se puede traducir en el alivio de los sufrimientos físicos, mentales y morales del enfermo, en el reforzamiento de su autoestima, en la movilización de sus recursos psicológicos actuales y potenciales y en prepararle emocional y espiritualmente para asumir con dignidad el hecho irreversible de la inminencia e irreductibilidad de su propia desaparición física

Lo antes expresado implica que siempre que resulta posible todas las acciones con el enfermo han de tomar en cuenta el criterio subjetivo y personal, el consentimiento explícito o implícito, la confrontación con él, con el familiar que él elija, o con ambos según sea pertinente, de todo aquello que con lo que resta de su vida, desde el punto de vista médico, psicológico, espiritual y social se pretende hacer.

Es importante señalar que aún hoy día, existe falta de acuerdo entre los médicos de diferentes países y aún entre diferentes espe-

cialistas de un mismo país, sobre el concepto de "enfermedad en etapa terminal".[85]

En una comunicación previa al Segundo Congreso de la Asociación Europea de Cuidados Paliativos (EAPC), institución que auspician e integran científicos, investigadores y especialistas, y que fue hace pocos años estructurada en dicho continente, se declara la falta de acuerdo que existe actualmente entre los médicos de diferentes países y aún dentro de los diferentes especialistas de un mismo país sobre el concepto "enfermo en etapa terminal". Se añade que la predictibilidad de la expectativa de vida y las causas de muerte del enfermo oncológico por inanición o caquexia *versus* otras causas, han sufrido limitaciones prácticas.[85]

Con relación al problema señalado, en los períodos iniciales de identificación del mismo[85] se consideró que: "La distinción entre una enfermedad terminal y el estadio terminal de una enfermedad es particularmente importante. La enfermedad terminal es una enfermedad que no puede ser curada por medio de la tecnología médica presente en la actualidad y por lo general conduce a la muerte dentro de un período específico, años o meses. Durante este período los tratamientos médicos pueden aplicarse para prolongar la vida aún cuando la enfermedad no puede ser curada. En contraste, el estadio terminal de una enfermedad es el tiempo de cesación del tratamiento médico más allá del cuidado paliativo y la muerte, usualmente semanas o pocos meses".

La Sociedad Española de Cuidados Paliativos (SECPAL)[86] establece que los elementos fundamentales que definen una enfermedad terminal son:

1. Presencia de una enfermedad avanzada, progresiva e incurable.
2. Falta de posibilidades razonables de respuesta al tratamiento específico.
3. Presencia de numerosos problemas o síntomas intensos, múltiples, multifactoriales y cambiantes.
4. Gran impacto emocional en los pacientes, la familia y equipo terapéutico, muy relacionado con la presencia explícita o no de la muerte.
5. Pronóstico de vida inferior a 6 meses.

Como no ha sido establecido un criterio unánime y absoluto por los especialistas, en relación con el concepto enfermo en etapa terminal ni con el tiempo que puede abarcar la etapa terminal de

un enfermo de cáncer, aquí se asume la definición antes dada acerca del fenómeno.

En el presente trabajo, convencionalmente se considerará como enfermo terminal a aquel que solo se espera que sobreviva desde unas pocas semanas hasta 3 a 6 meses aproximadamente. Con el mismo ya no pueden tomarse otras conductas que no sean aliviar sus síntomas físicos y psicológicos lo más posible, atenuar el discomfort hasta los niveles alcanzables, evitar la desmoralización, en una palabra, ayudarle a morir con dignidad. Es por ello que la calidad de vida del enfermo terminal constituye una parte esencial de todo programa de cuidados paliativos, puesto que de lo que se trata es de brindar el último aliento a un ser que finaliza, atenuar la depresión y el desaliento ante el evidente avance de la enfermedad y la concomitante pérdida de la autonomía evitar la desmoralización, la enajenación y el ostracismo.

Estas reflexiones encuentran asiento en disímiles hechos que tiene un fuerte arraigo y repercusión social[87] como son:

◆ El lugar que en los albores del siglo XXI ocupa el cáncer como causa de muerte en los países desarrollados y en algunos de los países que como Cuba se encuentran en vías de desarrollo.
◆ La tendencia al incremento de la morbimortalidad por cáncer en todo el mundo y en particular en el primer mundo.
◆ El dramático hecho de que una gran parte de los enfermos al ser diagnosticados se encuentran en estadios incurable de la enfermedad y son solamente tributarios de los cuidados de la medicina paliativa.
◆ El deterioro que provoca el cáncer en las dimensiones física, emocional, social, psicológica y espiritual de la calidad de vida del enfermo, en particular en la fase final de la enfermedad.

Otro aspecto no menos esencial de los cuidados paliativos y que no puede ser subestimado, se encamina a brindar atención a las necesidades subjetivas no solo del paciente, sino de sus familiares, preparar a estos últimos para eventos futuros y proporcionarle apoyo emocional a la familia durante el duelo.[88] En el trabajo de referencia se valoró la calidad de vida así como el control de los síntomas físicos y emocionales en un grupo de pacientes enfermos de cáncer en estadio terminal. Dicha valoración se realizó en dos momentos, antes y después del cumplimiento de un programa de cuidados paliativos de una semana de duración. También se incluyó dentro de los objetivos del trabajo la valoración de la posible relación entre los síntomas físicos, emocionales y funcionales de los enfermos. Estos pacientes de ambos sexos y con edad promedio de 62,3 años fueron referidos a la División de Cuidados Paliativos y Terapia del Dolor de Milán por dolor y otros síntomas consecuentes a la progresión de la enfermedad, la que se mostró resistente a los tratamientos anticancerosos.

Los resultados demostraron que de los síntomas físicos más frecuentes: dolor, debilidad, anorexia, resequedad en la boca y constipación, los dos primeros decrecieron significativamente durante el tratamiento. Los problemas funcionales tales como la dificultad para trabajar o durante las actividades del tiempo libre, decrecieron de las dos terceras partes a la mitad de los pacientes. También se redujeron a la mitad el número de pacientes que antes del tratamiento reportaron depresión, ansiedad y nerviosismo.

Es interesante destacar que aunque el dolor es el síntoma físico más frecuentemente correlacionado con el juicio global del enfermo de no sentirse bien, en este estudio se consideró que la sola valoración del dolor no puede ofrecer un cuadro exacto de la calidad de vida de estos pacientes. Ello se debe a que los *ítems* referidos a las condiciones funcional y psicológica podrían jugar un rol más importante en la percepción y evaluación general de la calidad de vida. Este estudio concluye expresando que: "Particularmente en la etapa avanzada de la enfermedad, las condiciones de desamparo, desolación, pérdida del trabajo y de la posición social, la ansiedad, la depresión, el miedo a la muerte conducen a un estado general de sufrimiento que puede generar más discomfort para el paciente que el dolor en si mismo. Este es el más doloroso sufrimiento porque es oculto, porque los pacientes lo experimentan íntimamente y raras veces lo reportan porque no les es preguntado".[88]

Orígenes y objetivos de los cuidados de la medicina paliativa

Durante centurias el curandero, el sacerdote, el médico y en muchos casos el científico solo han podido aliviar el sufrimiento, paliar el dolor, consolar, confortar, mejorar algunas facetas de la vida del hombre que transita hacia la muerte.[84]

Prueba de lo anterior es que la duración media de la vida del hombre en el siglo de bronce no superaba los 18 a 20 años y durante el Imperio Romano era de 23. En el medioevo se elevó a los 35 años y en el siglo XIX a los 44. En el siglo XX, en la década de los sesentas en los países desarrollados la duración media de la vida alcanzó entre 68 y 72 años,[89] a lo que podría añadirse que finalizando el siglo XX, la expectativa de vida en los países desarrollados oscilaba alrededor de los 76 años de edad.

Todo esto traduce que tanto el incremento de la duración media de la vida como el mejoramiento de la calidad de la vida de los seres humanos, siempre han estado presentes de una u otra forma como objetivos conscientes de la ciencia.

La medicina paliativa arranca en sus orígenes de la propia historia de la práctica con fines médicos, puesto que las limitaciones inherentes al insuficiente desarrollo cognoscitivo, de recursos y en todos los sentidos, condicionantes de una abrumadora morbimortalidad solo permitían el ejercicio de una medicina encaminada a la paliación y con ello indirectamente al mejoramiento del significado que la vida podría tener para el enfermo.

Actualmente la medicina paliativa, siendo la más antigua medicina está resurgiendo a un ritmo acelerado como una nueva medicina, puesto que la necesidad de proporcionar tratamiento sistemático y de sostén a los enfermos terminales es una realidad inobjetable por sus connotaciones sociales y éticas.

Se considera que los cuidados de la medicina paliativa moderna comenzaron con el establecimiento en Londres del hospicio de San Cristóbal en 1967, dedicándose desde sus inicios dicha institución a la atención de enfermos de cáncer terminal. Dos años más tarde los cuidados terminales a estos pacientes se extendieron al hogar, contribuyendo esta práctica a mejorar la calidad de la muerte de muchos enfermos.

La experiencia se difundió en los Estados Unidos de Norteamérica en la década de los setentas del pasado siglo, a partir de la fundación en Connecticut del primer equipo multidisciplinario de cuidados paliativos para la atención en hospicios y en el hogar.

En las puertas del siglo XXI, la Organización Mundial de la Salud trabaja en dirección a lograr la transformación de la accesibilidad de los cuidados de la medicina paliativa, de su actual condición de posibilidad realística y humana en una realidad para los millones de personas que mueren anualmente de cáncer en el mundo.

Una muestra de este esfuerzo se concreta en el hecho de que el alivio del dolor por cáncer y los cuidados paliativos en general constituyen prioridades del Programa Global de Control de Cáncer de la referida institución.

Al mismo tiempo se observa una tendencia cada vez más acentuada tanto en la mayoría de los países desarrollados como en algunos de los que se encuentran en vías de desarrollo a incorporar las recomendaciones de la Organización Mundial de la Salud en los aspectos relativos al alivio del dolor por cáncer, así como en otras facetas de los cuidados paliativos.

De esta manera, países como Canadá, Finlandia, Holanda, México, Filipinas, Suiza y Vietnam han establecido políticas nacionales para el control del dolor por cáncer. Otros países como Camerún, Chile, Cuba, Indonesia, Pakistán, han incorporado también como aspectos prioritarios de sus programas de control de cáncer, el alivio del dolor, o bien han establecido programas más amplios de cuidados paliativos o ambos.[90]

El concepto referido al movimiento de hospicios, en el que inicialmente se materializaron en algunos países desarrollados como Inglaterra, Estados Unidos, Suiza, entre otros, los modernos cuidados de la medicina paliativa a los enfermos de cáncer en etapa final, implica una valoración integral del enfermo. Consecuentemente requiere de la atención de un equipo multidisciplinario de tratamiento, con el propósito de contribuir a la solución de las necesidades tanto físicas y de recursos materiales, como psicológicas, sociales y éticas del enfermo y de su familia.

Los cuidados paliativos y su práctica no están confinados a un edificio, constituyen una "filosofía de cuidados" que en diferentes formas ha sido integrada en hospitales, cuidados en la casa, centros de día, así como adoptada dentro de diferentes culturas.[91]

La concepción de los cuidados de la medicina paliativa moderna se encuentra estrechamente interrelacionada con el concepto y la práctica de la rehabilitación. Esta última juega un importante papel en la vida de los enfermos de cáncer terminal, puesto que su objetivo esencial es precisamente ayudar a este a lograr una razonable calidad de vida, a mantener el máximo de productividad posible con el mínimo de dependencia, a controlar los síntomas y a mantener la esperanza de que a pesar de la presencia de un mal pronóstico, siempre algo puede ser logrado.[92]

134

El control de los síntomas del enfermo de cáncer terminal es actualmente considerado una disciplina científica dentro del campo de la medicina,[92] pero trasciende estos marcos, ya que desde la perspectiva de la bioética, constituye junto con el alivio del dolor y el control de los problemas emocionales, espirituales y socioambientales del enfermo, una de las vías para lograr la muerte sin sufrimiento, objetivo esencial de la medicina paliativa actual. Este objetivo sustenta al mismo tiempo el núcleo central de los cuidados terminales.

Calidad de vida y medicina paliativa

El interés por el estudio de la calidad de vida de los enfermos oncológicos ha estado desde su surgimiento muy vinculado a la valoración de los beneficios y desventajas con respecto a la aplicación de diferentes tratamientos oncoespecíficos y en particular de los agentes citotóxicos en el tratamiento del cáncer, por la agresión que estos representan a la calidad de vida de la mayoría de los enfermos.

La calidad de vida ha sido operacionalmente definida por algunos autores como "...un término abstracto y complejo que representa las respuestas del individuo a los factores físico, mental, social espiritual y emocional que contribuyen a la vida diaria normal".[91]

Es por ello que cuando se considera la necesidad a través de los cuidados de la medicina paliativa de mejorar la calidad de vida del enfermo de cáncer terminal se hace relevante en primer lugar la importancia de lograr un máximo nivel de funcionamiento en las mencionadas esferas, aún dentro de las limitaciones que la enfermedad en este estadio tan avanzado impone al individuo y a su familia.

La aplicación de los cuidados de la medicina paliativa puede y debe actuar además en dos importantes esferas de la vida del enfermo, por las repercusiones que tiene sobre el nivel de funcionamiento de este y consecuentemente por el impacto que tiene en la calidad de su vida. Estas esferas son: el alivio del dolor físico y del sufrimiento del paciente a cualquier precio y el control de los restantes síntomas de la enfermedad avanzada.

Ambos aspectos constituyen objetivos esenciales de los cuidados paliativos, aunque el mejoramiento de la calidad de la vida incluye también otras facetas de orden físico, psicológico, social, familiar y ético, que aunque íntimamente relacionadas con los dos primeros no se incluyen en los mismos.

En la actualidad la atención paliativa a enfermos terminales constituye una disciplina médica que aborda el período final de la vida. La propia naturaleza de esta disciplina obliga al médico a tomar decisiones con una fuerte traducción en el terreno de la bioética.

En la aplicación de la medicina curativa puede resultar justificable lesionar la calidad de vida de un paciente por la realización de exámenes o la aplicación de tratamientos que aún siendo molestos, dolorosos o ambos, pueden eficazmente contribuir a prolongar la vida del enfermo. En la utilización, sin embargo de la medicina paliativa, por el contrario no es éticamente lícito dañar la calidad de vida del enfermo terminal, por el propio hecho de que este está transitando hacia una muerte indefectible.

En esta dirección Abiven[93] expresa: "Si la enfermedad es mortal, de necesidad, la regla debe ser optar por la calidad y no por la duración de la vida y respetar escrupulosamente los deseos del paciente. Es concebible que esto se traduzca en desconectar un aparato de sostenimiento si el enfermo lo pide. En esos casos no es la actuación del médico lo que causa la muerte, sino la enfermedad que sufre el paciente".

Sufrimiento, dolor y calidad de vida

Si bien el alivio del dolor y del sufrimiento provocados por una enfermedad como el cáncer forman parte del objeto de estudio de la medicina y comprometen a esta en función de la utilización de todos los recursos, el dolor, el sufrimiento y el alivio de ambos han devenido parte legítima del campo de acción de la bioética.

Tanto el sufrimiento como el dolor constituyen una condición necesaria e inevitable de la existencia humana por las funciones señalizadores que cumplen. No obstante su eliminación total o al menos su alivio constituyen uno de los objetivos centrales de los cuidados paliativos, por erigirse ambos en el principal obstáculo de la calidad de vida de un alto porciento de enfermos de cáncer terminal.

Uno de los eventos más significativos en el sentido de la influencia negativa que ejerce sobre la calidad de vida del enfermo oncológico es el dolor crónico.[88, 94] Investigaciones recientes parecen confirmar la naturaleza inmunosupresiva del dolor, así como su carácter patógeno, en tanto es capaz de facilitar la progresión de la enfermedad metastásica por la vía de la inmunidad.[95]

El dolor crónico está presente en un alto porciento de estos pacientes, incluso desde las etapas iniciales de la enfermedad, a pesar de lo cual se le ha prestado relativamente poca atención al dolor en las investigaciones concernientes al cáncer y sus complicaciones.[1, 88] En uno de los trabajos de referencia[96] se considera que las principales alteraciones psicológicas que se presentan en el enfermo oncológico y que al mismo tiempo constituyen moduladores del dolor son: la ansiedad, consecuente al temor del enfermo al dolor incontrolable, el miedo a la muerte y a la pérdida del autocontrol.

El dolor de cáncer en la etapa final es calificado en muchos casos como incontrolable y esta connotación aproxima a la comprensión de las razones que explica por qué el pobre control del dolor en el enfermo oncológico se ha asociado a un incremento no solo de la elaboración ideacional suicida, sino del riesgo suicida y a serios intentos en esta dirección.[96]

La depresión es otra de las alteraciones psicológicas presente en estos enfermos, la que es referida[87] a la pérdida de la funcionabilidad física en el paciente, a la falta de apoyo y a la pérdida de la imagen corporal. Por último "la rabia", como expresión de irritabilidad, de resentimiento y de frustración en el enfermo ante el fracaso terapéutico, tipifican las alteraciones psicológicas mas relevantes del enfermo de cáncer. Resulta muy positivo en este enfoque las tentativas de rompimiento con la clásica absolutización del componente orgánico en la explicación del dolor, en particular del dolor por cáncer. Al mismo tiempo se le concede un rol modulador a la psiquis del enfermo, en la percepción y valoración, y congruentemente en el control del dolor. En el mencionado trabajo su autor expresa que por ser el sufrimiento del enfermo oncológico cuando se encuentra en etapa final definible como "... un dolor total, físico, social, psíquico y espiritual", el control y alivio del mismo deberá intentarse a partir de una estrategia terapéutica tal, que incluya tanto los recursos farmacológicos disponibles como también recursos psicosociales. En este sentido otros investigadores[97] consideran que la percepción del dolor por cáncer del dolor crónico en general[98] está mediada por una serie de variables psicosociales que pueden contribuir a incrementarlo o por el contrario coadyuvar en el control del mismo. Es por ello que se sugiere la valoración de estos aspectos en el establecimiento del plan de tratamiento del dolor[96, 99] y de la depresión que al dolor con frecuencia se asocia.[100]

Señalan como variables fundamentales en esta dirección:

1. La expectativa del enfermo con respecto al dolor.
2. El distres emocional, que puede directamente afectar la nocicepción por vía simpática, trayendo consigo el aumento del dolor. La ansiedad por su parte puede afectar tanto los parámetros fisiológicos del dolor como la interpretación sensorial de este, lo que contribuye a exacerbar la percepción del dolor.
3. La interpretación de síntomas por parte del enfermo de cáncer en estrecha y directa asociación con las creencias, actitudes, experiencias anteriores sobre el mismo y en especial con "el estilo cognitivo de procesamiento de información". Todo ello resulta en una tendencia general del enfermo a interpretar el dolor como evidencia de la progresión de la enfermedad.
4. La controlabilidad percibida por el paciente respecto al dolor.

Se ha demostrado que el sentido de control sobre los eventos adversos parece jugar un importante papel en el efecto de la morfina sobre la reducción del dolor en pacientes con dolor crónico. Existen fuertes evidencias de que la controlabilidad y la autoeficacia percibida en pacientes de cáncer terminal desempeñan un significativo rol tanto en el mantenimiento como en la exacerbación del dolor.[101]

En este trabajo[101] sus autores proponen la utilización de técnicas cognitivo-conductuales, integradas con tratamientos biomédicos para el control del dolor y el distres emocional. Las variadas técnicas cognitivas: entrenamiento de habilidades para el afrontamiento, y conductuales: la relajación, el entrenamiento autógeno, entre otras, "pueden lograr un mayor impacto, por incrementar en el paciente la percepción de su sentido de control sobre el dolor, combatir la ansiedad y la desmoralización".

Con el propósito de analizar la influencia del dolor sobre la calidad de vida de los enfermos de cáncer, se realizó un estudio[94] en Suiza con enfermos con dolor referido. En el mismo se valoró a través de entrevistas y de un cuestionario la intensidad del dolor y los efectos de este sobre diferentes aspectos: físico, emocional, cognitivo y social de la calidad de vida. Se pudo demostrar en el grupo estudiado, que una mayor intensidad del dolor (3,9 media de intensidad, en una escala de dolor de 1 a 9) correlacionó con sentimientos de ansiedad y depresión e igualmente el impacto negativo del dolor sobre la capacidad de concentración de los enfermos y sobre sus actividades sociales, tales como visitas y conversaciones. Teniendo en cuenta el sufrimiento físico y moral que el dolor comporta, así como sus consecuencias en la calidad de vida del enfermo de cáncer, en el anterior trabajo se propone como un problema focal en estos enfermos, el tratamiento del dolor mediante analgésicos y diferentes métodos complementarios, en particular las intervenciones psicológicas. Se destaca la importancia de la medición de la calidad de vida, y especialmente del dolor percibido, en dirección a la elección de técnicas psicológicas más adecuadas de control del dolor.[102-103]

Con relación a los aspectos éticos de los cuidados paliativos que entraña la dosificación de analgésicos opiodes fuertes para lograr el alivio del dolor de cáncer del enfermo terminal y mejorar así su empobrecida calidad de vida, nada más humanamente definitorio que las palabras del profesor David Roy, con las cuales coincido plenamente: "La distinción ética entre matar al dolor y matar al paciente es clara. Si se acorta la vida por efecto de los analgésicos necesarios para aliviar el dolor, no puede decirse que la muerte se debe a sobredosis. Simplemente el enfermo ya no puede soportar el tratamiento imprescindible para lograr una vida tolerable. Éticamente es justificable utilizar todos los medios adecuados para aliviar el dolor y los sufrimientos del paciente terminal, incluso si ello acelera la muerte".[104]

Podría parecer que se magnifica e hipertrofia la significación del alivio del dolor y del sufrimiento del enfermo de cáncer que se encuentra en la etapa final de su vida.

No obstante, si se tiene en cuenta, como ya se apuntó, que el dolor crónico con una alta frecuencia está presente en los enfermos oncológicos desde los estadios iniciales de la enfermedad, y que de acuerdo con los criterios de la Organización Mundial de la Salud, en el 70 % de los enfermos con cáncer avanzado el dolor crónico puede ser el síntoma principal[87] resulta para todos una realidad autoevidente la urgente necesidad de que cada país desarrolle una política encaminada al control y alivio del dolor y del sufrimiento por cáncer terminal por las repercusiones que tiene tanto en el campo de la bioética como en otras esferas no menos importantes.

Aunque en la práctica resulta imposible la separación del dolor del tratamiento dirigido al control de este, con el propósito de lograr una mayor uniformidad en el trabajo, los aspectos más específicos concernientes al tratamiento del dolor, serán analizados en el capítulo III, correspondiente a las intervenciones psicológicas con el enfermo de cáncer.

Además del dolor físico que es evidentemente la forma más común de sufrimiento y en correspondencia su eliminación o alivio constituye el más importante objetivos de los cuidados paliativos, puesto que de ello depende una mejor calidad de vida para el enfermo terminal, existen otras formas de sufrimiento propias de la existencia humana y que por su significación deben ser tomadas en consideración, aliviadas o atenuadas como parte de los cuidados de la medicina paliativa en lo que a sus aspectos psíquico moral y espiritual se refiere.

Estas formas son: la compasión, la culpa, el sentimiento de pérdida y la ansiedad provocada por el temor a la muerte inminente.[105] La compasión alcanza verdadera significación cuando es efectiva en el sentido de que promueve la comprensión del sufrimiento autovivenciado o experimentado por un íntimo. La culpabilidad por su parte, habitualmente se asocia a sentimientos de fracaso e inadecuación y es por tanto un sentimiento negativo y muy destructivo para quien lo experimenta.[105]

Existen también otras formas de sufrimiento que muchas veces están presentes en los enfermos en este período final de su vida y que ensombrecen definitivamente la calidad de esta, y que en consecuencia deben ser objeto de atención y tratamiento por parte de la familia, médicos, enfermeros y voluntarios. Se está haciendo referencia explícita a los sentimientos de soledad, de incapacidad para corresponder al afecto de los demás y quizás al más terrible de todos: la desesperanza.

La desesperanza, aunque en el paciente con enfermedad avanzada es reportada como de difícil determinación, con frecuencia está asociada al temor a una muerte dolorosa, al deficiente control de los síntomas o con fuertes sentimientos de desamparo. Numerosos estudios realizados en la práctica clínica parecen confirmar que el acto suicida está muchas veces impulsado por la desesperación debido a síntomas mal controlados, así como a dolor incontrolado. Esto conduce frecuentemente a pensamientos suicidas o a peticiones para que se le ayude a morir con ayuda médica, puesto que el sufrimiento prolongado debido a síntomas que solo se controlan precariamente pueden llevar a tal desesperación.[106] Es por ello que a los pacientes que solicitan específicamente el suicidio con la asistencia del médico se les pueden prescribir medidas que aumenten la comodidad del paciente, alivien los síntomas y eviten que el enfermo pueda valorar medidas drásticas.[107]

En un estudio realizado con pacientes de cáncer avanzado, de ambos sexos y cuya sobrevida promedio fue de 44,5 días, el 73 % de los pacientes estuvo de acuerdo con el establecimiento de políticas de salud que les posibilitara tener acceso al ejercicio de sus derechos como paciente tanto mediante la eutanasia como a través del suicidio asistido por el médico, si el dolor que experimentaban y los síntomas físicos llegaran a ser intolerables.[108]

El enfrentamiento con la muerte

Aunque cada individuo debe enfrentarse a la muerte solo, la muerte es un hecho social que provoca comportamientos diferentes en los individuos y en los grupos que varían según el tipo de sociedad de que se trate. Aún cuando la actitud ante la muerte varía de una sociedad a otra, en general la actitud predominante es de rechazo hacia ella y hacia todo lo que le rodea.

La actitud del médico hacia la muerte es muy importante, ya que condiciona la actitud del paciente e influye en la de la familia. En general se consideran tres actitudes en el equipo de salud respecto a la muerte: la verdad, la mentira y el silencio. Lo más aconsejable para estas autoras es mantener una actitud de reserva y estudiar cada caso según sus características específicas.[109]

En el criterio de Fonnegra[110] hay cuatro grupo de factores que influyen en la reacción de una persona ante la enfermedad terminal que padece y la inminencia de su muerte. Estos son:

1. Características de personalidad: edad, sexo, mecanismos de afrontamiento, autoeficacia percibida, estilo de vida, nivel de realización personal entre otros.
2. Características de relaciones interpersonales: cantidad y calidad del apoyo social percibido, apertura y claridad en la comunicación que estos faciliten, entre otros la expresión de sentimientos y emociones dolorosas.
3. Factores socioeconómicos y ambientales como son la accesibilidad y estabilidad de recursos financieros para asumir los costos de la enfermedad y abandonar el trabajo sin lesionar su estatus y el de su familia.

4. Características específicas de la enfermedad del paciente, como el curso, la fuente o no de contagio, el significado personal y la localización, síntomas asociados, dolor y modificaciones de la autopercepción corporal.

El enfrentamiento con la propia muerte moviliza una serie de sentimientos dolorosos, uno de ellos es el llamado por Kohut "ansiedad de desintegración" (citado en 110). Esta vivencia ha sido definida como "…. la ansiedad más profunda que el hombre puede experimentar… Aunque la ansiedad de desintegración es en esencia diferente de lo que usualmente se llama temor a la muerte, el temor a la muerte tal como es experimentado por ciertos individuos no está desconectado de la ansiedad de desintegración. Lo que se teme en el último caso no es la extinción física sino la pérdida de la humaneidad: la muerte psicológica. Es claro que un intento de describir la ansiedad de desintegración es intentar describir lo indescriptible."

Constituye una cita obligatoria, antes de pasar al tema referido al duelo de los sobrevivientes, abordar las etapas del proceso de morir, según un clásico sobre la muerte y su vivencia por parte del individuo que muerte. En el criterio de la controvertida Elizabeth Kubler-Ross en el proceso de morir el hombre contemporáneo transita por una serie de etapas o estadios que no se suceden rígidamente, pueden incluso estar ausentes algunos de ellos y aparecer en diferente orden al que se definen.[111] Estas etapas son:

1. Incredulidad, aturdimiento o shock que culmina en duda y negación.
2. Rabia e ira.
3. Negociación, generalmente con Dios.
4. Aceptación, desinterés por el mundo, espera por que llegue el momento final.

El objetivo terapéutico primero de la terapia a los moribundos consiste en que el ser humano alcance un final digno y en paz.

La muerte como complemento de la vida es un hecho inevitable que adquiere su verdadera dimensión ética cuando el moribundo y su familia disponen de información, consejo, asesoramiento y apoyo humanos.

Las incertidumbres y temores propios de la etapa de diagnóstico y tratamiento del enfermo de cáncer, en tanto la enfermedad hace su mortal avance, van siendo progresivamente sustituidos por la ansiedad ante la convicción de la muerte, el temor y el sufrimiento, sobre todo si la enfermedad ha evolucionado acompañada de dolor y de transformaciones físicas en la imagen corporal.[84]

Al llegar la etapa final en muchas oportunidades el enfermo hace una crisis ante la inevitabilidad de la muerte. Esta puede expresarse mediante alteraciones del humor y de una rápida concentración de los intereses en el propio cuerpo, lo que resulta explicable en muchos casos por la aparición de síntomas somáticos concomitantes al proceso de degeneración sistémica provocado por la enfermedad y a la permanencia en cama durante largos períodos de tiempo, entre otras causas.

Algunos de los síntomas que muestra el moribundo pueden ser aliviados sin grandes dificultades, por medio de la medicina paliativa y de sostén. Sin embargo, en estas últimas semanas, días, horas y momentos del final de la vida la persona puede cuestionarse el sentido de su existencia, la utilidad real que esta ha tenido, lo que él o ella han podido significar para la pareja, para los hijos, para los allegados y amigos.

Muchas personas optan por la reconciliación religiosa, otras no hacen uso o rechazan este recurso. Es evidente que la solución de estos problemas no médicos, requieren la participación de otras personas que no son médicos ni enfermeros, tal como es el caso de familiares, amigos, íntimos e incluso sacerdotes.

La medicina paliativa moderna está ligada indisolublemente a la idea de ayudar al moribundo a morir con dignidad.

Aún cuando esta expresión es comprendida de manera diferente por distintos especialistas, profesionales y público en general, en este trabajo se considera que el morir dignamente traduce necesidades vitales propias de la etapa final de la vida que resultan tanto de carácter material como espiritual.

Una de ellas, quizás la más genérica y abarcadora, se expresa en el derecho del moribundo a saber qué está ocurriendo, es decir a ser informado. Ello no significa que esta información pueda ser una fuente de desaliento o desesperanza. Por el contrario, deberá infundir aliento y esperanza realista, a lo que puede contribuir en algunos casos la fe religiosa y en otros la potencialización de los recursos y resortes emocionales del enfermo, así como la percepción del apoyo de la pareja, familia y amigos.

Otro derecho no menos importante es el que tiene el moribundo a ser escuchado. Si bien la oratoria es un arte, el saber escuchar lo es doblemente, porque desafortunadamente es un arte poco dominado e insuficientemente ejercitado por la gran mayoría de las personas e incluso de los profesionales de la salud.

El saber escuchar a un moribundo acostado, con limitaciones en la expresión oral de sus ideas, sin transmitir a este señales de impaciencia es una conducta paliativa insustituible y que aún cuando no requiere de una tecnología complicada, es negada con frecuencia, muchas veces por falta de preparación humana, profesional o de ambas.

El enfermo moribundo tiene necesidad y derecho de tomar decisiones, expresar sus criterios, que se le escuche y respete su autonomía. Todo ello contribuye a que conserve dentro de los límites posibles el ejercicio, al menos parcial de alguno de sus roles sociales, en particular en el hogar y que en consecuencia no se lesionen aún más su autovaloración y estima personal.

El paciente terminal de cáncer tiene derecho a expresar su criterio sobre dónde desea morir y tiene además el derecho a ser escuchado. Del mismo modo se le ayuda a morir dignamente si se permite que disfrute de la presencia de los familiares y amigos que seleccione o desee para aliviar su angustia o compartir sus sufrimientos en esta etapa.

El profesor Ventafridda[112] considera que se ayuda al enfermo a morir con dignidad cuando se le permite morir en el lugar en el que ha experimentado "felicidad, afecto y vida familiar". A lo anterior añade el autor, que se le debe brindar al enfermo la posibilidad de morir en la casa, siempre que disponga de los recursos necesarios y se mantenga bien informado a quienes cuidan del moribundo.

El apoyo emocional y social que se ofrece y que percibe un enfermo terminal es una valiosa fuente de recursos para enfrentar la muerte. Paradójicamente, a pesar de la intensa necesidad de apoyo que experimenta el enfermo de cáncer, por los miedos y el estigma social que rodean a la enfermedad muchos pacientes tienen dificultad para obtenerla.[113]

Según refiere Camille Wortman,[113] el apoyo social es entendido de diversas formas: como la expresión de afecto positivo que incluye información a la persona de que es cuidada, amada y estimada. En otros casos el apoyo social expresa el acuerdo con las creencias, opiniones o sentimientos de la persona. En otras oportunidades el apoyo consiste en estimular a la persona a que exprese abiertamente sus creencias, interpretaciones y sentimientos. En otras, se brinda apoyo al ofrecer consejo, información o acceso a una nueva información.

El apoyo puede también significar la provisión de ayuda material. De una forma más general, se concibe que el apoyo social se expresa mediante la información a la persona de que ella forma parte de una red o sistema de apoyo que incluye tanto obligaciones como ayuda recíproca.

En el enfermo de cáncer, el apoyo emocional es declarado como uno de los tipos de apoyo más importantes, incluyendo el que puede obtener en su relación con el médico.

El apoyo social se concibe como una parte esencial de los modernos cuidados paliativos con posibilidades de acción en varias direcciones en el caso del enfermo moribundo. Por una parte, amortiguando el distrés que genera la proximidad de la muerte, por otra estimulando al enfermo a asumir conductas más adaptativas en relación con la situación, contribuyendo de esta manera a que la ansiedad no sirva como un amplificador tanto del dolor como de los restantes síntomas, reforzando el mantenimiento de los roles dentro de la familia de la persona que se aproxima a la muerte. En resumen estimulando todos los recursos emocionales disponibles del enfermo para el afrontamiento a una realidad inevitable, haciéndole sentir que en este encuentro no está ni física ni espiritual ni moralmente solo.[113]

El apoyo social a la persona que muere como una de las más humanas expresiones de los cuidados paliativos, en tanto sirve como fuente de información auténtica y no desesperanzadora al moribundo, le proporciona un mayor sentido de control sobre lo que está ocurriendo, de aquí la importancia de permitirle al enfermo terminal que exprese libre y abiertamente sus verdaderos temores y sentimientos en torno a lo que ocurre y que realice todas las preguntas que desee.

"El movimiento en pro de la atención paliativa puede contribuir a que la práctica médica recobre su sentido humano".[114]

La elaboración del duelo

No deben ser olvidados los familiares sobrevivientes y la necesidad de apoyo que estos experimentan para sobrellevar la pérdida, elaborar el duelo, transitando el tiempo que sea necesario, individualmente y como grupo familiar por las etapas que cada miembro requiera para lograr continuar una vida productiva.

El duelo es la reacción natural ante una pérdida y comprende un conjunto de procesos intrapsíquicos, somáticos y socioculturales que alcanzan una intensidad determinada en un período de tiempo más o menos variables, no revisten anomalía ni requieren tratamiento farmacológico ni intervención psicoterapéutica.[115]

La elaboración del duelo según Worden[116, 117] presupone tareas u objetivos, estas son:

1. Aceptación definitiva de la pérdida como real e irreversible.
2. La experiencia del dolor que inevitablemente conlleva la pérdida.
3. Adaptación a un ambiente en el que falta el fallecido.
4. Reinversión de la energía psicológica que estaba colocada en el vínculo e interacciones con el fallecido en nuevas relaciones o proyectos vitales.

En la opinión de Gómez Sancho[118] el duelo es la respuesta a la pérdida, ya sea de una persona, objeto o evento significativo, es siempre un proceso penoso y doloroso.

De acuerdo con Parkes y Bowlby,[119-120] el duelo es una consecuencia necesaria de nuestros apegos afectivos, derivando la intensidad del duelo de la inversión emocional que se ha realizado en la relación y en el vínculo con el objeto amoroso.

A pesar del carácter lesivo para el ser humano que el duelo encierra, "la muerte de un ser querido, aunque es un desgarramiento profundo, cura naturalmente, a condición de que no se haga nada para retardar la cicatrización". El enlutado deberá transitar por una serie de momentos para hacer su trabajo de elaboración de duelo y sobreponerse al trauma que provoca la muerte de un íntimo o cualquier pérdida afectivamente significativa. El luto es según Gómez Sancho,[118] el duelo por la muerte de una persona querida, y se manifiesta por un conjunto de ritos y símbolos sociales que contribuyen a canalizar adecuadamente el sentimiento de pérdida. Atraviesa por tres etapas que se suceden y de hecho se superponen. Estas etapas son:

1. Fase de comienzo o etapa de choque más o menos intenso. Es breve y se experimenta cierto alivio en respuesta a la sobrecarga vivida durante el período final. Se manifiestan fuertes senti-

mientos de soledad asociados en parte a los múltiples problemas prácticos e incluso legales que deben ser resueltos, aún cuando se cuente con amigos que brinden apoyo, soporte y ayuda.[121]

2. Fase de depresión, la que constituye el núcleo mismo del duelo. Esta es la etapa de más duración, puede extenderse meses y hasta años, en aquellos casos en los que se complica la elaboración del duelo. Se caracteriza por sentimientos de dolor moral y culpabilidad. El "sufrimiento depresivo del duelo es expresión y consecuencia del trabajo de liberación que se opera necesariamente, después de la muerte de un ser querido. Es la esencia misma del trabajo de duelo" en el que predominan fuertes sentimientos de soledad social y emocional. Finalmente el empalidecimiento progresivo de sentimientos depresivos ceden el paso al resurgimiento de los deseos de vivir, de establecer nuevos vínculos, abriéndose paso la siguiente etapa.

3. Fase de terminación y restablecimiento, la que se caracteriza porque resurgen intereses y aspiraciones en el sobreviviente, se establecen nuevas relaciones sociales, así como se crean nuevas expectativas respecto al futuro. Con frecuencia se conservan objetos personales del fallecido, que resultan particularmente evocadores y significativos. Resurge la capacidad de amar, como manifestación esencial de la culminación del duelo.

Con relación a los tipos de duelo el propio autor establece la siguiente clasificación:[121]

♦ Duelo anticipado o anticipatorio: facilita la adaptación a la nueva situación que se creará y facilita el despego afectivo, ofrece a las personas la posibilidad de prepararse para la despedida. En opinión de Fonnegra[115] el duelo anticipatorio es un objetivo terapéutico de las intervenciones a los moribundos y a sus familiares.

♦ Duelo retardado, inhibido o negado: es característico en este tipo de duelo que no se dan signos aparentes de sufrimiento en algunos casos, en los familiares, quienes invierten sus energías en ayudar a los otros y no disponen de tiempo para ocuparse de si mismos. En otros casos las personas evitan pensar en lo sucedido, se refugian en actividades tratando de no afrontar la realidad de la pérdida, radicando precisamente en este propósito su potencial patogénico.

147

- Duelo crónico: es aquel en que la relación luctuosa se arrastra por años, el sobreviviente vive insertado en recuerdos que monopolizan su actividad psíquica, lo que contribuye a impedir su reinserción social.
- Duelo complicado: es más frecuente en niños y en ancianos. En este tipo de duelo se acentúan los procesos de interiorización, culpabilidad o bien se somatiza la angustia impidiendo la finalización del duelo por tiempo prolongado.
- Duelo patológico: se produce en personas con trastornos de personalidad, enfermedad depresiva con o sin antecedentes de intentos suicidas y se caracteriza por que: "la persona habla frecuentemente de suicidio o mantiene actitud de impotencia y baja autoestima; la persona se siente ignorada y sin apoyo a pesar de que ha recibido apoyo, aunque no lo percibe; la persona en apariencia evoluciona bien durante los primeros meses rehaciendo su vida social y de repente vuelve atrás y se aisla socialmente; la persona exhibe múltiples quejas somáticas que la llevan a consulta médica con frecuencia, niega todo tipo de angustias, pero sus quejas no corresponden a causa orgánica; se produce un desarrollo o incremento del consumo de alcohol o de tranquilizantes o de hipnóticos autoprescriptos."[122]

Las intervenciones con sobrevivientes en duelo tienen los siguientes objetivos terapéuticos:[121]

- Mejorar la calidad de vida del doliente.
- Disminuir el aislamiento social.
- Disminuir el estrés.
- Incrementar la autoestima.
- Mejorar la salud mental del sobreviviente.

Este trabajo de duelo y el luto que a él se asocia, puede complicarse cuando la pérdida del enfermo de cáncer ocurre no como un proceso derivado de la enfermedad, sino que la muerte ha sido acelerada por el suicidio.

En este caso el duelo puede ser extremadamente difícil para los familiares y puede acompañarse de sentimientos de desamparo, rechazo, ira, responsabilidad, culpabilidad, identificación, vergüenza y alivio, entre otros sentimientos posibles. Este patrón de referencia se ve sujeto a modificaciones en dependencia de la naturaleza e intensidad con el difundo, la edad de este, y su estado físico, el apoyo social, así como la formación cultural religiosa y la habilidad del sobreviviente para sobrellevar las consecuencias del suicidio. En estos casos es recomendable la inserción de los sobrevivientes en grupos de apoyo mutuo a fin de reducir el aislamiento, disponer de un espacio adecuado para expresar los sentimientos y encontrar pautas para reorganización la vida en ausencia del fallecido.[123]

Como se ha tratado de mostrar a lo largo de las anteriores reflexiones, los cuidados paliativos a los enfermos de cáncer terminal, SIDA u otra enfermedad degenerativa comportan un problema ético en el campo de la medicina y de sus diferentes especialidades.

El mismo como todo problema tiene múltiples intersecciones con otros campos y planos de la ciencia dentro de los que solo se hará una breve referencia a las implicaciones económicas y de política de salud, y en particular dentro de esta a los aspectos relativos a la formación de recursos humanos y a la justicia distributiva de los cuantiosos recursos que en el país año por año se invierten en aras de la salud pública.

Aunque la asistencia paliativa requiere medidas relativamente poco costosas en lo que a equipamiento y tecnología avanzada se refiere, en recursos humanos sus demandas son muy altas. Un paciente moribundo requiere de una atención humana, así como del personal médico y en especial del paramédico calificados, y también de familiares, amigos y voluntarios de forma mantenida durante el día y la noche a fin de controlar tanto el dolor como los restantes síntomas respiratorios, digestivos, de la piel, entre otros que acompañan al enfermo de cáncer avanzado.

Por otra parte, los cuidados paliativos requieren de la educación y adiestramiento de los profesionales y técnicos de la salud en todos los aspectos concernientes a la atención del enfermo moribundo. No obstante, no se encuentran incorporados en el programa de estudios de formación general de médicos, enfermeros, estomatólogos y licenciados en tecnología de la salud en el país, lo que constituye una limitación en la formación de recursos humanos, para la accesibilidad a este tipo de cuidados de los enfermos de cáncer en etapa final.

El establecimiento y aplicación del Programa Nacional Cubano de Atención al Dolor y Cuidados Paliativos[124] ha tenido grandes implicaciones para los enfermos de cáncer terminal, impulsando la progresiva extensión de las acciones inherentes a los cuidados de la moderna medicina paliativa a todos los rincones del país. Este programa a través de los equipos de salud de las áreas, y de los médicos y enfermeros de la familia se propone progresivamente poner al alcance de todos los enfermos de cáncer terminal, de manera planificada, los cuidados paliativos, dentro de los cuales la ayuda emocional, psicológica y espiritual interactuando con el control del dolor y los síntomas físicos desempeñan un rol determinante. Este programa implica un sistema de acciones encaminadas al entrenamiento y aprendizaje emocional, así como a la capacitación profesional de los equipos de las áreas de salud que están necesariamente imbricados en la atención a estos pacientes y a sus familiares y de los propios familiares de los enfermos. El propósito más general de dicho programa es incrementar el bienestar subjetivo y la calidad de vida del paciente oncológico que requiere de estos cuidados y de sus familiares a través de una atención que integre los aspectos físicos, sociales, emocionales y espirituales sin afectaciones para los miembros del equipo de salud que brinda la atención. Para ello se propone reducir la prevalencia e intensidad del dolor y otros síntomas del enfermo, promover la capacitación e intercambio de experiencias sobre los cuidados de sostén al enfermo terminal, fomentar la prestación de cuidados paliativos, preservando física y emocionalmente a los integrantes del equipo y promover la capacitación de los familiares en los cuidados de sostén en la preparación para la muerte y el duelo.[125]

Cuba dispone de recursos humanos potenciales y actuantes, y con un sistema de salud que le posibilita encabezar en América Latina el movimiento de Cuidados Paliativos y Atención al Dolor en el enfermo de cáncer terminal, haciéndolo extensivo a los familiares en lo concerniente al logro del duelo anticipatorio y a la elaboración del duelo una vez que el enfermo ha fallecido.[84]

Los aspectos que han sido mencionado constituyen, de acuerdo con la Organización Mundial de la Salud[83, 87] los tres pilares fundamentales en el desarrollo de la estrategia para el alivio del dolor por cáncer, el mejoramiento de la calidad de vida y el logro de una muerte más digna para los enfermos de cáncer terminal.

Calidad de vida, bienestar y supervivencia

La calidad de vida en tanto sistema en el que se integran diferentes factores psicosociales, podría desempeñar un rol mediador del período de sobrevida del enfermo de cáncer.

Este rol es hipotéticamente explicable a partir del efecto diferencial que algunas variables de la calidad de vida, en particular el estilo habitual de afrontar la enfermedad, parecen ejercer sobre los mecanismos biológicos y en especial inmunológicos, que tienen la función de evitar el crecimiento y la diseminación del tumor. Las diferencias observadas en la sobrevida de enfermos de cáncer pareados a partir de los indicadores de pronóstico biológico y en esencia diferentes en el afrontamiento a la enfermedad, constituyen fuertes evidencias a favor de la posición anterior. No obstante debe tenerse en cuenta que el referido indicador psicológico no ha sido exhaustivamente estudiado en lo relativo a su influencia específica en la duración de la sobrevida del enfermo oncológico.

Sin dudas, hay otros componentes de la calidad de vida, cuyos efectos en la prolongación de la supervivencia del enfermo de cáncer no han sido contrastados empíricamente hasta donde es conocido. Tal es el caso de la conservación de los roles personales sociales significativos, propios de la etapa premórbida y de la valoración por el enfermo del apoyo que él es capaz de brindar, variables que por demás si han confirmado de manera amplia su importancia en el sentimiento de bienestar concerniente a una adecuada calidad de vida.

La calidad de vida, no es solo una construcción teórica, por el contrario, tiene una traducción cognitiva, afectiva, física y conductual determinada. La misma difiere de uno a otro enfermo, al mismo tiempo que expresa las valoraciones más profundas y personales de este sobre sus nuevas condiciones de vida, el reajuste de sus más caras aspiraciones y la reorganización de su propia condición humana.

La calidad de vida, aunque se asocia a un sentido de bienestar que en alguna medida descansa en vivencias corporales, va mucho más allá de estas últimas.

Tanto la calidad de vida como el sentimiento de bienestar que en mayor o en menor grado ella condiciona, en el caso del enfermo de cáncer, se relacionan directamente, al menos con cinco grupos de variables interactuantes:

1. Aquellas que tienen que ver con la satisfacción de las necesidades materiales y espirituales del enfermo, y que son genéricamente comunes a las del resto de la población libre de enfermedad. Las mismas en dependencia de diversos factores, entre los que operacionalmente se destaca la personalidad, pueden ocupar

un lugar jerárquicamente regulador de la vida y la conducta del individuo.

2. Las variables vinculadas a la satisfacción de las necesidades materiales y espirituales del sujeto y que son específicas de su condición de enfermo oncológico.

3. Las formas específicas de actividad estructuradas en roles sociales, mediante las cuales el enfermo procura la satisfacción de sus necesidades. Los roles sociales específicos que el enfermo logra reasumir, están condicionados tanto por la enfermedad, por las capacidades residuales del individuo, como por su personalidad, por su forma habitual de afrontar el estrés cotidiano y particularmente por su estilo habitual de enfrentar el cáncer.

4. El apoyo social que el enfermo percibe de la pareja, de su familia, de sus amigos, de su médico y de la sociedad como un todo a través de las instituciones sociales y particularmente las de salud.

5. La eficacia que percibe en el apoyo que brinda a su familia, a su pareja, a sus amigos y a otros enfermos y a los familiares de estos con los que entra en una relación dada.

En modo alguno puede ser obviado el hecho de que la calidad de vida y el sentimiento de bienestar están influidas en esencial por el estadio de la enfermedad y más precisamente por los síntomas, molestias, dolores, limitaciones personales y sociales que pueden caracterizar cada estadio en un determinado enfermo.

El impacto de la enfermedad sobre el bienestar, es un aspecto real, objetivamente enmarcable de la calidad de vida. Su contrapartida permite suponer que determinados tipos de afrontamientos a esta, a las complicaciones y limitaciones de la misma en cada etapa, y en especial en las iniciales, pueden amortiguar el efecto devastador que bajo otras condiciones podría tener la enfermedad sobre la calidad de vida.

El deterioro que provoca el cáncer en los seres humanos, necesariamente es modulado por la personalidad y mediado por las estrategias de afrontamiento y defensa del sujeto, las que pueden a su vez diferencialmente activar determinados sistemas biológicos en el individuo y contribuir o no a la progresión de la enfermedad. Los afrontamientos activos permiten al enfermo jerarquizar los diferentes problemas que como superviviente debe encarar, estructurarlos en distintos niveles de significación y subordinarlos a su sentido de responsabilidad. Este sentido de responsabilidad que el enfermo experimenta con respecto a la urgencia por combatir la desmoralización ante la enfermedad, por el desempeño de sus roles en la familia, con los hijos, con terceras personas, que de alguna forma dependen de él, constituyen un factor favorecedor de los afrontamientos activos a la enfermedad, a sus limitaciones y secuelas. Por otra parte sirve como amortiguador del distres y de los efectos nocivos de los síntomas físicos del cáncer, incluyendo el dolor (Dujarric, comunicación personal, 1991).

En el presente trabajo se propone como hipótesis que la percepción por el enfermo de cáncer de determinados niveles en la calidad de su vida y consecuentemente en su sentido de bienestar es una condición necesaria en la prolongación de la sobrevida del paciente. En otras palabras, se presupone que la prolongación de la sobrevida de los seres humanos que enferman de cáncer no puede lograrse en ausencia de determinados factores psicosociales que forman parte medular de un determinado nivel en la calidad de vida que el individuo percibe. Al mismo tiempo estos factores posibilitan una valoración personal de bienestar en el sujeto que conceptualmente debe repercutir de forma favorable sobre su funcionamiento biológico, y en particular sobre la función inmune evitando la diseminación de la enfermedad.

Dentro de estos factores, algunos de los de mayor relevancia podrían ser:

1. La gratificación personal que el enfermo experimenta al satisfacer sus necesidades materiales y espirituales y particularmente aquellas que ocupan una posición de mayor relevancia y significación personal jerárquica, y que en consecuencia ejercen un efecto inductor más fuerte sobre la personalidad y la conducta.
2. La eficacia percibida en el afrontamiento con los estresores de la vida cotidiana y en especial en los afrontamientos a la enfermedad y a los tratamientos, a sus limitaciones restricciones y consecuencias en general.
3. La eficacia percibida en el apoyo informacional, emocional, financiero, entre otros que recibe y en el que brinda.

Un nivel en la calidad de vida capaz de proporcionar suficiente bienestar físico, emocional, cognitivo y conductual en un enfermo de cáncer, es aquel que teóricamente podría ser caracterizado porque el sujeto experimenta gratificación en la satisfacción de las necesidades de mayor significación personal en su vida, tanto las que son comunes a las del resto de la población libre de enfermedad, como las que son inherentes a su condición de enfermo oncológico durante la etapa o período considerado, por no ser una condición estática. Por el hecho de que el individuo se autopercibe eficiente en el desempeño de los roles sociales más relevantes para él, roles con ayuda de los cuales satisface sus propias necesidades y participa más o menos intensamente en el proceso de satisfacción de las necesidades de otros íntimos a él. Porque el enfermo percibe eficacia en el apoyo que recibe, es decir, porque percibe que es, en la medida necesaria, apoyado en la satisfacción de sus necesidades y aspiraciones más vitales, en el afrontamiento a los estresores de la vida diaria y en el afrontamiento a la enfermedad. Finalmente este nivel en la calidad de vida se caracteriza porque a través del apoyo que el enfermo brinda a sus familiares, a su pareja, a sus amigos, a otras personas que dependen de él, contribuye a la satisfacción de los requerimientos de estos.

La eficacia que el enfermo percibe en sus afrontamientos con los estresores de la vida diaria y en lo fundamental con la enfermedad, desempeña un papel determinante en el nivel de la calidad de su vida y en su sentido de bienestar. En consecuencia se hipotetiza que un enfermo de cáncer con insatisfacción crónica de sus necesidades más relevantes, que al propio tiempo se autopercibe ineficiente o poco eficiente en el desempeño de los roles sociales más fundamentales para él, en el afrontamiento a los estresores de la vida cotidiana y en especial a la enfermedad, que se autopercibe ineficiente o poco eficiente en relación con el apoyo que brinda a su familia, a su pareja, a sus amigos y que además percibe ineficiencia o poca eficiencia en el apoyo que recibe, debe tener un tiempo de sobrevida menor que otro enfermo con similares indicadores biológicos de pronóstico similares, pero con un nivel superior en su calidad de vida y en consecuencia un sentido de bienestar cualitativamente superior.

Los trabajos de Spiegel y colaboradores[125] y de otros investigadores han demostrado el valor de las intervenciones psicosociales en la prolongación de la vida a pacientes con cáncer de mama y metástasis visceral. Esta evidencia soporta en gran medida la verosimilitud en el plano científico de las hipótesis de trabajo expuestas en esta dirección. La percepción por el enfermo oncológico de bajos niveles en la calidad de su vida y en su sentido de bienestar, constituyen un estresor crónico que puede provocar de acuerdo con numerosas evidencias, algunas de las cuales fueron expuestas en el primer capítulo, un deterioro en algunos de los indicadores de la inmunidad. Dentro de ellos cabría destacar el funcionamiento de las células Natural Killer (NK), las que como es sabido tienen la responsabilidad de defender el organismo contra las infecciones y el cáncer, así como contra el crecimiento y la diseminación tumoral una vez que la enfermedad se ha instalado.

Este trabajo de referencia, constituye también una evidencia de la permeabilidad del comportamiento biológico del cáncer a la influencia psicosocial, aún en los estadios avanzados de la enfermedad.

BIBLIOGRAFÍA

[1] Siegel, K. and G. H. Christ: *Psychosocial Consequences of long-term Survival of Hodgkin's Disease.* Edited by J. Mortimer. Lacher and John R. Redman. Copyright L. and Febiger. Philadelphia, 1989.

[2] Hofer, T.: "Responsability of Psycho-Oncology." *The Umsch*, 55(7):415-17, Jul.,1998.

[3] Greer, S.: "Can Psychological Therapy Improve the quality of Life of Patients with Cancer." *Br. J. Cancer*, 59:149-51, 1989.

[4] Baker, F.; B. Curbow and J. R. Wingard: "Role Retention and Quality of Life of bone Marrow Transplant Survivors." *Soc.Sci. Medical*, 32(6):697-704, 1991.

[5] Dolbeault, S.; A. Szporn and J. C. Holland: "Psycho-Oncology: Where have we been? Where are we going?" *Eur J Cancer*, 35(11):1554-8, Oct., 1999.

[6] Morrow, G. R. and A. J. Belig: "Behavioral Sciences in Translational Research and Cancer Control." *Cancer suppl*, 74(4);1409-17, 1994.

[7] Andersen, B. L.: "Psychological and Behavioral Studies in Cancer Prevention and Control." *Health Psychology*, 15(6):411-25, 1996.

[8] Langenhogg, B. J; P. F. Krabbe; T. Wobbes and T. J. Ruers: "Quality of Life as an Outcome Measure in Surgical Oncology." *Br. J. Surg*, 88(5):643-52, May, 2001.

[9] Tamburini, M.; C. Brambella; L. Fiarari; T. Bombino; L. Gangeri and S. Rosso: "Two simple Indexes used to Evaluate the Impact of Therapy on the Quality of Life of Patients Receiving Primary

Chemotherapy for Operable Breast Cancer." *Annals of Oncology*, 2:417-22, 1991.

[10] Whelan, T. J.; M. Levine; J. Julián; P. Kerkbridge and P. Skingley: "The Effects of Radiation Therapy on quality of Women with Breast Carcinoma: Results of a Randomized Trial." *Ontario Clinical Group. Cancer*, 88(10):2260-66, May, 2000.

[11] Katz, M. R; J. C. Irish; C. M. Devine; G. M. Rodin and P. J. Gullane: "Realiability and Validity of an Observer-rated Desigurement Scale for Head and Neck Cancer Patients." *Head Neck*, 22(2):132-41, Mar, 2000.

[12] Greer, S. y M. Watson: "¿Pueden las actitudes mentales adoptadas por los pacientes en respuesta al cáncer afectar el curso de la enfermedad?" *Br. J. Cancer*, 39:89-112, 1987.

[13] Greer, S.; T. Morris and K. W. Pettingale: "Psychological Respons to Breast Cancer: Effect on Outcome." *Lancet*, 785-87, 1979.

[14] Greer, S.; S. Moorey and J. Barruch: "Evaluation of Adjuvant Psychological Therapy for Clinically Referred Cancer Patient." *Br. J. Cancer*, 63:257-60, 1991.

[15] Antoni, M. H.: "Neuroendocrine Influence in Psychoimmunologic and Neoplasia." *Psychology and Health*, 1:3-24, 1987.

[16] Grossarth-Maticek, R. and H. J. Eysenck: "Personality, Stress, and Disease: Description and Validation of a new Inventory." *Psycholog. Reports*, 66:355-73, 1990.

[17] _____: *Personality and Cancer; Prediction and Prophylaxis. Anticarcinogenesis and Radiation Protection 2.* Edited by O. F. Nygaard and A. C. Upton, Plenum Press, New York, 1991

[18] Eysenck, H. J.: "Personality, Stress and Cancer: Prevention and Prophylaxis." *Brit. J. of Med. Psychology*, 61:57-75, 1988.

[19] Grossarth-Maticek, R. and H. J. Eysenck: Creative Novation Behavior Therapy as a Prophylactic Treatment for Cancer and Coronary Heart Disease: Part I: "Description of Treatment." *Behav. Res. Ther.*, 29(1):1-16, 1991.

[20] Temoshok, L.; B. Heller; R. Sagebiel; M. S. Blois; D. M. Sweet; R. DiClemente and M. L. Gold: "The Relationship of Psychological Factors to Prognostic Indicators in Cutaneous Malignant Melanoma." *J. of Psychosomatic Research*, 29(2):139-53, 1985.

[21] Temoshok, L.: "Personality, Coping Style, Emotion and Cancer: Towards Integrative Model." *Cancer Surveys*, 6:545-67, 1987.

[22] Anderson, J. L.: "The Immune System and Major Depression." *Adv Neuroimmunology*, 6(2):119-29, 1996.

[23] Byrnes, D. M.; M. H. Antoni; K. Goodkin *et al.*: "Stressful Events, Pessimism, Natural Killer Cell Cytotoxicity and Cytotoxic/Supressor T Cells in HIV + black Women at Risk for Cervical Cancer." *Psychosomatic Med*, 60(6):714-22, Nov-Dic, 1998.

[24] Neisses, M.; T. Nebe; A. Scheller; S. Ditz; A. Weschnek and F. Melchert: "Copingy with Illness/quality of Lifeand Immunological Parameters of Womens with Breast Carcinoma and Bening Tumors." *Gynakol Geburtshilflch Riendsch*, 35:166-71, Suppl 1,1995.

[25] Fawzy, F. I.; N. W. Fawzy; C. D. Jun; R. Elashoff; D. Guthrie; J. L. Fahey and D. L. Morton: "Malignant Melanoma: Effects of an early Structured Psychiatric Intervention, Coping and Affective State on Recurrence and Survival six years later." *Arch Gen Psychiatry*, 5:681-89, 1993.

[26] Sobel, D. S.: "The Cost-effectiveness of Mind-body Medicine Interventions." In: E. A. Mayer, C. B. Saper Editions, *The Biological Basis of Mind Body Interactions: Progress in Brain Research*, vol. 122. Amsterdam: *Elsevier Science*, 393-412, 2000.

[27] Greer, S. and M. Watson: "Mental adjustment to Cancer: Its Mensuremend and Prognostic Important." *Cancer Surveys*, 3(6): 439-53, 1987.

[28] Lerman, C.; B. K. Rimer; C. Blumberg *et al.*: "Effects of Coping Style and Relaxation on Cancer Chenotherapy Side Effects and Emotional Responses." *Cancer Nursiing*, 13(5):308-15, 1990.

[29] Levy, S. M.; J. Lee; C. Bagley and M. Lippman: "Survival Hazarts Analysisin First Recurrent Breast Cancer Patients: Seven yearse Folow-up." *Psychosomatic Med.*, 50:520-28, 1988.

[30] Levy, S. M.; R. B. Herberman; A. Maluish; B. Sohlien and M. Lippman: "Prognosis Risk Assessment in Primary Breast Cancer by Behavioral and Immunological Parameters." *Health Psychology*, 4(2):99-113, 1985.

[31] Bandura, A.: "Social Foundations of Thought and Action: A Social Cognitive Theory. Englewoods Cliff. N. J.; Prentice Hall, g1986.

[32] _____: *Self-Efficacy: Thought Control of Action*, pp. 354-94. Hemisphere Publishing Corporation. Washington, Philadelphia, London, 1992.

[33] Wiedenfeld, S. A.; A. O'Leary; A. Bandura; S. Levine; S. Brown and K. Raska: "Impact of Perceived Self-Efficacy in Coping with

Stressors on Component of the Immune System." *J. of Personality and Social Psychology*, 595:1082-94, 1990.

[34] Quintero, G. y U. González: "Calidad de vida, contexto socioeconómico y salud en personas de edad avanzada." En: J. Buendía (Ed) *Gerontología y Salud. Perspectivas actuales*. Madrid. Biblioteca Nueva, 1997.

[35] Winefeld, H. R.: "Quality of Life in Chronic Diseases." In: *Proceedings of the 8th Annual Conference of European Health Psychology Society*. Univ. of Alicante , 286-303, 1995.

[36] Stavrakay, K. M.; A. P. Donner; J. E. Kincade and M. A. Steward: "The Effect of psychosocial Factors on lung Cancer Mortality at one year." *J. Clin. Epidemiol*, 41:75-82, 1988.

[37] Kappauf, H.; W. M. Gallmeur *et al.*: "Complete Spontaneous Remission in a Patient with Metastatic Non-small-cell lung Cancer. Case Repor, Review of the Literature and Discussion of Possible Biological Pathways Involved." *Ann Oncol*, 8(10):1031-1035, Oct, 1997.

[38] Walker, L. G.: "Psychososical Assesment and Intervention in Cancer Patientes." *Sem. Surg Oncol*, 24(1):174-85, May, 1998.

[39] Eysenck, H. J. and R. Grossarth-Maticek: "Prevention of Cancer and Coronari Heart Disease and the reduccion in the cost of the National Health Service". *The Journal of Soc. Pol. and Economical Studies*, 1(14):25-47, 1989.

[40] Walker, L. G. and O. Eremin: "Psychososical Assesment and Interventions: Future Prospects for Women with breast Cancer". *Sem. Surg Oncol*, 12(1):76-83, Jan-Feb., 1996.

[41] Cooper, C. L.: "Psychosocial Stress and Cancer." *Bulletin of The British Psychological Society*, 35:456-59, 1982.

[42] Cooper, C. L. and E. B. Faragher: "Coping Strategies and Breast Disorders/Cancer." *Psychosocial Medicine*, 22:447-55, 1992.

[43] Lerman, C.; B. Trock; B. K. Rrimer *et al.*: "Psychological and Behavioral Implications of Abnormal Mammograms." *Annals of Internal Medicine*, 144:657-61, 1991.

[44] Holland, J. C.: "Fears and Abnormal reactions to Cancer in Physically Heathy Individuals." In: J. C. Holland and J. H. Rowland, Eds. *Handbook of Psychooncology*. Oxford University Press, New York, 1989.

[45] Holland, J.: "Anxiety and Cancer: The Patient and the Family." *J. of Clinical Psychiatry*, 50(11):20-25, 1989.

46 Kort, W. J.: "The Effect of Chronic Strerss on the Immune Response." *Adv Neuroimmunolo*, 4(1):1-11, 1994.

47 Dimsdale, J. E.; J. Eckenrode; R. J. Haggerth; B. H. Kaplan; F. Cohen and S. Dornbusch: "The Role of Social Support in Medical Care." *Social Psychiatry*, 14:175-80, 1979.

48 Broadhead, W. E.; S. H. Gehlbach; F. V. De Gry and B. H. Kaplan: "The DUKE-UNC Functional Social Support Questionnaire." *Medical Care*, 26(7):709-23, 1988.

49 Broadhead, W. E. and B. H. Kaplan: "Social Support and the Cancer Patient. Implications for future Research and Clinical Care." 67(1):794-99, 1991.

50 Álvarez, M. A.: *Stress: Un enfoque psiconeuroendocrino*. Ed. Científico Técnica. La Habana,1989.

51 Cohen, S.: "Psychosocial Models of the Role of Social in the Etiology of Physical Disease." *Health Psichol*, 7:269-97, 1988.

52 Solomon, G. F.; L. Temoshok; A. O'Leary and J. Zich: "An Intensive Psychoimmunologic Study of Long-surviving Persons with AIDS. Pilot Work, Background Studies, Hypotheses and Method." Annals of the New York Academy of Sciences. *Neuroimmune Interactions: Proceedings of the Second International Workshop on Neuroimmunomodulation*, 496:647-655, 1987.

53 Fors, L. M.; M. Quesada y D. Peña: "La psiconeuroinmunología, una nueva ciencia en el tratamiento de enfermedades." *Rev. Cubana de Investigaciones Biomédicas*, 118(1):49-53, 1999.

54 Kiecolt-Glaser, J. and R. Glaser: "Psychoneuroimmunology and Cancer: Fact or Fiction?" *Eur. Journal Canc*, 35(11):1603-7, Oct, 1999.

55 _____: "Psychoneuroimmunology and Health Consequences: Data and Shared Mechanisms." *Psychosomatic Med*, 57(3):269-74, May-Jun, 1995.

56 _____: "Psychoneuroimmunology and Immunotoxicology Implications for Carcinogenesis." *Psychosomatic Med*, 61(3):263-70, May-Jun, 1999.

57 Gómez Sancho, M.: *¿Cómo dar malas noticias en medicina?* 2da edición revisada y ampliada. Arán Ediciones S.A., Madrid, 1998.

58 _____: "Las malas noticias." En: M. Gómez Sancho ed. *Cuidados paliativos e intervenciones psicosociales en enfermos terminales*. Las Palmas de Gran Canaria: Instituto Canario de Estudios y Promoción Social y Sanitario (ICEPSS), pp. 279-288, 1994.

159

[59] González Barón, M. y J. Poveda: "Criterio de información al paciente oncológico terminal: verdad soportable." Fundación Científica de la A.E.C.E. XXV 1992. *Sem. Internacional sobre Información de Diagnóstico al Enfermo de Cáncer*, pp. 137-154.

[60] Bayés, R.: *Cuidados Paliativos*. Vol. XLV. No. Ext:19-21, Jano 1993.

[61] Mocarnuk, R. S.: "Quality of Life issues in Breast Cancer Treatment." *Breast Cancer Res. Treat*, 64-80, 2000.

[62] Ravdin, P.M.; L.A. Siminof; G. J. Davis *et al.*: "An Informatics System Designed to assit in Making Breast Cancer Adjuvant Therapy Decisions." *Breast Cancer Res. Treat*, 117-12, 12000.

[63] Siminoff, L.A.; P. M. Ravden; G. J. Davis *et al.*: "Results of a Randomized trial of a Computarized Decision aid 'Adjuvant' to Tailore Prognostic Information to Stage I-II Breast Cancer Patients." *Breast Cancer Res. Tretat*, 85-101, 2000.

[64] Pire Stuart, T.: *Respuesta psicológica del paciente con cáncer tras la comunicación del diagnostico*. Trabajo para optar por el titulo de Master en Psicología de la Salud. ISCM-H. Facultad de Salud Pública, La Habana, 1998.

[65] Hersh, S. P.: "Psychologis Aspects of Patientes with Cancer." *Cancer: Principles and Practice of Oncology*. 8th ed. In: V. T. De Vita Jr., S. Hellman and S. A. Rosenberg. Philadelphia: Lippincott, 1997.

[66] Zittoun, R.: *Información y participación del paciente*. Fundación Científica de la A.E.C.E. XXV 1992. Sem. Internacional sobre Información de diagnóstico al enfermo de cáncer, pp. 65-104.

[67] Steptoe, A.; I. Sutcliff; B. Allen and C. Coombes: "Satisfaction with Communication, Medical Knowledge and Coping Style in Patients with Metastatiuc Cancer." *Soc. Sci. Med*, 32(6):627-32, 1991.

[68] Wiggers, H. J.; R. W. Sanson-Fisher *et. al.*: "Cancer Patients Satisfaction with Care." *Cancer*, 1(66):610-16, 1990.

[69] Maguire, P. and A. Faulkner: "Communicate with Cancer Patients: I. Handling bad news and Difficult Questions." *B.M.J.*, 342:1207-15, 1988.

[70] _____: "Improve the Counselling Skills of Doctors and Nurses in Cancer Care." *B.M.J.*, 342:1216-18, 1988.

[71] _____: "Improve the Counselling Skills of Doctors and Nurses in Cancer Care." *B.M.J.*, 342:1219-21, 1988.

[72] Lederberg, M. S.; J. C. Holland and M. J. Massie: "Psychologic Aspects of Patientes with Cancer." In: V.T. DeVita, Jr., S.

Hellman, and S. A. Rosenberg ed. *Cancer: Principles and Practice of Oncology*. 8th ed. Philadelphia: Lippincott, 1997.

[73] Grau, J. and M. Chacón: *Burnout: una amenaza a los equipos de cuidados paliativos*. Imp. Ligeras INOR, pp. 1-5, 1997.

[74] Gómez Sancho, M. y T. Bondjale Oko: "Síndrome de burnout o quemamiento de los profesionales. Prevención y tratamiento. La gestión del stress. El cuidado de los cuidadores." En: M. Gómez Sancho, ed. *Cuidados paliativos e intervenciones psicosocial en enfermos terminales*. Las Palmas de Gran Canaria. ICEPSS, pp. 389-404, 1994.

[75] Lagarde, M.: *Género y feminismo*. Cuadernos Liceaga, Madrid, 1996.

[76] Schain, W. S.: "Problems Sexuales of Patientes with Cancer." In: V.T. DeVita, Jr., S. Hellman, and S. A. Rosenberg ed. *Cancer: Principles and Practice of Oncology*. 8th ed. Philadelphia: Lippincott, 1997.

[77] Vernon, S. W. and G. L. Jackson: "Social Support and Adjustment to Breast Cancer. Aging, Stress and Health." Edited by K. S. Markides and C. L. Cooper, John Wiley and Sons. Ldt., 1989.

[78] White, C. A.: "Body Image Dimensions and Cancer: a Heuristic Cognitive Behavioural Model." *Psychooncology*, 9(3):183-92, May-Jun, 2000.

[79] Green, M. S.; R. W. Naumann; M. Elliot; R. V. Hall *et al.*: "Sexual Disfunction Following Vulvectomy." *Gynecol Oncol*, 77(1)73-7, Apr, 2000.

[80] Suárez Vera, D. M.: *Mastectomía y autopercepción corporal*. Trabajo para optar por el título de Especialista en Psicologia de la Salud. ISCM-H, La Habana, 2000.

[81] Gallo-Silver, L.: "The Sexual Rehabilitation of Persons with Cancer." *Cancer Practice*, 8(1):10-15, Jan-Feb, 2000.

[82] Holland, J.: "Psychosocial Variables are they Factors in Cancer Risk or Survival?" *Current concepts in PsychoOncology*, IV:25-33, 1992.

[83] Stjernsward, J.: "El dolor de cáncer, el cuidado paliativo y la OMS. Prioridades para 1995-1999." *Cancer Pain Release*, 1(8), 1995.

[84] Suárez Vera, D. M.: *Humanización de la oncología. Cuidados paliativos con enfermo de cáncer terminal. Problemas sociales de la ciencia*. Trabajo para optar por categoría docente de profesor auxiliar de Psicología Médica. ISCM-H. La Habana, 1997.

[85] Bozzetti, F.: "Consensus Meeting on the Role of Nutrition and Hydratation in Palliative Care." *Newsletter European Association for Palliative Care.* Vol. 7. Spring/Summer, 1992.

[86] Gómez Sancho, M.: "Enfermedad terminal y medicina paliativa." En: *Cuidados paliativos. Atención integral a enfermos terminales.* Vol. I. Tema 11. M. Gómez Sancho, Dirección académica, ICEPSS Editores, S.L, Las Palmas, 1998.

[87] Sternsward, J. S.: "Palliative Medicine –A Global Perspective." En: D. Doyle, G. Hanks, N. MacDonall ed. *Oxford Textbook of Palliative Medicine,* Oxford University Press, pp. 805-816, 1993.

[88] Ventafridda, V.: "Tratamiento del dolor por cáncer." En: M. R. Bernardo y G. Robustelli. *Manual de oncología médica.* Ed. Revolución. La Habana, 1985.

[89] Tolstij, A.: *El hombre y la edad.* Ed. Progreso. Moscú, 1989.

[90] Teoh, N. and J. Sthernsward: *WHO Cancer Pain Relief Program.* Ten years on. IN IASP Newsletter July/August 1992:5-6.

[91] Hockley, J.: "Rehabilitation in Palliative Care-arewe Asking the Impossible." *Palliative Medicine,* 7 (suppl.): 9-15, 1993.

[92] Twycross, R. G.: "Symptom Control: The Problem Areas." *Palliative Medicine,* 7 (suppl.):1-8, 1993.

[93] Abiven, M.: *Morir dignamente.* Foro Mundial de la Salud. 4(12):395-401, 1991.

[94] Maunsell, E.; P. Allard; M. Dorval and J. Labbe: "A Brief Pain Diary for Ambulatory Patients with Advanced Cancer: Acceptability and Validyt." *Cancer,* 88(10):2387-97, May. 15, 2000.

[95] Page, G. G. and S. Ben Eliyahu: "The Immune Suppressive Nature of Pain." *Semin Oncol Nurs,* 13(1):10-15, Feb., 1997.

[96] Turk, D. C.; T. C. Sist; A. Okifuji *et al.*: "Adaptation to Metastatic Cancer Pain, Regional/local Cancer Patient and non Cancer Pain: Role of Psychological and Behavioral Factors." *Pain,* 74(2-3):247-566, Feb., 1988.

[97] Turk, D. C. and E. Fernández: "On the Putative Uniqueness of Cancer Pain: Do Psychological Principles Apply?" *Behav. Res. Ther.,* 28(1):1-13, 1990.

[98] Turk, D. C.: "The Role of Psychological Factors in Chronic Pain." *Acta Anaesthestol Scand,* 43(9):885-8, Oct., 1999.

[99] Turk, D. C. and A. Okifuji: "Evaluating the Role of Physical, Operant, Cognitive and Affective Factors in the Pain Behaviors of Chronic Pain Patients." *Behav Modif,* 21(3):259-80, Jul., 1997.

100 Rudy, T. E.; R. D. Keras and D. C. Turk: "Chronic Pain and Depression: Toward a Cognitive-behavioral Mediation Model. *Pain*, 35(2):29-40), Nov., 1988.

101 Turk, D. C. and C. S. Feldman: "Non-invasive Approaches to Pain Control in Terminal Illness: The Contribution of Psychological Variables." *Hosp J.*, 8(1-2):1-23, 1992.

102 Lara-Muñoz, M. C.; S. Ponce de León y J. R. De la Fuente: "Conceptualización y medición de la calidad de vida de pacientes con cáncer." *Inv. Clínicas*, 47(4):315-27, 1995.

103 Arrarás, J. L.; S. J. Wright y S. Ahmedzal: "Progresos en la medición de la calidad de vida en Cuidados Paliativos." En: *Proceddings of the 8th Annual Conference of the European Health.* Psychology Soc. Univ. of Alicante, pp. 627-36, 1995.

104 Roy, D. J.: "Ajuste de la asistencia a las necesidades cambiantes del enfermo terminal." Debate de la Mesa Redonda *Morir dignamente.* Foro Mundial de la Salud, vol 12, No. 4, 1991.

105 Kjell, K. and C. R. Brakenhielm: "Pain and Sufferinf as Existential Questions in Palliative Care." *European Journal of Palliative Care*, 1(1):54-56, Spring, 1994.

106 Breitbart, W. and S. D. Passik: "Psychiatrtic Aspects of Palliative Care." In: D. Doyle, G. W. Hanks, N. MacDonald ed.: *Oxford Text Book of Palliative Medicine*, pp. 609-626, New York: Oxford University Press, 1993.

107 Massie, M. J; P. Gagnon; J. C. Holland *et al.*: "Depression and Suicide in Patients with Cancer." *Journal of Pain and Symptom Management*, 9(5):325-340, 1994.

108 Wilson, R. G.; J. F. Scott; L. D. Graham; J. F. Kozak; S. Chater; R. A. Viola *et al.*: "Attitudes of Terminally ill Patients Toward Euthanasia and Physician-assisted Suicide." *Arch Intern Med*, 160(16):2454-60, 2000.

109 Domingo Cárceles, O. y R. González Torrecillas: "Actitudes sociales ante la muerte." *Labor Hospitalaria*, no. 240, vol. XXVIII, Abril-Junio, 1996. Hnos. de San Juan de Dios, Barcelona, España.

110 Fonnegra de Jaramillo, I.: *Un acercamiento vivencial a la realidad de la muerte.* Ponencia para el Foro sobre la Muerte. Universidad de Los Andes. Bogotá, 1988.

111 Kubler-Ross, E.: *Sobre la muerte y los moribundos.* Ediciones Grijalbo S.A. Barcelona, 1975.

112 Ventafridda, V.: *Morir dignamente.* Foro Mundial de la Salud. 4(12):395-401, 1991.

[113] Wortman, C.: "Social Support and the Cancer Patient. Conceptual and Methodologic Issues." *Cancer*, 2339-2360, May., 1984.

[114] MacDonald, N.: "Los cuidados paliativos parte integrante de toda la práctica médica." Debate de la Mesa Redonda *Morir dignamente*. Foro Mundial de la Salud, vol. 12, no. 4, 1991.

[115] Fonnegra de Jaramillo, I.: *Duelo anticipatorio. Aspectos clínicos e intervención*. IV Congreso Colombiano de Psicología Clínica. Barranquilla, Agosto 1989.

[116] Worden, J. W.: *Grief, Counselling, and Grieg Therapy*. Springer Publishing Co. New York, 1989.

[117] _____: *Grief, Counselling, and Grieg Therapy*. 2da ed. pp. 10-18. Londres: Springer Publishing, Co., 1991.

[118] Gómez Sancho, M.: "Atención en el proceso de duelo I. Significado. Duelo y luto. Fases del duelo." En: *Cuidados paliativos. Atención integral a enfermos terminales*. Vol. II, tema 71. M. Gómez Sancho, Dirección Académica. ICEPSS Editores, S.L. Las Palmas, 1998.

[119] Parkes, C. M.: *Bereavement*. Ed. Penguin Books. Londres, 1986.

[120] Bowlby, J.: *La pérdida afectiva*. Ed. Paidos. Buenos Aires, 1990.

[121] Gómez Sancho, M.: "Atención en el proceso de duelo III. Tipos de duelo. Intervención y soporte a las personas en duelo." En: *Cuidados paliativos. Atención integral a enfermos terminales*. Vol. II, Tema 73. M. Gómez Sancho, Dirección académica. ICEPSS Editores, S.L, Las Palmas, 1998.

[122] Doyle, D.: *Domiciliary Palliative Care*. Ed. Oxford University Press. pp. 117-18. Oxford, 1996.

[123] Breitbart W.: "Suicide." In: D. Doyle, G. W. Hanks, N. MacDonald ed. *Oxford Text Book of Palliative Medicine*. pp 291-299, New York: Oxford University Press, 1993.

[124] *Programa cubano de atención al dolor y cuidados paliativos*. Ministerio de Salud Pública. Resumen, 2000.

[125] Spiegel, D.; J. R. Bloom; H. C. Kraemer and E. Gottheil: "Effect of Psychosocial Treatmente on Survival of Patient with Metastatic Breast Cancer." *Lancet*, 888-91, 1989.

CAPÍTULO III   INTERVENCIONES PSICOSOCIALES CON EL ENFERMO ONCOLÓGICO

En uno de los trabajos realizados en el país, en el que se abordan las complejas relaciones que se establecen entre las variables psicosociales y la salud, puede leerse textualmente: "Ontológicamente la psiquis siempre ha tenido que ver con la salud ya que el estilo de vida personal regulado psíquicamente siempre ha participado de una u otra forma en la determinación de la misma".[1]

A la luz de este concepto los factores psicosociales pueden ser vistos como moduladores, al menos indirectos de la llamada salud física y de las enfermedades que en general son clasificadas como físicas, y no solo de la llamada salud mental o de un determinado grupo de enfermedades con ella relacionado.

La modulación tanto indirecta como directa de la psiquis es casi universalmente aceptada por los círculos médicos en el caso de diferentes enfermedades, como son las infectocontagiosas y algunas variantes de enfermedad arterial coronaria, por solo mencionar algunos ejemplos. Este hecho resulta paradójico con el escepticismo y la incredulidad que dentro de estos mismos círculos resulta frecuente, al analizar el papel que la Psicología podría desempeñar y de hecho, en numerosos países, en su gran mayoría con economía propia del primer mundo, desempeña en el tratamiento de las enfermedades del crecimiento, la multiplicación y la reproducción celular, como el cáncer.

A lo largo de este estudio se confirma la posición según la cual los factores psicosociales participan directa e indirectamente en la determinación de la salud y en la iniciación y progresión de las enfermedades. Esta posición implica su lógica complementaria: los factores psicosociales pueden modular dentro de determinados rangos la recuperación del equilibrio biopsicosocial que operacionalmente la salud tipifica. Este último proceso constituye el objeto del presente capítulo.

Aproximación teórica al problema

Cada año en el mundo desarrollado se asiste a un incremento en la incidencia del cáncer, al mismo tiempo que a una mayor prolongación de la vida de estos enfermos. No obstante, en el año, más de cinco millones de personas mueren a consecuencia del cáncer en todo el mundo, e igualmente más de quince millones reciben por primera vez el diagnóstico de esta enfermedad.[2]

Estas consideraciones obligan a la reflexión en torno al problema del sentido que puede tener la utilización de la psicoterapia con el enfermo oncológico.

En el capítulo anterior se ha fundamentado la idea sobre la necesidad de ofrecer al enfermo apoyo físico, emocional, informacional y financiero. Este apoyo tiene como base una determinada forma de organización de la sociedad, la cual constituye en última instancia el substrato objetivo y socialmente institucionalizado del apoyo que el enfermo recibe a través de sus interacciones interpersonales y que devienen sostén de sus interacciones intrapersonales. Esto se explica por el hecho de que las primeras contribuyen a reforzar la autoestima, independencia y autoeficacia del paciente en el control de los estresores directa e indirectamente vinculados con su actual condición.

Cuando este engranaje psicosocial inter e intrapersonal funciona perfectamente, cabría idealmente suponer, sería congruente esperar por esta parte, una influencia psicosocial muy favorable sobre los procesos biológicos en general. Estos procesos vinculados con la regeneración del organismo y en particular el funcionamiento inmune, en sinergismo con diferentes factores genéticos y ambientales, podrían condicionar la sobrevida del paciente. Sin embargo, la capacidad de enfrentar el diagnóstico, la propia enfermedad con todas sus consecuencias físicas y psicosociales, puede ser insuficiente o lesionarse en el enfermo en cualquier etapa del proceso, incluso en ausencia de manifestación de progresión de esta.

Los sentimientos de desolación, la convicción de haber sido irremisiblemente dañado por el cáncer, la disminución o pérdida del sentido de control sobre la propia vida, sobre el futuro inmediato y mediato,[3] puede socavar la estabilidad emocional del paciente, y amenazar seriamente la estabilidad de la pareja y de la familia, afectar las relaciones con los amigos, aún a pesar de la intensa necesidad de apoyo que experimentan los enfermos oncológicos. Estas reflexiones conducen a formular una pregunta cuya respuesta puede servir de punto de partida para el desarrollo del tema en cuestión: ¿cuándo debe ser usada la terapia psicológica con los enfermos de cáncer?

A partir de los resultados de las investigaciones,[3, 4] se adoptan cuatro presupuestos metodológicos a tomar en cuenta en la elección de enfermos de cáncer para ser sometidos a terapia psicológica:

1. Este tipo de terapia debe limitarse a aquellos pacientes que muestran altos niveles de distres emocional.
2. La terapia psicológica es aceptable para la mayoría de los referidos pacientes y factible de ser utilizada en servicios oncológicos.
3. Tanto los pacientes con cáncer avanzado, como en etapas tempranas de la enfermedad pueden beneficiarse en gran medida con este tipo de tratamiento.
4. La terapia psicológica debe focalizarse en los problemas actuales que enfrenta el enfermo.

En congruencia con el anterior enfoque se ha valorado[5-7] en estos enfermos la existencia de lo que podrían ser considerados "niveles normales de temores e incertidumbres", como respuesta al primer encuentro del paciente con su diagnóstico. Estas reacciones también pueden presentarse al conocer el individuo la existencia de una recidiva o ante el fracaso de un tratamiento anticanceroso. Los temores se expresan mediante una respuesta emocional característica: inicialmente un período de shock e incredulidad, seguido por una etapa de ansiedad, depresión, irritabilidad, trastornos del apetito y de los patrones normales del sueño. En opinión del mencionado autor esta respuesta y el cortejo sintomático que la acompaña debe resolverse en unos días, en especial si el enfermo recibe apoyo de la familia, de los amigos y del médico. Este último, a través de un programa de tratamiento debe ofrecerle esperanza.

Por último, se señala que, cuando el distres emocional se mantiene por largo tiempo, interfiere con el funcionamiento habitual del enfermo o resulta intolerable, se requiere de intervención especializada, tanto psicoterapéutica como farmacológica.

Es un hecho ampliamente conocido que aquellos pacientes más vulnerables desde el punto de vista psicosocial pueden necesitar intervenciones psicoterapéuticas intensivas al concluir el tratamiento anticanceroso con el objetivo de ser ayudados a enfrentar el estrés crónico.

En general, los propósitos fundamentales de las intervenciones psicológicas con el enfermo de cáncer deberían encaminarse en dirección a:

1. Lograr que el enfermo desarrolle un óptimo sentido de autoeficacia en el afrontamiento con el cáncer, especialmente en los períodos críticos de la enfermedad. Por tales se entiende: la etapa de investigaciones previas al diagnóstico confirmatorio, el momento del diagnóstico, el período de tratamiento, el momento en que recibe información sobre el pronóstico, cuando este se realiza, los chequeos periódicos, entre otros.
2. Ayudar al paciente a transferir y hacer extensivos los afrontamientos activos en el encaramiento con los estresores propios de la vida diaria en general y en particular de aquellos que guardan relación con su condición de enfermo.
3. Lograr influencia sobre el paciente de sus sistemas de apoyo social, que contribuya a reforzar la autoestima y el respeto por si mismo.
4. Reforzar el sentido de responsabilidad del enfermo consigo mismo y la concientización de la importancia que reviste en esta etapa de su vida, el brindar apoyo a su pareja, a su familia, a sus amigos, así como a otros enfermos, emocionalmente cercanos a él.

La autoeficacia en el afrontamiento con el cáncer implica por parte del paciente una valoración cognitiva de la enfermedad y de si mismo, de las convicciones, creencias, emociones y sentimientos vinculados con la enfermedad. Por su parte, el logro de los objetivos antes referidos posibilita, en gran medida que el enfermo recupere, reformule y fortalezca el sentido de dominio y control sobre su vida, particularmente en los estadios iniciales del cáncer.

Este logro en términos conductuales, genéricamente podría expresarse en:

1. La remodelación consciente por el paciente de sus estrategias de afrontamiento, tanto a la enfermedad como a los estresores cotidianos, estén o no directamente relacionados con ella.
2. La utilización consciente por el enfermo del amortiguamiento cognitivo, emocional y conductual de las consecuencias y limitaciones de la enfermedad, trayendo a la luz los hechos, condiciones y circunstancias positivas que concurren en su

vida, y que en alguna medida han sido generados por su nueva condición. Tal puede ser el caso por ejemplo, del descubrimiento en si mismo de determinadas cualidades que contribuyen a que el paciente se sobreponga a su propio sufrimiento a fin de evitar el sufrimiento de su pareja; el haber logrado éxito en el establecimiento de una relación duradera y emocionalmente importante, o una amistad sólida con otras personas.

3. Optimizar las capacidades funcionales residuales y alcanzar en su condición de enfermo de cáncer, y posteriormente de sobreviviente, la autonomía psicosocial y física necesarias para el desempeño de los roles sociales personalmente más significativos, característicos de la etapa premórbida, en la medida que resulte posible.

Durante los períodos intercríticos de la enfermedad y en especial cuando esta parece haber sido controlada, existen evidencias del éxito de las intervenciones psicosociales con el paciente en dirección a haber alcanzado una evolución psicosocial satisfactoria.

Una de ellas está dada por el desplazamiento del sentido que comporta la enfermedad desde posiciones jerárquicamente más relevantes en la vida del enfermo a planos de menor significación. En este caso los primeros son ocupados por objetivos tales como la estabilidad y bienestar de la familia, la educación de los hijos, el logro de aspiraciones profesionales y de otro tipo, la solución de problemas cotidianos relacionados con las esferas mencionadas y con otras esferas.

Este trabajo no se propone como un objetivo de primera línea justificar teóricamente la validez de la utilización de la terapia psicológica con los enfermos de cáncer. No obstante concibe que en la valoración y elección de la psicoterapia en el campo de la Oncología, subyace una determinada concepción del cáncer, que inevitablemente incluye o no una valoración del rol que pueden desempeñar las variables psicosociales, tanto en la carcinogénesis como en la terapéutica anticancerosa.

Desde hace varias décadas en el mundo desarrollado se someten a contrastación empírica, hipótesis en torno a la repercusión que cabría esperar de diferentes modalidades de psicoterapia en la sobrevida del enfermo oncológico. Estos supuestos se sustentan en concepciones teóricas y en evidencias que muestran que la psiquis ha dejado de ser considerada un observador pasivamente resignado de los fenómenos y procesos que ocurren en la biología del individuo que los integra a ambos.

En algunos trabajos, dedicados a fundamentar conceptualmente la Psiconeuroinmunología,[8-9] aunque se deja abierta la interrogante acerca del posible efecto inmunoestimulante de los estados emocionales positivos, se afirma en una hipótesis o "postulado" que diferentes técnicas de intervención psicológica, como la psicoterapia, la hipnosis, la relajación, el biofeedback, la imaginación guiada, "deben ser capaces de incrementar u optimizar la respuesta inmune".

Este "postulado" está avalado por hallazgos que demuestran los efectos inmunosupresivos del distres psicosocial. En correspondencia resulta lógico esperar un efecto inverso sobre el sistema inmune, cuando mediante alguna variante de intervención psicosocial se logra éxito en liberar al individuo de emociones negativas y de distres.

Si bien hay investigadores que plantean[10] que las variables psicosociales, "solo hacen una pequeña contribución al proceso de iniciación del cáncer", en comparación con otros factores de riesgo conocidos, hacen al propio tiempo un merecido reconocimiento a las evidencias aportadas por diferentes trabajos prospectivos,[11-14] al expresar que: "... hasta recientemente no habían sido bien controlados los estudios que documentan un incremento en el tiempo de sobrevida en los pacientes con cáncer que reciben psicoterapia".

Revisión de algunas de las intervenciones psicosociales más usadas con el enfermo de cáncer

Si se confrontan la diversidad de métodos, técnicas y procedimientos que con propósitos psicoterapéuticas han sido utilizados con los pacientes oncológicos, puede observarse que un gran número de ellos converge en la consideración de que el sentido de control sobre los estresores ambientales, sobre la propia vida y en especial sobre la enfermedad, parece ejercer un efecto positivo en este tipo de paciente.

A continuación vamos a realizar un intento de revisión de algunas de las modalidades de intervenciones psicosociales que han sido desarrolladas con los enfermos de cáncer. De igual manera se analizarán sus resultados, favorables o no, en términos de alivio de síntomas, del mejoramiento de la calidad de vida y de sus efectos positivos en la prolongación de la supervivencia esperada.

En ocasiones se ha considerado[15] que los diferentes tratamientos psicológicos tienen un radio de acción circunscrito a la participación en el control de algunos síntomas del cáncer, entre ellos el dolor. No obstante, su posición en torno a la responsabilidad médica y ética con estos enfermos es muy positiva por la trascendencia que este problema alcanza, de modo especial en el ejercicio de la psicoterapia. El referido autor textualmente expresa: "En los casos donde la cura no es obtenible, siempre es posible dar a los pacientes una dosis mayor de ayuda y esperanza: ayuda, mediante el control experto de los síntomas y el apoyo emocional; esperanza, esperanza realista, por medio de la explicación de que el miedo al dolor incontrolable y a otras complicaciones terribles son usualmente infundados, y por la referencia y explicación de la variabilidad de la enfermedad".

Antes de iniciar el desarrollo de las técnicas y de las experiencias obtenidas con ellas en el tratamiento psicológico de los enfermos de cáncer, se hará referencia a un conjunto de consideraciones generales.[16] Las mismas están referidas a diferentes tipos de intervenciones psicológicas que han sido utilizadas con enfermos de Hodgkin, pero que, precisamente por su grado de generalidad, se considera que pueden resultar de utilidad en el enfoque general de tratamiento de enfermos con otros tipos de neoplasias. Los objetivos fundamentales de las intervenciones psicológicas son:

1. Mejorar la interacción y la comunicación del equipo de salud y el paciente.
2. Identificar los pacientes con alto riesgo en el ajuste a los problemas que deben enfrentar.
3. Proporcionar apoyo psicosocial en los momentos de crisis de la enfermedad.
4. Proporcionar apoyo psicosocial durante el período de sobrevida en su totalidad.

Como puede observarse el anterior enfoque está básicamente dirigido al mejoramiento de algunos aspectos básicos de la calidad de vida. Sin embargo, en el mismo aparecen dos limitaciones. Una de ellas consiste en que no se hacen explícitos objetivos específicos relacionados con el funcionamiento intrapsíquico del enfermo ni del sobreviviente, limitándose a delinear objetivos conductuales. La otra, está dada por la falta de criterios discriminativos con respecto a los pacientes que precisan de la intervención psicosocial.

Este hecho podría ser tomado impensadamente como indicativo de la identificación de la sobrevida con la necesidad de intervención psicológica, lo que no es por completo cierto, en un número relativamente alto de pacientes.

Terapia conductual-cognitiva

En la actualidad esta variante psicoterapeútica es una de las que alcanza más amplia difusión en el mundo desarrollado, avalada por su extensa aplicación y sus alentadores resultados en el tratamiento de diferentes enfermedades tanto mentales como físicas y dentro de este último grupo específicamente en las enfermedades crónicas no transmisibles.

La terapia conductual-cognitiva ha sido utilizada con personas que sufren diferentes enfermedades cónicas. Tal es el caso de la artritris reumatoide, en las que ha posibilitado notables logros en el afrontamiento al estrés, en el alivio del dolor y de otros síntomas.[17] Con pacientes psiquiátricos se ha dirigido al desarrollo de habilidades sociales y con enfermos oncológicos[18-23] se ha empleado con el propósito de eliminar síntomas en particular la ansiedad, mejorar el ajuste mental al cáncer, influir positivamente sobre el funcionamiento familiar e incrementar la calidad de vida del enfermo y de sus familiares.

A pesar de lo expresado, existen numerosos aspectos controversiales en la terapia conductual-cognitiva, relativos en lo fundamental a la duración en el tiempo de sus efectos, así como respecto a su impacto en el tiempo de sobrevida en los enfermos de cáncer. Sin embargo el análisis crítico de las intervenciones psicológicas realizadas en el campo de la Oncología Psicosocial[24] confirman que las intervenciones que incluyen esta variante psicoterapeútica han arrojado resultados positivos mucho más sólidos, consistentes y alentadores.

Terapia Psicológica de Ayuda (APT)

Resulta de interés enfatizar en este trabajo una nueva y efectiva modalidad de terapia conductual-cognitiva, dirigida especialmente a enfermos de cáncer. Es la llamada Terapia Psicológica de Ayuda (APT), que ha sido desarrollada por el Cancer Research Campaign Psychological Group, en el Royal Marsden Hospital en Londres.[25] El objetivo específico de la APT es mejorar la calidad de vida de los enfermos oncológicos, a través de dos vías fundamentales:

1. Aliviar el distres psicológico del paciente.
2. Inducir el estilo de afrontamiento al cáncer conocido como espíritu de lucha.

Con estos propósitos y también con el de comprobar la factibilidad de este tratamiento en una institución, fue seleccionado al azar un grupo de enfermos de cáncer. Se incluyeron en el mismo pacientes con enfermedad local, locorregional y metastásica. Los mismos durante 8 semanas aproximadamente recibieron de forma ambulatoria la APT.

Se realizó una valoración de los niveles de ansiedad y depresión de los enfermos, previa y posterior al tratamiento, así como del tipo de ajuste mental a la enfermedad. Al concluir el tratamiento se obtuvo mejoría en las tres variables estudiadas. La ansiedad disminuyó considerablemente: estando presente en un 84 % de los pacientes previamente al tratamiento, se redujo a un 48 % al concluir este.

Los valores de la depresión, aunque fueron menos frecuentes también disminuyeron de un valor previo al tratamiento, de un 50% de pacientes deprimidos, a un 25 % luego de recibir la APT. También se observaron mejorías en lo relativo al ajuste mental a la enfermedad. Hubo una reducción estadísticamente significativa en los tipos de ajustes denominados "desesperanza" y "preocupación ansiosa", al mismo tiempo que un incremento del "espíritu de lucha". Dos aspectos de suma importancia a destacar en los resultados del referido trabajo son:

1. Ningún paciente empeoró su estado emocional y psíquico en general, como consecuencia de haber recibido esta terapia psicológica.
2. Los pacientes con enfermedad avanzada mostraron mejorías superiores a aquellas enfermas con enfermedad local o locorregional.

Este hecho podría explicarse a partir de la valoración por estas pacientes de su condición y de la presencia en ellas de una mayor necesidad de ayuda y de apoyo, las que al ser satisfechas presumiblemente, por el tratamiento, se tradujeron en una mejoría subjetiva superior con respecto al grupo de enfermas con mejores posibilidades en lo que a pronóstico se refiere.

El hallazgo antes descrito refuerza la importancia de las intervenciones psicológicas en los estadios finales del cáncer, en beneficio de la calidad de vida de los enfermos, y como se evidenciará posteriormente en otros trabajos, también de la duración de esta.

Esta variante de terapia conductual-cognitiva se focaliza en torno a la hipótesis de la importancia que reviste el ajuste mental al cáncer. De acuerdo con la misma, los desajustes psicológicos de estos enfermos no son en modo alguno una consecuencia lineal de los efectos físicos del proceso de enfermedad, sino que dependen íntimamente del sentido personal que la enfermedad adopta. En igual medida dependen de lo que el enfermo "piensa y hace para reducir la amenaza planteada por la enfermedad."[3, 25] La terapia también está dirigida a los problemas actuales del enfermo y al aprendizaje por parte de este de nuevas habilidades para enfrentar el estrés.[26] Se realiza individualmente con la participación de la pareja siempre que es posible, en sesiones de una hora de duración, semanalmente, por espacio de 6 a 8 semanas, aunque pueden realizarse más sesiones si resultara necesario.

El tipo de relación psicoterapéutica que se establece es el de colaboración, por lo que el enfermo participa junto con el terapeuta en la definición de los problemas que han de ser analizados conjuntamente en las sesiones.

Durante el tratamiento se utilizan diferentes técnicas cognitivas y conductuales, a saber:

1. Los pacientes son enseñados a identificar y recordar pensamientos negativos automatizados, y a desafiarlos mediante su confrontación con la realidad.
2. Se estimula a los enfermos a desempeñar imaginariamente diferentes roles frente a determinados eventos estresantes amenazadores y a practicar las vías para enfrentarse a estos.
3. Los pacientes son estimulados a planear y a realizar determinadas actividades que le proporcionan satisfacción, así como sentido de dominio sobre algunos aspectos de su vida.
4. Los enfermos son estimulados a expresar abiertamente sus sentimientos. En los casos en que participa la pareja, esta es estimulada a la franca comunicación.

5. Los recursos personales del enfermo son identificados y estimulados como un medio para incrementar su autoestima y superar los sentimientos de desesperanza, así como para favorecer el "espíritu de lucha".

La relajación como entrenamiento, solo es usada cuando los niveles de ansiedad son muy altos. En aquellos pacientes en los que la negación es la estrategia de afrontamiento fundamental frente a la enfermedad, este recurso no es rechazado. La enfermedad no es discutida, en su lugar la terapia se centra en algunos síntomas presentes, así como en el desarrollo de habilidades para el afrontamiento que capaciten al enfermo para su reinserción en la vida normal tan rápido como resulte posible.

Como puede observarse esta variante de terapia psicológica breve, persigue como propósito fundamental incrementar la autoeficacia percibida y el sentido de control del paciente sobre la enfermedad, por una parte y por otra, sobre aspectos esenciales de su vida. Dentro de estos últimos mejorar la calidad del apoyo que a través de su pareja recibe, así como la calidad del apoyo que ha de brindar a esta, a fin de mantener el equilibrio y la armonía que la vida en común precisa.

El aprendizaje y entrenamiento del paciente en estrategias activas de afrontamiento, tanto cognitivas como conductuales, de acuerdo con la experiencia del Cancer Research Campaign Psychological Medical Group, logran una repercusión directa sobre la calidad de vida de los enfermos. Más importante aún resulta este hecho, conociendo que los afrontamientos activos y en particular, el "espíritu de lucha" han demostrado efectos muy alentadores en la sobrevida de enfermas de cáncer de mama, en términos de prolongación de este período más allá de lo que conceptualmente debía ser esperado.[27-30]

El entrenamiento de la autonomía

Dentro del campo de la terapia conductual-cognitiva, Grossarth-Maticek y Eysenck[31, 32] proponen la llamada "Terapia Conductual Creativa Novedosa o Entrenamiento de la Autonomía". La misma está basada en su concepción tipológica de la personalidad,[12] cuya piedra angular la constituye la reacción del sujeto al estrés, por la relevancia que atribuyen a este en la incidencia de enfermedades tales como el cáncer y la enfermedad arterial coronaria.

Los autores fundamentan su terapia psicológica en una tipología de la personalidad que incluye cuatro tipos fundamentales. Estos se diferencian entre si por las conductas de afrontamiento al estrés.

La personalidad Tipo 1, "subestimulada o predispuesta al cáncer", se caracteriza por su falta de autonomía y por su dependencia emocional de objetos, de personas o de ambos. Estos son altamente valorados por el individuo, pero no logra éxito en la relación con ellos.

Como el bienestar y la felicidad de estos sujetos dependen precisamente de esta relación, su fracaso en ella le provocan sentimientos de desamparo y desesperanza, facilitadores de reacciones inmunosupresivas y secundariamente de cáncer.

La personalidad Tipo 2, "sobreexcitada o predispuesta a la enfermedad arterial coronaria", se caracteriza como la anterior por su falta de autonomía y por su dependencia de determinados objetos, personas o de ambos, a los que considera como la causa más importante de su infelicidad. No obstante fracasa al querer desprenderse de ellos, y experimenta ira, hostilidad y sobreexcitación, precursores de enfermedad arterial coronaria.

La personalidad Tipo 3, "ambivalente", es relativamente saludable, ya que varía continuamente de las reacciones del Tipo 1 a las del Tipo 2 y viceversa. Es decir determinados objetos, personas o ambos, son altamente valorados desde el punto de vista emocional y considerados como la causa principal de felicidad y bienestar. Estos mismos objetos, y personas son considerados al mismo tiempo la causa fundamental de infelicidad. Es por ello que estas personalidades oscilan entre sentimientos de desamparo y desesperanza, así como de ira y excitación, lo que de acuerdo con esta teoría, los "protege" tanto del cáncer como de la enfermedad arterial coronaria.

Por último, la personalidad Tipo 4 o "autónoma", a diferencia de todas las anteriores que de una u otra forma son dependientes de objetos y personas emocionalmente muy significativos, las del Tipo 4 tienen una fuerte tendencia a mantener su autonomía. Esta es la condición más importante de su propio bienestar y felicidad. Estos sujetos están capacitados para tratar con el estrés y evitar las consecuencias nocivas del mismo.

Se ha señalado que lo característico y propio de esta variante de terapia conductual no reside en sus métodos. Utiliza la desensibilización, relajación, hipnosis, sugestión entre otros métodos conocidos y aceptados. Su particularidad fundamental radica en sus objetivos, y en lo que los autores designaron como "... la estrategia del proceso de intervención".[12, 31, 32]

Los objetivos de esta terapia vistos globalmente consisten en cambiar la conducta de los sujetos del Tipo 1 o predispuesto al cáncer, y del Tipo 2 o predispuesto a la enfermedad arterial coronaria, al Tipo 4 o autónomo. Esto significa esencialmente, hacer a las personas más independientes, más autónomas, más expresivas de sus emociones de una manera socialmente aceptable y hacerlas más capaces de enfrentarse con el estrés de forma exitosa. Añaden los autores que la terapia conductual es también un método preventivo de las enfermedades mencionadas. Es opuesto al método freudiano ortodoxo y demás variantes del psicoanálisis, y está basada "en el condicionamiento pavloviano y en la teoría general del aprendizaje".

Una característica distintiva de esta terapia psicológica es que se sustenta en la concepción de que la personalidad es un agente causal en el proceso de carcinogénesis y que en consecuencia los cambios que se logran en las formas de afrontamiento de la personalidad Tipo 1, pueden evitar o posponer la muerte por cáncer.

En trabajos más recientes[33] se establece la existencia de numerosas evidencias que confirman que el tratamiento conductual puede tener efectos profilácticos respecto al cáncer. De igual manera se plantea que puede influir en la sobrevida del enfermo cuando el proceso neoplásico ha sido activado. El método conductual propuesto, el "Entrenamiento de la Autonomía" tiene entre sus principales objetivos, estimular al individuo a buscar resultados positivos "de larga duración, incrementar su autonomía, su independencia, y su habilidad para tomar decisiones racionales". También se propone enseñar a los pacientes a evitar conductas que tengan consecuencias negativas a largo plazo, aún en aquellas situaciones en que dichas conductas se asocian a resultados positivos de carácter inmediato.

Podría resumirse expresando que este método que propone desarrollar en los individuos las habilidades necesarias para lograr la autonomía deseada en su autorregulación. El tratamiento usa una gran variedad de técnicas, las que son aplicadas de manera flexible y de acuerdo con las necesidades en cada caso. Estas son:

1. La explicación del entrenamiento.
   A través de esta técnica el terapeuta brinda al paciente una versión de los objetivos y métodos del tratamiento, de acuerdo con la narración del paciente sobre sus propósitos, problemas y actual situación.

Desde esta fase debe quedar totalmente esclarecido el carácter activo del rol que el paciente debe asumir. En particular, debe ser enfatizado el hecho, que el tratamiento, le permite a la persona aprender patrones de conducta, que le posibilitarán llegar a ser física y psicológicamente saludable, y al mismo tiempo, ser capaz de mejorar su problemas tanto profesionales como interpersonales.

2. Análisis conductual.

Durante el tratamiento el paciente debe narrar situaciones y experiencias acerca de su vida que han tenido significado emocional tanto positivo como negativo para él. De esta forma, el análisis de las memorias se realiza en tres etapas: la infancia y la familia; las relaciones con los compañeros y por último, las situaciones profesionales.

Un aspecto importante de esta técnica, consiste en que no debe ser contaminada con técnicas psicoanalíticas. Esto es debido a que el objetivo perseguido es puntualizar el enlace entre los patrones de conducta estereotipados y las consecuencias que para el individuo resultan de dichas conductas.

3. Definición de las conductas deseadas.

Mediante esta técnica el paciente es instado a describir las conductas que él desea asumir, con el propósito de que "... el terapeuta pueda estar seguro de que los objetivos formulados son emocionalmente aceptados por el paciente".

Debe ser el propio paciente el que realice la formulación de los objetivos a fin de evitar resistencias u oposición posteriormente. El psicoterapeuta debe limitarse a sugerir al enfermo las técnicas conductuales que le permitirán obtener los resultados deseados.

4. Cambios de patrones.

Sistemáticamente el individuo es estimulado a formular patrones de conducta que a largo plazo le conducirán a consecuencias positivas y a fortalecer su autorregulación, observando sistemáticamente la relación entre su comportamiento y las consecuencias de este.

Las áreas-objetivo para la aplicación del tratamiento son:

a) El mejoramiento del concepto de si mismo.
b) La práctica diaria de conductas específicas.
c) la práctica de la relajación en estado de hipnosis.

La aplicación de técnicas conductuales, incluye:

1. El entrenamiento para reducir la conducta dependiente e iniciar una conducta autónoma. Este entrenamiento se realiza orientando al paciente que visualice a la persona o a la situación de la que ha desarrollado reacciones dependientes y que practique a través de la imaginación su independización de dicha persona o situación.
2. Otras técnicas cognitivas son: "el entrenamiento para la alteración cognitiva bajo condiciones de relajación"; el entrenamiento para "reacciones alternativas"; para la integración del conocimiento, la afectividad y la intuición; para lograr una expresión estable de los sentimientos; para posibilitar el control de la conducta social; para suprimir las ideas y pensamientos creados por el estrés; el entrenamiento para lograr una estructura de valores jerárquicos que dirija la conducta, y por último el entrenamiento de las reacciones de independencia.

En todas las variantes del tratamiento son discutidos regularmente sus efectos y de sesión a sesión el paciente se formula nuevos objetivos. El tratamiento puede realizarse individualmente, en grupo e individualmente combinado con biblioterapia. El tratamiento individual tiene una duración de 30 horas, con un promedio de 2 horas semanales. El tratamiento grupal se conforma con un grupo promedio de 20 a 25 personas y las reuniones se realizan varias veces por semana, en dependencia de los progresos y los deseos del grupo. El número mínimo de reuniones es de 6 y el máximo de 12 a 15. La efectividad de esta intervención psicológica en términos de prolongación de la vida en relación con el pronóstico que debía ser esperado fue ampliamente demostrada en enfermas de cáncer de mama con metástasis visceral.

Se realizó un estudio[34] dirigido a dar respuesta a dos cuestiones fundamentales: "¿son los efectos de la terapia conductual comparables con los de la quimioterapia, en lo que respecta al cáncer inoperable?", y "¿son los efectos de ambos tipos de tratamientos aditivos o sinérgicos?" En el mismo se obtuvieron resultados muy alentadores con respecto al alcance de la terapia psicológica, y en particular del "Entrenamiento de la Autonomía". El referido trabajo cubrió además un tercer objetivo, consistente en descubrir si la terapia conductual podría cambiar el valor de la producción de linfocitos en dirección a mejorar el funcionamiento inmune. La muestra se formó con 100 mujeres portadoras de carcinoma mamario y metástasis visceral. De ellas hubo 50, que se negaron a recibir quimioterapia y fueron a los efectos del estudio pareadas, teniendo en cuenta la edad, la base social, la extensión del cáncer y el tratamiento médico. Un procedimiento similar fue aplicado con las enfermas que aceptaron recibir quimioterapia anticancerosa.

Aleatoriamente un miembro de cada par formado fue elegido para recibir psicoterapia. De esta forma se integraron 4 grupos con 25 personas cada uno: un grupo que solo recibió quimioterapia; un grupo que recibió quimioterapia y psicoterapia, un tercer grupo que solo recibió psicoterapia y un grupo que no recibió ningún tratamiento.

La quimioterapia consistió en doxorubicin (adriamycin) en varias combinaciones. Los tipos de psicoterapia aplicados fueron: terapia conductual, entrenamiento de la autonomía y psicoterapia profunda, siendo seleccionados aleatoriamente los pacientes para recibir una u otra de las anteriores variantes.

Los resultados más relevantes fueron los siguientes:

1. El tiempo promedio de sobrevida para todas las pacientes fue de 15,7 meses.
2. Las pacientes tratadas con psicoterapia tuvieron una sobrevida significativamente más larga que las enfermas que no recibieron ningún tipo de intervención psicológica.
3. Las enfermas que no recibieron ninguno de estos tratamientos vivieron 11,28 meses.
4. Las pacientes que solo recibieron psicoterapia vivieron 3,64 meses más como promedio que el grupo anterior, es decir, vivieron 14,92 meses.
5. Las pacientes que solo recibieron quimioterapia vivieron 14,08 meses, no siendo significativamente diferente este período con relación al tiempo de sobrevida de las pacientes que solo recibieron psicoterapia.
6. La psicoterapia y la quimioterapia al ser aplicadas conjuntamente demostraron tener un significativo efecto interactivo en la sobrevida de las enfermas, siendo en estos casos el tiempo de sobrevida de 22,40 meses.

Esta última cifra permitió a los autores mostrar el efecto o acción sinérgica y no aditiva de ambos tratamientos. Esta conclusión se sustenta en el hecho que de haber tenido efectos aditivos los referidos tratamientos, el tiempo de sobrevida debió haber sido de 17,72 meses en las pacientes que recibieron quimioterapia y psicoterapia y no de 22,40 meses como realmente fue. La cifra de 17,72 responde a la sumatoria del tiempo promedio de sobrevida del grupo de enfermas que no recibió ningún tratamiento, más la diferencia de la sobrevida de las que solo recibieron quimioterapia (2,80 meses) más la diferencia de la sobrevida con respecto a 11,18 de las enfermas que solo recibieron psicoterapia: $11,18 + 2,80 + 3,64 = 17,72$ meses.

Resulta importante añadir que las tres variantes de psicoterapia no tuvieron repercusiones similares en la sobrevida. El "Entrenamiento de la Autonomía" posibilitó a las enfermas una supervivencia significativamente más larga que las otras modalidades de psicoterapia utilizadas. Otro hecho de interés señalado por los autores consiste en que hubo una significativa diferencia en la producción de linfocitos entre las pacientes que recibían quimioterapia y psicoterapia y las que solo recibieron quimioterapia.

Se pudo comprobar que aquellas enfermas que recibieron ambos tratamientos incrementaron el porcentaje de la concentración de linfocitos mayor tiempo. Esto induce a pensar que las intervenciones psicológicas pueden ejercer sus efectos a través del sistema inmune. Estos resultados, así como los obtenidos por otros investigadores[14, 28] ofrecen sustento y parecen confirmar sin lugar a dudas, que por lo menos algunos tipos de enfermedades neoplásicas son susceptibles en un amplio rango de ser esencialmente influidas por vía psicológica. La existencia de evidencias en esta dirección constituye parte del cimiento empírico de la psicooncología, así como una esperanza para los enfermos oncológicos.

Este trabajo, realizado en la década de los noventas del pasado siglo, brinda sin lugar a dudas resultados muy alentadores, los que no por ello han dejado de encontrar su contrapartida en estudios realizados en fechas más recientes.[35] En este último estudio de referencia la terapia conductual-cognitiva fue aplicada a un grupo de enfermas de cáncer de mama metastásico, al cabo de 5 años de seguimiento no arrojó cambios significativos desde el punto de vista estadístico en el tiempo de sobrevida de las enfermas. Solo se corroboraron mejorías en el humor y la autoestima de las participantes, siendo además estos efectos de corta duración.

Sin embargo, reconocidos investigadores en esta área específica que estudia el impacto de las intervenciones psicológicas en el tiempo de sobrevida de enfermos de cáncer[36] reportan un trabajo de seguimiento muy actual con buenos resultados. En un seguimiento realizado a los 10 años también con enfermas de cáncer de mama en etapa metastásica, reportan un incremento estadísticamente significativo de la duración de la sobrevida y el tiempo de recurrencia de la enfermedad como respuesta a una intervención psicológica. Esta combinó componentes conductuales, raciones y expresivos y corroboró además el negativo efecto sobre los resultados de la enfermedad de la supresión de los afectos negativos, la conformidad excesiva, el estrés severo y la falta de apoyo social.

Otra variante de intervención psicológica, muy cercana a la de referencia y que parece haber logrado positivos resultados en lo concerniente al ajuste mental a la enfermedad, con enfermos de cáncer y las familias de estos es la terapia cognitiva. Esta variante psicoterapéutica tiene como propósito fundamental promover el ajuste al cáncer, ayudando al paciente y a su familia a pensar en vías adaptativas y objetivas sobre la enfermedad, así como desarrollar habilidades y estrategias de afrontamiento focalizadas en la solución. para ser aplicada a los problemas médicos y al plan de cuidados (citado en 36).

La meditación

Considerada como un conjunto de técnicas la meditación ha sido frecuentemente asociada a cambios psicoterapéuticos aún cuando en ocasiones también ha sido señalada su nocividad potencial.

Se establece que[37] la meditación está integrada por cinco componentes básicos: relajación, concentración, un alterado estado de conciencia, una relajación de los procesos de pensamiento lógico y el mantenimiento de una actitud de autoobservación. De acuerdo con esta definición, la relajación es parte constitutiva de la técnica meditativa, a pesar de que la relajación por si misma obtiene cada día más éxitos como una técnica que se aplica con el propósito de inducir cambios en el funcionamiento de los sistemas biológicos que correlacionan con la salud.

De igual forma la autoobservación o introspección es concebida consustancial a la meditación. Es precisamente este último componente, el que debe ser objeto de un cuidadoso control cuando se decide incluirlo en el tratamiento psicológico del enfermo de cáncer. En estos casos resulta necesaria la selección de los pacientes oncológicos que pueden beneficiarse con este tratamiento.

La selección debe encaminarse fundamentalmente al análisis de los tipos de afrontamientos a la enfermedad que son predominantes en el paciente y a las manifestaciones de distrés psicológico que puede sufrir el individuo. Especial cuidado requieren aquellos enfermos que presentan temores fóbicos en general e hipocondríacos en particular, y especialmente los que sufren de las llamadas "cancerofobias".[6]

La preocupación ansiosa como estilo predominante de afrontamiento al cáncer es un indicador que exige cautela en el uso de la meditación. Ello es debido a que la meditación puede contribuir a exacerbar la hiperconcentración del enfermo en sus propios estados, alteraciones y síntomas, con las consiguientes repercusiones neuroendocrinas, metabólicas e inmunológicas del distrés sobre el organismo.

Lowenthal,[15] hace equivalente la meditación, la relajación y la plegaria y considera que estos procedimientos, "pueden proporcionar ayuda mental, y reducir la apreciación del dolor...". Al mismo tiempo niegan absolutamente el valor dado a los mismos en calidad de "tratamientos alternativos del cáncer" por otros investigadores. El referido autor asevera que tanto la meditación como la relajación y la plegaria pueden ser o no complementarios de los tratamientos anticancerosos ortodoxos. Con este último criterio se coincide en el presente estudio, siempre que la elección de uno u otro procedimiento tome en cuenta las características de personalidad del enfermo, sus estrategias de afrontamiento al estrés y a la enfermedad, y en especial el nivel de controlabilidad autopercibida sobre la enfermedad. Dicho en otros términos, en qué medida la enfermedad asumida por el paciente, en calidad de estresor está incluida dentro del rango de autoeficacia percibida por el sujeto al enfrentarse a ella.

Terapia de apoyo en grupo

Como es sabido los grupos psicoterapéuticos constituyen un método de tratamiento que ha devenido clásico dentro de la psicología, la psiquiatría, así como en el campo de las llamadas por algunos autores, enfermedades fundamentalmente somáticas. Existen actualmente numerosas experiencias en el mundo con respecto a la utilización de grupos psicoterapéuticos "de veteranos", conformados con pacientes oncológicos de mayor tiempo de evolución, los que asumen funciones de apoyo y apoyo, fundamentalmente, emocional.[14, 16]

Sin embargo, y a tenor con uno de los propósitos esenciales de este trabajo se hará una referencia relativamente amplia de la experiencia en la utilización del referido método como una de las vías para lograr una más larga y cualitativamente superior superviven- cia en los enfermos de cáncer.

Spiegel y colaboradores[14] realizaron un estudio prospectivo con enfermas de cáncer de mama y metástasis visceral que incluyó un seguimiento total de 10 años y utilizó terapia de apoyo en grupo y autohipnosis, este último método para controlar el dolor. El obje- tivo del trabajo fue valorar si la terapia de grupo en pacientes con enfermedad metastásica podría tener algún efecto sobre la duración de la sobrevida. El trabajo, inicialmente solo se preconcibió con el propósito de mejorar la calidad de vida de estas enfermas, sin pre- tender "... afectar la cantidad". Se constituyeron al azar dos grupos: experimental y control, administrándoles a ambos los cuidados on- cológicos de rutina.

Los grupos fueron muy similares al comenzar el estudio en lo relativo a las variables controladas, incluyendo aquellas que asu- men el valor de predictores biológicos.

No obstante, en lo concerniente a la variable relativa al estadio de la enfermedad en el momento del diagnóstico, aún cuando las diferencias entre grupos se incrementaron no llegaron a resultar estadísticamente significativas. Resultados similares se corrobora- ron con posterioridad y se validaron estadísticamente.[35]

Descripción del método utilizado

Los grupos se estructuraron y en ambos se estimuló a los miem- bros a discutir cómo enfrentar el cáncer. El grupo experimental se reunió semanalmente por espacio de un año, participando en la conducción del mismo un psiquiatra o trabajador social y una pa- ciente con cáncer de mama en remisión. Los individuos dentro del grupo de terapia fueron estimulados sistemáticamente a expresar sus sentimientos sobre la enfermedad y las consecuencias que esta había traído en sus vidas, sus problemas físicos, incluyendo los efec- tos colaterales de los tratamientos anticancerosos. Al propio tiem- po fueron adiestrados en la técnica de autohipnosis, para utilizarla en el control del dolor. Una de las tareas principales del grupo fue combatir los sentimientos de desolación de sus miembros mediante el desarrollo de una fuerte relación interpersonal. Se enfatizó en el hecho de que los enfermos pudieran a partir de sus propias experiencias sobre la enfermedad y el afrontamiento a esta, ofrecer ayuda a otros enfermos y a los familiares de estos. Los líderes asumieron la función de mantener en el grupo el afrontamiento con las pérdidas y situaciones que afectaban emocionalmente a sus miembros.

El foco del programa de tratamiento radicó en que cada enfermo aprendiera a vivir con su enfermedad tan plenamente como le resultara posible. De igual forma se focalizó la necesidad de mejorar la comunicación del paciente con su familia y con los médicos, de encarar y dominar el miedo a la muerte, así como controlar el dolor y otros síntomas. El resultado más relevante se expresó en términos de una sobrevida significativamente más larga, promedio de 18 meses, tanto desde la perspectiva clínica como desde el punto de vista estadístico, de los pacientes que recibieron terapia de grupo y autohipnosis. Este resultado fue atribuido por los autores del trabajo a la influencia del apoyo social, a los sentimientos que se establecen entre los miembros del grupo, los que al propio tiempo combaten el aislamiento social. Consideraron que un papel relevante fue desempeñado por la movilización de los recursos internos de las enfermas, y por el incremento del control sobre sus síntomas, entre ellos del dolor. Todos estos factores parecen haber contribuido a posibilitar que las enfermas pudieran mantener los roles y actividades de la vida diaria.

A los 10 años de iniciado el estudio, 3 pacientes de 86 permanecían vivas y las mismas habían integrado el grupo que recibió psicoterapia. De las restantes, 81 fallecieron como consecuencia del cáncer, 1 por accidente vascular encefálico y la restante se suicidó. Este trabajo es una evidencia incuestionable de la positiva influencia que tiene el incremento del sentido de control sobre los estresores ambientales y sobre la propia vida. El mismo es consecuente al incremento de la autoeficacia percibida en el afrontamiento con la enfermedad y sus consecuencias, al valor que asume tanto el apoyo como la conservación de roles sociales, en la calidad y duración de la sobrevida, por lo menos en el grupo de enfermas estudiado.

Otras variantes de intervenciones psicosociales en grupo han sido utilizadas con enfermas de cáncer de mama, logrando incrementos significativos y a largo plazo de la calidad de vida.[18] Fawzy y colaboradores,[38, 39] realizaron un estudio incluyendo enfermos con melanomas malignos, con buen pronóstico que habían sido sometidos previamente a tratamiento quirúrgico. El trabajo tuvo dos propósitos fundamentales:

1. Comprobar los efectos de una intervención psicoterapeútica de grupo sobre el distres psicológico y sobre el incremento en la utilización por los pacientes de estrategias activas de afrontamiento por largos períodos.
2. Evaluar a corto y largo plazos los cambios inmunológicos asociados con la referida intervención estructurada de grupo.

Los grupos establecidos: control y de estudio, tuvieron variables clínicas y demográficas muy similares, con excepción de la edad, la que difirió significativamente entre ambos, siendo más jóvenes los sujetos del grupo control.

Los pacientes reunieron los siguientes requisitos:

1. Su enfermedad había sido diagnosticada recientemente —etapa 1 con ausencia de metástasis o etapa 2, con metástasis en los ganglios locales— es decir, con buen pronóstico a partir de los criterios señalados.
2. Solo fue necesaria la escisión del tumor primario y de los ganglios comprometidos.
3. Los pacientes no habían recibido previamente tratamiento psiquiátrico.
4. La edad mínima fue de 18 años.
5. Debían ser capaces de leer y hablar inglés.

La intervención psicoterapeútica se realizó con grupos de 7 a 10 pacientes, por espacio de una hora y media semanal, y durante 6 semanas. El modelo de tratamiento incluyó:

1. Educación para la salud.
2. Incremento de las habilidades para la solución de problemas relativos a la enfermedad.
3. Manejo del estrés, a través de técnicas de relajación.
4. Apoyo psicológico.

Los pacientes fueron sometidos a evaluación psicológica previa al tratamiento, valorándose además las estrategias de afrontamiento y clasificándose en tres variantes generales de afrontamiento a la enfermedad:

1. Métodos conductuales activos, con los cuales los pacientes tratan de cambiar algunos aspectos de su enfermedad mediante ejercicios, el uso de técnicas de relajación, consultas frecuentes a su médico.
2. Métodos cognitivos activos, con los que el paciente trata de comprender su enfermedad, aceptar los efectos de esta sobre su vida, focalizándose sobre los cambios positivos que han ocurrido en esta desde que la enfermedad se inició.
3. Métodos de evitación, con los cuales el paciente esconde a los demás sus sentimientos acerca de su enfermedad y rehusa pensar en ella.

La valoración psicológica inicial mostró que la mayoría de los pacientes tenían altos niveles de distres, tanto como los mostrados por otros enfermos de cáncer, a pesar de tener un buen pronóstico. Los resultados obtenidos al concluir las 6 semanas de tratamiento, evidenciaron que los sujetos del grupo de investigación tuvieron menos depresión, fatiga y confusión, así como más vigor que los sujetos del grupo control. De igual forma, los primeros usaron significativamente más estrategias de afrontamientos activos que los de controles.

En la segunda parte del trabajo de referencia, se pudieron corroborar cambios en el sistema inmune, en el grupo de estudio. Estos cambios se expresaron en incrementos en el porciento de linfocitos granulares y de las células Natural Killer (NK). También se incrementó la actividad citotóxica de este último grupo celular. Se observó además una pequeña disminución en el porciento de linfocitos T de ayuda. Estos hallazgos indican que las intervenciones psicológicas de grupo pueden ser asociadas a cambios duraderos, tanto en el estado afectivo, en el afrontamiento a la enfermedad, como en la inmunidad natural, al menos en pacientes con melanomas malignos con buen pronóstico. En opinión de los autores, el incremento obtenido en el número y actividad de las células Natural Killer (NK) parece sugerir que estas células son reactivas a los cambios psicológicos y conductuales.

Este trabajo, aunque circunscrito a un reducido número de casos, así como a la investigación de un solo tipo de neoplasia maligna, factores que limitan su nivel de generalización, constituye un significativo aporte al desarrollo de la investigación en el campo de la psicooncología. El mismo brinda, en alguna medida, sustento a la concepción sobre la función inmunomoduladora de la psiquis humana y al mismo tiempo sirve de apoyo empírico a la tríada psicoterapia-inmunidad-sobrevida, en el estudio del enfermo de cáncer.

Terapia psicológica y dolor por cáncer

Por la significación del dolor para los enfermos de cáncer, se decidió brindar una breve panorámica de algunas intervenciones psicoterapéuticas que han obtenido resultados muy positivos en el tratamiento y control del dolor en esta enfermedad.

Hay autores[40] que establecen como cuestión medular en el tratamiento de este síntoma, la dependencia que existe entre la forma en que la experiencia dolorosa es conceptualizada y los procedimientos que se utilizan para controlarla. Consideran que siendo el dolor una experiencia multidimensional, en los programas para su control y tratamiento deben ser incorporados procedimientos que permitan influir sobre los componentes cognitivo, afectivo, sensorial y conductual del dolor.

La perspectiva de aprendizaje cognitivo-conductal para el tratamiento y la controlabilidad del dolor abordada en el trabajo referido, tiene un enfoque esencialmente humanista. Se apoya en varios principios que confluyen en la capacidad de aprendizaje cognitivo, conductual y emocional de las personas y se dirige a incrementar el sentido de control de estas sobre sus vidas en general, y en particular sobre el dolor provocado por la enfermedad. Esto posibilita incrementar secundariamente su autoestima y calidad de vida.

Este modelo de terapia psicológica dispone de varias técnicas, como son: la reestructuración emocional, el entrenamiento de habilidades para el afrontamiento, el entrenamiento para la solución de problemas y el entrenamiento de la autorregulación.

El protocolo de tratamiento consta de cuatro fases:

1. *Preparación del pretratamiento*: encaminada a educar tanto a los consejeros como a los pacientes en dirección a los beneficios de este enfoque, a desarrollar motivaciones y particularmente a disminuir la frustración. De igual modo se dirige a eliminar la desesperanza y a mostrarles a los enfermos cómo determinados estados emocionales pueden incrementar el dolor. En esta fase se estimula a los pacientes a que se propongan llegar a ser activos contribuidores en el tratamiento de este síntoma.

2. *Fase de conceptualización-traducción*: tiene como elemento clave, el lograr que el paciente reelabore su concepto del dolor asumiendo un enfoque sobre este que tenga en cuenta los componentes sensorial, afectivo, y cognitivo del mismo. Para ello el individuo es instado a rememorar íntima y detalladamente los pensamientos y sentimientos que han acompañado sus episodios de dolor, así como el impacto de estos pensamientos y vivencias sobre la intensidad del dolor experimentado. También durante esta fase los enfermos son enseñados a traducir sus problemas no relacionados con el dolor y que en general le resultan difusos, poco diferenciados y le agobian, para percibirlos como solucionables o por lo menos modificables.

3. *Fase de entrenamiento de las habilidades de afrontamiento*: en esta fase el enfermo guiado por el consejero o psicoterapeuta realiza el aprendizaje de habilidades cognitivas y conductuales para minimizar el distres, reducir el dolor e incrementar su sentido de control sobre este. Igualmente para reducir la ansiedad concomitante cuando el dolor está presente.

   Se utilizan diferentes técnicas de relajación, tales como entrenamiento autógeno, relajación de Jacobson, entre otras, combinadas con la imaginación guiada, y se establece un condicionamiento entre una escena placentera visualizada, la experiencia de relajación y la palabra "calma o serenidad".

4. *Ensayo. Centrada en la consolidación de habilidades adquiridas y en el reforzamiento de la autoeficacia en el afrontamiento al dolor*: se apoya fundamentalmente en dos técnicas:

   a) En la primera de ellas los pacientes deben imaginarse que se encuentran en una situación en la que han experimentado dolor, y se visualizan enfrentándose con las sensaciones dolorosas utilizando varias estrategias de afrontamiento. Un elemento esencial de esta técnica es el mantenimiento de un monólogo continuo de pensamientos, sentimientos y conductas en la situación imaginada.

   b) La inversión del rol entre el paciente y el terapeuta, asumiendo el paciente el rol de un terapeuta que debe enseñar varias estrategias de afrontamiento a un nuevo paciente. Esta técnica tiene la ventaja adicional de posibilitar al terapeuta valorar el aprendizaje realizado por el enfermo y los aspectos que para aquel puedan resultar dudosos o insuficientemente claros. El entrenamiento es completado con la indicación de realizar el entrenamiento de habilidades en el hogar.

Un aspecto que se destaca en el enfoque descrito consiste en la recomendación de comenzar este tratamiento en las etapas tempranas de la enfermedad, con el propósito de que el paciente desarrolle previamente a su afrontamiento al dolor las habilidades para controlarlo.

Se han realizado[41] algunas innovaciones más recientes en el uso de modalidades psicoterapéuticas encaminadas a tratar el dolor crónico. Estas focalizan su análisis en relación con los rasgos comunes presentes entre los diferentes enfoques de tratamientos del dolor psicológicamente orientados. Estas analogías son resumidas por los autores en los siguientes aspectos:

1. Reconocen la necesidad de que el paciente reconceptualice el dolor, al mismo tiempo que logre una expectativa positiva con relación al éxito del tratamiento.
2. Intentan combatir la desmoralización, proporcionando esperanza y optimismo.
3. Buscan a partir de las necesidades particulares de cada enfermo, individualizar el tratamiento, y evitar esquemas rígidos en el cumplimiento de este.
4. Se basan en el reconocimiento de la necesidad de que el paciente asuma su responsabilidad en el tratamiento y participe activamente en el mismo.
5. Se encaminan a la adquisición de nuevas habilidades y al reforzamiento de aquellas que sustentan conductas adaptativas.
6. Se proponen lograr un incremento en la autoeficacia percibida en el afrontamiento y control del dolor.
7. Estimulan la autoatribución del cambio terapéutico.
8. Se apoyan en una relación paciente-terapeuta de colaboración.

Por su parte Turk y Rudy[42] realizan una conceptualización cognitiva y conductual del dolor crónico. Proponen integrar los factores cognitivo y afectivo que participan en la experiencia del dolor, dentro de un programa de tratamiento que brinde atención a las fuentes de reforzamiento ambiental y haga uso de varias técnicas conductuales. El objetivo más general de la perspectiva cognitivo-conductual y de la terapia psicológica basada en ella, en lo relativo al tratamiento del dolor, consiste en ayudar al paciente a reconceptualizar su visión sobre su situación y su dolor. Esto permite que el enfermo pueda incrementar y fortalecer su sentido de autoeficacia y su motivación intrínseca por el tratamiento. También permite transferir habilidades para el control de este síntoma en las situaciones que puedan presentarse fuera del contexto terapéutico. En el referido trabajo, sus autores describen una taxonomía del paciente con dolor crónico, basada en valoraciones físico-médicas y en la evaluación por el propio paciente del impacto psicosocial y conductual del dolor.

Se establecen a partir de este fundamento cuatro perfiles de pacientes:

1. Los "incapacitados", son aquellos que presentan más altos hallazgos físico-médicos que el promedio. Perciben alta la severidad del dolor, reportan que este interfiere mucho en sus vidas, experimentan más alto grado de distres psicológico y bajos niveles de actividad.
2. Los "disfuncionales", son aquellos que presentan niveles menos severos de hallazgos físico-médicos que el grupo anterior, pero con altos niveles de incapacidad psicosocial y conductual.
3. "Interpersonalmente distresado", los que experimentan que otras personas significativas para ellos, no son muy comprensivas ni sustentativas con sus problemas.
4. "Afrontamiento adaptativo", quienes reportan más altos niveles de apoyo social, relativamente bajos niveles de dolor e interferencia comparados con los otros tres grupos, así como más altos niveles de actividad.

Esta información preliminar sobre el paciente sirve de punto de referencia para iniciar el tratamiento y evaluar los progresos del mismo con el enfermo.

En un trabajo posterior[43] describen el tratamiento para el dolor crónico basado en esta misma perspectiva y constituido por seis fases. Estas incluyen:

1. La fase inicial de valoración.
2. De reconceptualización.
3. De adquisición de habilidades.
4. Encaminada al ensayo y entrenamiento.
5. De generalización y mantenimiento.
6. Denominada tratamiento de seguimiento.

No obstante, las modificaciones del referido esquema de tratamiento del dolor, este es esencialmente el mismo propuesto,[40] ya que se basa en los mismos principios, se traza idénticos objetivos y se vale de métodos muy similares. Debe sin embargo reconocerse que esta última variante aporta un elemento muy valioso. El mismo consiste en que amplía el apoyo al paciente, no solo a través del terapeuta, sino de la pareja y de otras personas significativas para aquel.

Estos componentes que se han mencionado y que forman parte importante del sistema de apoyo social de que dispone el enfermo son estimulados a identificar el impacto que en ellos causa el dolor que experimenta el paciente. De igual forma son estimulados a identificar cuáles consideran que son los efectos de su propia conducta sobre el enfermo.

Se proporciona una comprensión amplia del tratamiento discutiendo con la pareja y allegados el rol que pueden asumir en el reforzamiento, tanto de conductas positivas del paciente con respecto al control del dolor como de conductas maladaptativas. Durante el período de tratamiento se establece y mantiene un intercambio continuo entre la pareja, los familiares, el paciente y el psicoterapeuta.

Un objetivo de importancia que se logra con esta modalidad de tratamiento basado en la perspectiva de aprendizaje cognitivo-conductual es que los familiares del enfermo, la pareja, así como otras personas emocionalmente íntimas a él, además de constituir fuentes de apoyo, aprenden a servir como refuerzo de las conductas adaptativas del paciente. Estas están relacionadas fundamentalmente con el control y responsabilidad del enfermo con el tratamiento de su dolor. En el tratamiento del dolor por cáncer han sido empleados también otros métodos con buenos resultados. Tal es el caso de la hipnosis, tratamiento que desde el pasado siglo ha demostrado su efectividad como analgésico en diferentes campos de la medicina, incluyendo la cirugía, la obstetricia y la psiquiatría. También en el campo de la psicología, la hipnosis ha demostrado su utilidad en numerosas ramas de esta ciencia.

En uno de los estudios prospectivos con enfermas de cáncer de mama metastásico, antes mencionado,[14] se sustenta que en esta enfermedad se imbrican un gran número de variables físicas y psicológicas. Esto hace que el tratamiento del dolor, que a ella se asocia con bastante frecuencia, implique necesariamente la utilización de técnicas de ambos tipos. El referido trabajo tuvo como objetivo ayudar a las enfermas a ganar un mayor dominio y control del dolor que aparece en un relativo alto número de pacientes con carcinoma de mama metastásico. Con este propósito se formaron aleatoriamente dos grupos: el de control, el cual solo recibió los cuidados habituales de enfermería, y el grupo de tratamiento, el que recibió terapia de apoyo en grupos y autohipnosis. Ambos grupos fueron homogéneos en lo relativo a las diferentes variables demográficas y biológicas que fueron controladas, con excepción de la variable referida al estatus social, el que fue en el grupo de tratamiento significativamente más alto. Dentro de cada grupo las enfermas recibieron analgésicos y medicamentos psicoactivos similares. El grupo de apoyo psicológico se encaminó en dirección a compartir los miedos y las preocupaciones sobre la muerte y la desesperación, sobre las relaciones con la familia y la comunicación con los médicos. Un objetivo especial fue lograr que cada paciente lograra vivir tan plenamente como le resultara posible, aún en las etapas terminales de la enfermedad. La autohipnosis por su parte se realizó al concluir cada sesión semanal de grupo y se encaminó a modificar la percepción del dolor a través del aprendizaje, por el paciente, del principio según el cual para controlar el dolor es necesario no luchar contra él, sino *filtrar el sufrimiento del dolor*. Para conseguir este último propósito, el enfermo utiliza "la imaginación de sensaciones que compiten en las áreas afectadas por el dolor, tales como la frialdad, el entumecimiento, las sensaciones de calor y hormigueo". Este procedimiento se combinó con otros, focalizados en el mismo objetivo.

Los resultados de este aprendizaje no se limitan al control del dolor por el individuo, sino que le permiten validar la significación del afrontamiento activo con la enfermedad y del mejoramiento de las relaciones con la familia y con el médico. De esta forma se logra un incremento del sentido de dominio del dolor que es reforzada por el éxito en la disminución de este, y en especial del sufrimiento que le acompaña en relación con determinadas áreas corporales. Al mismo tiempo se logra en el paciente un aumento en el sentido de control sobre diferentes situaciones de su vida que contribuyen a combatir el distres. En este estudio fueron valorados mediante escalas psicológicas, previamente y con posterioridad a la terminación del tratamiento, el dolor y los trastornos del humor. La duración del tratamiento osciló entre 4 y 18 meses. Los resultados demostraron que la autohipnosis en conjunción con la experiencia de grupos de discusión tuvo un efecto directo sobre la percepción del dolor y del sufrimiento del paciente, así como sobre los trastornos del humor los que disminuyeron sensible y significativamente.

En la opinión de los autores[14] este último resultado sugiere que la asociación entre los ejercicios para reducir el dolor se relaciona también con el alivio de la ansiedad, la depresión y la fatiga a los que Spiegel y colaboradores suman como logros demostrados los siguientes:

1. La formación de una relación emocional intensa en el grupo, que combatió el aislamiento, la desolación y que sirvió de sustento al aprendizaje sobre cómo encarar la ansiedad y el miedo a la enfermedad y a su curso.
2. La adquisición por los pacientes de estrategias para la solución de problemas para ser utilizadas por ellos mismos, y en integración con sus médicos y familiares.

Teniendo en cuenta las fuertes evidencias existentes de que las intervenciones psicológicas que emplean la hipnosis tienen un significativo beneficio en la reducción del dolor experimentado por los enfermos de cáncer, se hará una exposición de las perspectivas psicoterapéuticas ofrecidas[44] en esta dirección.

La hipnosis señala el autor, puede aplicarse conjuntamente con otras técnicas de control de dolor, y en el caso del enfermo oncológico asume diferentes propósitos. Entre estos los más trascendentes son: la reducción de la dependencia del paciente de la medicación analgésica, y ofrecerles a estos un mayor sentido de dominio sobre su enfermedad al mostrarles que pueden ejercer control sobre esta y sobre su tratamiento.

Por otra parte, la hipnosis, al enseñar a los enfermos a usar su capacidad de concentración, limita considerablemente la dependencia del enfermo con respecto al psicoterapeuta. La hipnosis como intervención psicológica[35, 44, 45] permite a los enfermos reestructurar su experiencia del dolor y disminuirlo, así como el sufrimiento que acompaña al cáncer. También, y especialmente, les permite aprender a experimentar un mayor sentido de dominio y control sobre la enfermedad. Como consecuencia la hipnosis puede incrementar el sentido de colaboración con el médico. El mismo puede ser sensiblemente afectado cuando el paciente es encarado con la perspectiva de la pérdida del control físico sobre su cuerpo y de dominio en otras esferas de su vida personal, social, laboral y vocacional, entre las más importantes. En el estudio referido Spiegel y colaboradores establecen tres principios básicos que subyacen en la mayoría de los usos de la hipnosis en lo que al tratamiento del dolor se refiere. Estos son:

1. "Filtrar el daño fuera del dolor", lo cual se logra enseñando a los pacientes que no hay una correlación directa entre la intensidad de la estimulación dolorosa y el valor del sufrimiento que esta ocasiona. El filtraje del sufrimiento fuera del dolor implica la reestructuración de la experiencia del paciente sobre el dolor.

2. No luchar contra el dolor, ya que la irritabilidad, la ira, la ansiedad y la depresión "amplifican las señales del dolor". Es necesario enseñar a los enfermos que la relajación física contribuye tanto a disminuir el dolor como la percepción de este.

3. El uso de la autohipnosis, puesto que le proporciona al paciente un mayor sentido de control y de dominio sobre su experiencia, incrementa su autoestima.

Con relación a los procedimientos para utilizar la hipnosis en el control del dolor, se incluyen:

1. La elección de los pacientes adecuados, teniendo en cuenta principalmente la severidad de la estimulación física y los recursos de los pacientes.

   En general los pacientes con cáncer, en los que procede el uso de la hipnosis para el control del dolor son aquellos que experimentan un dolor no agobiante, que se encuentran neurológica y mentalmente claros y fuertemente motivados por mejorar su funcionamiento. De esta manera se deben excluir los enfermos que sufren de fatiga extrema, de deterioro de la concentración, y en general, aquellos que no son capaces de movilizar la concentración necesaria para la hipnosis. Otro grupo refractario a la hipnosis es aquel que obtiene ganancia secundaria con el dolor, ya sea en términos de apoyo emocional del equipo médico, de la familia, o apoyo financiero. En estos casos es necesario resolver el conflicto de base que induce al paciente a movilizar estos mecanismos para reclamar atención.

2. Realizar previamente la medición de la capacidad hipnótica y clasificarla en alta, moderada o baja, entendiéndose por capacidad hipnótica, susceptibilidad a la hipnosis.

3. Realizar la inducción hipnótica de forma tal que el paciente sienta que está en control de la situación, aspecto que es de extrema importancia para el paciente oncológico.

Por lo general se le orienta al enfermo: "El modo para entrar en estado autohipnótico es simple: contar para si del 1 al 3. En 1, hacer una cosa: mirar hacia arriba. En 2, hacer dos cosas: cerrar lentamente los ojos y hacer una inspiración profunda. En 3, hacer tres cosas expirar el aire hacia el exterior, dejar sus ojos relajados pero cerrados y dejar su cuerpo flotar. Entonces, permitir que una de sus manos flote hacia arriba en el aire como un balón. Esta será la señal para usted, y para mi que está listo para concentrarse".

4. Brindar al paciente las instrucciones para el control del dolor. En estado de trance hipnótico y en dependencia de la hipnotizabilidad de los pacientes, Spiegel y colaboradores, utilizan dos grandes procedimientos generales para aliviar el dolor por cáncer.

En los enfermos que son alta y moderadamente hipnotizables, el procedimiento básico consiste en alterar la percepción del área dolorosa. Para ello se utilizan metáforas con imágenes, con el propósito de alterar la percepción del dolor. Durante la sesión el psicoterapeuta enseña al paciente una serie de metáforas perceptuales, y le pide a este que comente cuán intensas le resultan y cuál es su efectividad en la reducción del dolor. En enfermos con alta hipnotizabilidad se realiza la inducción de sensaciones de adormecimiento en distintas partes corporales indoloras, con el propósito de transferirlas en el propio trance a la parte con dolor por la frotación de esta última.

El adormecimiento asume la función de "filtro psicológico" que atenúa el nivel de dolor al mismo tiempo que minimiza el discomfort consecuente a este.

En los pacientes medianamente hipnotizables la percepción alterada de la zona dolorosa se logra en estado de trance hipnótico. Este proceso se realiza con ayuda de la representación de imágenes metafóricas que implican cambios de temperatura, como pueden ser: imaginarse a si mismo dentro de un baño caliente, mientras que un calor agradablemente moderado penetra en todo el cuerpo, en especial en las partes con dolor. En cambio con aquellos sujetos que tienen baja hipnotizabilidad se emplea el otro de los procedimientos generales de alivio del dolor. Este a diferencia del anterior no procura la alteración de la percepción del área dolorosa, sino que precisa en estado hipnótico el cambio de la concentración de la atención en una parte no dolorosa en la que se experimentan agradables vivencias por la sensación de frotación de la zona con la punta de los dedos.

5. Para concluir la sesión de hipnosis el paciente debe contar de 3 a 1. Textualmente se le instruye de la siguiente forma: "En 3 estar listo. En 2 con los párpados cerrados, girar hacia arriba los ojos. En 1, abrir sus ojos. Deje que su mano regrese abajo, apriete el puño y ábralo, y este será el final del ejercicio". El terapeuta debe discutir la respuesta del paciente al ejercicio cuando concluya este. Spiegel considera útil pedirle al paciente que valore el dolor en una escala cuantitativa de 0 a 10, siendo 10 y los valores más próximos representativos de un dolor insoportable. Deberá así evaluar el dolor experimentado al inicio, durante y al concluir la sesión, proporcionando estos valores un *feedback*, tanto al enfermo como al terapeuta sobre la efectividad del ejercicio.

A pesar de las diferencias existentes entre el método propuesto por Spiegel y colaboradores[44-45] para el control del dolor por el enfermo de cáncer, el que descansa fundamentalmente en la hipnosis y en la autohipnosis, métodos que considera equivalentes, y el método propuesto por Turk y colaboradores,[40, 41-43] y a pesar de la similitud en algunos de los objetivos esenciales, un aspecto de interés emerge del análisis de ambas líneas de tratamiento.

Este radica en el momento en que debe ser iniciada la terapia psicológica para el control del dolor en los pacientes oncológicos. En los mencionados trabajos se señala que la intervención debe iniciarse en las etapas tempranas de la enfermedad y previamente al afrontamiento real con el dolor por cáncer.

Spiegel y Bloom, por el contrario, en su trabajo señalan que "el control del dolor por medios psicológicos no es la vía indicada para los pacientes que no experimentan dolor real".[44] Este aspecto, evidentemente resulta polémico y la respuesta al mismo está influida entre otros factores por la forma de concebir la enfermedad, por la diversidad y amplitud de uno u otro enfoque psicoterapéutico.

El hacer objeto de entrenamiento y aprendizaje un método de tratamiento para controlar un problema que no se ha presentado, pero que tiene relativamente alta probabilidad de ocurrir, puede en determinado tipo de pacientes estimular la aparición de ansiedad anticipatoria. En este caso esta alteración debería pasar entonces a ser otro objetivo más de trabajo dentro del esquema de tratamiento psicológico. Por otra parte, si se acepta con carácter de necesidad, el hecho de que todo enfermo de cáncer, evoluciona hacia el deterioro y la muerte, y que ambos procesos inevitablemente se acompañan de dolor, resulta a todas luces, sensato y ético, proveer a este enfermo de un instrumento que le va a ayudar a combatir la desmoralización y a morir con más dignidad. Sin embargo, tal y como expresaron Spiegel y Bloom en el referido estudio, "... el dolor no siempre acompaña al cáncer". Diferentes autores han estimado porcientos realmente altos de enfermos con enfermedad metastásica y de personas que mueren de cáncer sin experimentar ni referir dolor.

Se valora útil y oportuno en cualquier etapa evolutiva y en particular en los estadios tempranos de la enfermedad, entrenar al paciente oncológico en técnicas de relajación, de hipnosis y autohipnosis. Estas pueden ayudarle a mejorar su capacidad de concentración, y a evitar tensiones innecesarias. La utilización con el enfermo de otras intervenciones psicosociales de elección deberán encaminarse a mejorar su sentido de control y de eficacia en el afrontamiento al estrés, y en especial a la enfermedad, mejorar su ajuste social, intra e interpersonal, lo que al mismo tiempo que incrementa su autoestima, indirectamente facilitará la utilización si fuera necesario, de técnicas y métodos específicos para controlar el dolor por cáncer. También por otra parte, la hipnosis y la autohipnosis pueden servir en el aprendizaje de afrontamientos adecuados al estrés propio de los eventos de la vida cotidiana, así como en el afrontamiento a una enfermedad terminal como el cáncer.[46]

Siendo el dolor un complejo fenómeno, influido por factores psicosociales, el mismo no depende exclusivamente de la estimulación de sus receptores y en consecuencia puede ser regulado por diferentes mecanismos fisiológicos vinculados con el sistema de opios endógenos, así como por mecanismos que reducen la concientización de las sensaciones dolorosas.[47]

La Teoría Social Cognitiva desarrollada por Bandura[47] y en gran medida desplegada en el referido trabajo, considera que la autoeficacia percibida en el afrontamiento con el dolor, ocupa un lugar esencial en el control de este, ya que "... puede mediar la potencia analgésica de diferentes procedimientos psicológicos" como la relajación y el *biofeedback* entre otros, añade Bandura en la obra citada. En el propio trabajo, el autor asume que el ejercicio de la eficacia personal que se concientiza, provoca un incremento del dominio en el sujeto que puede bloquear la concientización de sensaciones dolorosas por un mecanismo cognitivo no opioide.

De igual manera concibe que un alto sentido de autoeficacia en el afrontamiento a situaciones aversivas podría reducir al estrés y la activación de los opios que intervienen en la transmisión de sensaciones dolorosas.

De acuerdo con Bandura[47] en la regulación del dolor intervienen tanto mecanismos opioides como no opioides y la contribución de unos y otros varía de acuerdo con el grado de eficacia percibida en el control del dolor y de las fases de afrontamiento a este. Concluye que la activación de los opios podría permanecer baja durante las fases exitosas y alta durante las fases más estresantes del afrontamiento al dolor, en las que el control cognitivo fracasa.

En el presente trabajo se valora que uno de los logros más trascendentes de las intervenciones psicosociales que pueden ser realizadas con los enfermos de cáncer basadas en el enfoque de la Teoría Social Cognitiva con respecto al control del dolor radica, en que su alcance no se limita a proporcionar al enfermo un recurso que le capacita para ejercer control sobre su dolor. Además de ello, el incremento de la autoeficacia en el control del dolor, ejerce efectos positivos sobre la función inmune, los que son mediados por las repercusiones que "... la habilidad percibida en el control de los estresores tiene sobre la actividad autonómica, las catecolaminas y los opios endógenos y a través de estos sobre la inmunidad celular".[47]

De acuerdo con los resultados de diferentes estudios,[48, 49] los enfermos de cáncer que experimentan dolor son mucho más vulnerables a desarrollar trastornos psiquiátricos. Estos trastornos a su vez constituyen una expresión de la incontrolabilidad del dolor, y pueden contribuir a incrementarlo por un mecanismo de *feedback*. Los trastornos psiquiátricos que de acuerdo con estos autores se asocian más frecuentemente con el dolor por cáncer son: la depresión, la ansiedad y el delirio concebido como estado confusional. Consideran que el riesgo de suicidio, la elaboración de ideas suicidas y los intentos en esta dirección, ocurridos en instituciones oncológicas, han sido por lo general asociados entre otros problemas, con un pobre control del dolor. Proponen un modelo de tratamiento para estos enfermos basado en la intervención en crisis que ofrece apoyo emocional e informacional al enfermo. Este modelo coloca el énfasis en las fuerzas anteriores del paciente, así como en las vías para lograr un afrontamiento exitoso. Se combina con el uso de drogas ansiolíticas, antidepresivas y antipsicóticas, estas últimas en el caso del delirio; utiliza también psicoterapia familiar.

Uno de los datos de mayor interés aportado por el referido trabajo, evidencia que en un alto número de casos, la ansiedad, la depresión y el estado confusional, constituyen una expresión directa de la incontrolabilidad del dolor por cáncer. Este hecho refuerza la necesidad de involucrar en el control del dolor en estos enfermos determinadas intervenciones psicosociales que han demostrado su efectividad al menos en dirección a atenuar el dolor, a disminuirlo y en especial a someterlo a control activo por parte del individuo, con el consecuente incremento de la autoeficacia y de la autoestima de este.

Psicoterapia y sobrevida en el cáncer

De acuerdo con los resultados de los estudios expuestos en este capítulo se puede considera que el valor de las intervenciones psicoterapéuticas en el campo de la oncología radica esencialmente en que algunas de sus modalidades han demostrado influir beneficiosamente tanto sobre la calidad de vida del enfermo como sobre el tiempo de supervivencia de este.

A finales de la década de los noventas del siglo pasado se introdujeron distintas modalidades de intervenciones psicológicas en el tratamiento del enfermo de cáncer de diferente localización. Una muestra de ello son los programas de apoyo al paciente oncológico mediante el arte[50] y la terapia interpersonal por teléfono.[51] Esta última variante guarda similitud con la intervención psicológica recientemente desarrollada en el país con enfermos de SIDA presuntos o confirmados, la llamada "Línea Ayuda".

La psicoterapia para ser efectiva con el paciente oncológico debe traer consigo un cambio en el afrontamiento a la enfermedad que sea incrementador de la autoeficacia percibida y de la autoestima del individuo. Este cambio debe ir acompañado de una transformación sustancial en los afrontamientos a los estresores de la vida diaria, así como de una modificación en el sistema de relaciones interpersonales del enfermo, a través del cual brinda y recibe apoyo social.

¿Cómo puede suponerse que actúa la psicoterapia en el enfermo de cáncer? Se propone que determinadas intervenciones psicológicas son susceptibles de desencadenar en el sujeto patrones estables de respuestas psicológicas de carácter adaptativo, generalizadas o de fácil generalización. Estos se acompañan a su vez de patrones determinados de respuestas neuroendocrinas, neurofisiológicas, inmunológicas entre otras que están asociadas a procesos de regeneración biológica, favoreciéndose por esta vía el control del cáncer. En consecuencia con la proposición realizada

Es aceptado que el eje hipotalámico-pituitario-adrenocortical es una de las principales vías que vincula el distres psicosocial con el deterioro de la inmunocompetencia. Si tal y como parecen confirmar diversos estudios tanto en animales como en seres humanos, la inmunidad celular desempeña un rol esencial en la defensa del organismo contra el cáncer, puede suponerse que cuando a través de la psicoterapia se controla el distres psicosocial se está bloqueando al menos una de las vías que provoca, favorece o refuerza la supresión inmunológica. De igual forma a través de algunas intervenciones psicosociales, como parece ocurrir con algunas de las diferentes variantes de terapia conductual-cognitiva analizadas, la terapia de apoyo en grupos, la imaginación guiada, con frecuencia combinada con relajación, se estimula un mejor funcionamiento inmune que supuestamente debe repercutir en un mejor control de la enfermedad.

El tratamiento y el control del dolor por cáncer con ayuda de intervenciones psicológicas, como puede observarse, ha recibido en este trabajo un tratamiento diferencial por razones obvias. La imagen del cáncer es asociada por un porciento alto de la población sana, enferma o por ambas, a dolor inescapable e incontrolable, lo que refuerza el sentido de desamparo y desesperanza del enfermo y su familia frente a la enfermedad. La realidad de que el cáncer resulta una enfermedad dolorosa en un determinado número de enfermos no es actualmente modificable con la sola utilización de potentes analgésicos. No obstante, el sentido de autonomía, de saber que no se es objeto de la arbitrariedad del dolor, el poder participar activamente en hacer posible el control de este, es un poderoso instrumento con el que puede armarse psicológicamente al enfermo de cáncer. Uno de los aspectos que hace más vulnerables a estos pacientes desde el punto de vista psicosocial es su expectativa conciente e inconsciente con respecto a la posibilidad, siempre valorada, del retorno subclínico y solapado de la enfermedad. Esta posibilidad está en muchas oportunidades sustentada para el enfermo, en la casi silenciosa aparición inicial del proceso morboso.

El conocimiento de la enfermedad desde otro punto de vista, el conocer la posibilidad de influir sobre sus propios síntomas, especialmente de uno que como el dolor comporta una significación tan amenazadora, es un aspecto clave en el mejoramiento de la calidad de vida.

La calidad de vida, la supervivencia libre de enfermedad, global o ambas y la psicoterapia con el enfermo de cáncer, conforman un sistema que solo puede ser analizado y comprendido con una perspectiva absolutamente libre de reduccionismo biológico.

Esta perspectiva se fundamenta en un consecuente y auténtico enfoque biopsicosocial, en el que la condición psicosocial del hombre es puesta al mismo nivel de significación e importancia que su naturaleza biológica, sin dejar por ello de respetar tanto su "consustancialidad" humana, como sus interrelaciones, especificidades y diferencias cualitativas.

BIBLIOGRAFÍA

[1] Pérez, R.: *La psiquis en la determinación de la salud.* Ed. Científico Técnica, La Habana, 1989.

[2] Turk, D. C. and E. Fernández: "On the putative uniqueness of cancer pain: Do psychological principles apply?" *Behav. Res. Ther.*, 28(1):1-13, 1990.

[3] Greer, S.: "Can Psychological Therapy Improve the quality of Life of Patients with Cancer." *Br. J. Cancer*, 59:149-51, 1989.

[4] Greer, S.; S. Moorey and J. Barruch: "Evaluation of Adjuvant Psychological Therapy for Clinically Referred Cancer Patient." *Br. J. Cancer*, 63:257-60, 1991.

[5] Lorente, L.; J. A. Aller and G. J. Arias: "Psychoneuroimmune Endocrine System: A three Phase Old Response. *J. Of Intern Medicine*, 239(1):83-90, 1996.

[6] Holland, J.C.: "Fears and Abnormal Reactions to Cancer in Physically Heathy Individuals." In: J. C. Holland and J. H. Rowland Ed. *Handbook of Psychooncology.* Oxford University Press, New York, 1989.

[7] Kort, W. J.: "The Effect of Chronic Stress on the Immune Response." *Adv Neuroimmunolo*, 4(1):1-11, 1994.

[8] Solomon, G. F.: "Psychoneuroimmunology. Interactions between Central Nervous System and Immune System." *J. of. Neuroscience Research*, 18:1-9, 1987.

[9] _____: "Psychosocial Factors, Exercise and Immunity: Athletes, Elderly Persons and AIDS Patients." *Int. J. Sports Med*, 12-23, 1990.

[10] Levenson, J. L. and C. Bemis: "The Role of Psychological Factors in Cancer Onset and Progression." *Psychosomatics*, 32(2):124-32, 1991.

[11] Grossarth-Maticek, R. and H. J. Eysenck: "Prophylactic effects of Psychoanalysis on Cancer-prone and Coronary Heart Disease-prone Probands, as Compared with Control Groups and Behavior Therapy Groups." *J. Behav. Ther. and Exp. Psychot.*, 21:91-99, 1990

[12] _____: *Personality and Cancer; Prediction and Prophylaxis. Anticarcinogenesis and Radiation Protection 2.* Edited by O. F. Nygaard and A. C. Upton, Plenum Press, New York, 1991.

[13] Eysenck, H. J.: "Psychological Factors in the Prognosis, Prophylaxis and Treatment of Cancer and CHD." *Psychological Assessment*, 5(2):181-98, 1989.

[14] Spiegel, D.; J. R. Bloom; H. C. Kraemer and E. Gottheil: "Effect of Psychosocial Treatmente on Survival of Patient with Metastatic Breast Cancer." *The Lancet*, 888-91, 1989.

[15] Lowenthal, R. M.: "Can Cancer be Cured by Meditation and Natural Therapy?" A critical review of the book: *You can Conquer Cancer* by Ian Gowler 1989. *The Medical Journal of Australia*, 151:4-18, 1989.

[16] Siegel, K. and G. H. Christ: *Psychosocial Consequences of Long-term Survival of Hodgkin's Disease.* Edited by J. Mortimer. Lacher and John R. Redman. Copyright L. and Febiger. Philadelphia, 1989.

[17] Bradley, L. A.: "Cognitive-Behavioral Therapy for Primary Fibromialgia." *Journal of Rheumatology*, 16(1):131-136, 1989.

[18] Fukui, S.; Kamiya *et al.*: "Applicability of a Western-developed Psychososocial group intervention for Japaneses Patients with Primary Breast Cancer." *Psychooncology*, 9(2):169-77, Mar-Apr, 1999.

[19] Spiegel, D.; G. R. Morrow and C. Classen: "Group Psychotherapy for Recently Diagnosed Breas Cancer Multicenter Feasibility Study." *Psychooncology*, 8(6):482-93, Nov-Dec, 1999.

[20] Edelman. S.; J. Lemon; D. R. Bell and A. D. Kidman: "Effects of group CBT on the Survival Time of Patients with Metastatic Breat Cancer." *Psychooncology*, 8(6):474-81, Nov-Dec, 1999

[21] Edelman, S. and A. D. Kildman: "Description of a group Cognitive Behaviour Therapy programme with Cancer Patients.", *Psychooncology*, 8(4):306-14, Ju-Aug., 1999

[22] Edelman. S; A. D. Kidman and D. R. Bell: "A Group Cognitive Behabiour Therapy Programms with Metastatic Breast Cancer Patients." *Psychooncology*, 8(4):295-305, Jul-Aug., 1999.

[23] Kazak, A. E.; S. Simms; L. Barakat *et al.*: "Surviving Cancer Competently Intervention Programm (SCCIP): A Cognitive-behavioral and Family Therapy Intervention for Adolescent Survivors of Childhood Cancer and their Families." *Fam Process*, 38(2):175-91, Summer, 1999.

[24] Cwikel, J. G. and L. C. Behar: "Social Work with Adult Cancer Patients: A Vote-count Review of Intervention Research." *Soc Works Health Care*, (2);39-67, 1999.

[25] Moorey, S. and S. Greer: "Psychological therapy for Patients with Cancer: A new Approach." *Heineman Medical Books*, Oxford, 1991.

[26] Lazarus, R. S.: "Progress on Cognitive-Motivational-Relational themes and the Emotions." *American Psychologist*, 46(8):8119-34, 1991.

[27] Pettingale, K. W.; T. Morris; S. Greer and J. L. Haybittle: "Mental Attitudes to Cancer an Additional Prognostic Factor." *Lancet*, 1, 750, 1985.

[28] Greer, S.: "Mind-Body Research in Psychooncology." *Adv Mind Body Med*, 15(4):236-44, Fall, 1999.

[29] Greer, S.; T. Morris and K. W. Pettingale: "Psychological Respons to Breast Cancer: Effect on Outcome." *Lancet*, 785-87, 1979.

[30] Greer, S.: "Psychological Response to Cancer and Survival." *Psychologial Medicine*, 21:43-49, 1991.

[31] Grossarth-Maticek, R. and H. J. Eysenck: *Creative Novation Behavior Therapy as a Prophylactic Treatment for Cancer and Coronary Heart Disease.* Part I, "Description of Treatment." *Behav. Res. Ther.*, 29(1):1-16, 1991.

32 _____ : *Creative Novation Behavior Therapy as a Prophylactic Treatment for Cancer and Coronary Heart Disease.* Part II, "Effect of Treatment." *Behav. Res. Ther.,* 29(1):17-31, 1991.

33 Morris, T.; S. Greer; K. W. Pettingale and M. Watson: "Patterns of Expression of anger and their Psychological Correlates in Woman with Breast Cancer." *Journal of Psychosomatic Research,* 25(2):111-17, 1981.

34 Grossarth-Maticek, R. and H. J. Eysenck: "Personality, Stress, and Disease: Description and Validation of a new Inventory." *Psycholog. Reports,* 66:355-73, 1990.

35 Spiegel, D. and R. Moore: "Imagery and Hypnosis in the Treatment of Cancer Patients." *Oncology (Hungtingt),* 11(8):1179-95, Aug, 1997.

36 Foster, L. W. and L. McLellan: "Cognition and the Cancer Experience. Clinical Aplications." *Cancer Pract,* 8(1):25-32, Jan-Feb, 2000.

37 Craven, J. L: "Meditation and Psychotherapy." *Can. J. Psychiatry,* 34:648-53, 1989.

38 Fawzy, I. F.; N. Cousins; N. Fawzy; M. Kemeny; R. Elashoff and D. Morton: *A Structured Psychiatric Intervention for Cancer Patients.* I. "Changes over time in Methods of Coping and Affective Disturbance." *Arch. Gen. Psychiatry,* 47:720-25, 1990.

39 Fawzy, I. F.; M. Kemeny; N. Fawzy; R. Elashoff; D. Morton; N. Cousins and J. L. Fahey: *A Structured Psychiatric Intervention for Cancer Patientes.* II. "Changes over time in Immunological Measures." *Arch. Gen. Psychiatry,* 47:729:35, 1990.

40 Turk, D. C. and K. Rennert: "Pain and the Terminally ill Cancer Patient. A Cognitive-social Learning Perspective." In: *Behavioral Therapy in Terminal Care: A Humanistic Approach.* Edited by H. Sobel. Cambridge, Mass: Ballinger 95-124, 1981.

41 Turk, D. C. and A. D. Holzman: "Commonalities Among Psychological Approaches in the Treatment of Chronic Pain: Specifying the Meta-constructs." In: A. D. Holzman and D. C. Turk Ed. *Pain Management: A Handbook of Psychological Treatment Approaches.* Elmsford, New York. Pergamon Press, 256-67, 1986.

42 Turk, D. C. and T. E. Rudy: "A Cognitive-behavioral Perspective on Chronic Pain: Beyond the Scalpel and Syringe." In: C. David Tollison Ed. *Handbook of Chronic Pain Management.* Baltimore, M.D: Williams and Williams, 222-36, 1988.

43 Turk D. C. and D. H. Meichenbaum: "A Cognitive-behavioral Approach to Pain Management." In: *Textbook of Pain*. Edited by Melzack R. Markedes and C. L. Cooper. John Wiley and Sons. Ltd., 1989.

44 Spiegel, D. and J. R. Bloom: "Group Therapy and Hypnosis Reduce Breast Carcinoma Pain." *Psychosomatic Medicine*, 45(4): 333-39, 1988.

45 Spiegel, D.: "The use of Hypnosis in Controlling Cancer Pain." *A Cancer Journal for Clinicians*, 35(4):4-14, 1985.

46 Sachs, B. C.: "Coping with Stress." *Stress Medicine*, 7:61-63, 1991.

47 Bandura, A.: *Self-Efficacy: Thought Control of Action*, pp. 354-94. Hemisphere Publishing Corporation. Washington, Philadelphia, London,1992.

48 De Vita, J. Jr.: *Cancer: Principles and Practice of Oncology*. 8th ed. In: J. Jr. De Vita, S. Hilman and S. A. Rosenberg. Lippincot, Raven, 1997.

49 Massie, J. M. and J. C. Holland: "The Cancer Patient with Pain: Psychiatric Complications and their Management." *J. of Pain and Symptom Managemente*, 7:99-109, 1992.

50 Heiney, S. P. and H. Dorr-Hope: "Healing Icons Art Support Program for Patients with Care." *Cancer Pract*, 7(4):183-9 Jul-Aug, 1999.

51 Donelly, J. M; A. A. Kornblith; S. Fleeshman *et al*.: "A Pilot Study of Interpersonal Psychotherapy by Telephone with Cancer Patients and their Partners." *Psychooncology*, (1):44-56, Jun-Feb, 2000.

CAPÍTULO IV REFLEXIONES FINALES SOBRE EL PROBLEMA INICIAL

La sustitución del modelo biomédico y la adopción del biopsicosocial en el enfoque de la salud y de la enfermedad humana gana cada día más adeptos al ofrecer perspectivas de mayor alcance en el estudio y tratamiento multi e interdisciplinario de las enfermedades crónico-degenerativas.

El hombre constituye el objeto de estudio de numerosas ciencias y en consecuencia ha sido definido de múltiples formas. Estas definiciones han estado condicionadas, entre otros factores, por el nivel de desarrollo general de la ciencia y de la humanidad en una etapa determinada. Por aquellos aspectos y facetas del hombre que constituyen total o parcialmente el campo de una ciencia particular y en especial por el desarrollo alcanzado por las diferentes ciencias en cuestión consagradas a su investigación.

Las concepciones premarxistas y burguesas modernas se caracterizan por su focalización en dos polos o tendencias. Una de ellas propone un enfoque místico-religioso de la esencia humana, mientras que su opuesta sostiene un enfoque biologizante de esta. Por oposición a ambas el marxismo como sistema refuta tanto las concepciones místicas como biologicistas sobre el hombre. Concibe que es una unidad biopsicosocial, que si bien desde el punto de vista genético está relacionado con otras formas menos desarrolladas de vida, se separó radicalmente de ellas. En este proceso de humanización desempeñaron un papel decisivo, el desarrollo de las funciones psíquicas superiores, de la capacidad para trabajar, para elaborar medios de vida y transformar el mundo, para reflejar la realidad en forma de conceptos abstractos con ayuda del lenguaje. Así como y al mismo tiempo por el desarrollo de la capacidad de amar y odiar, de concientizar el mundo físico y humano y el propio mundo interno.

Una breve disección de la definición sistema biopsicosocial deberá contribuir a delimitar al menos conceptualmente las implicaciones que derivan de su aceptación en lo concerniente al campo de la salud y la enfermedad. Una premisa inexcluible de este análisis está dada por el hecho de no contraponer la naturaleza biológica o el componente biológico de la naturaleza del hombre al componente psicosocial que integra junto con el biológico la esencia de este.

¿Qué significa admitir que el hombre es un ser biopsicosocial?

En primer lugar, que es un complejo sistema cualitativamente superior a sus componentes, integrado por dos grandes subsistemas: biológico y psicosocial, en unidad dialéctica, cada uno de los cuales incluye a su vez diferentes subsistemas. Por ejemplo, el subsistema biológico integra distintos subsistemas, los que al ser tomados separadamente se consideran sistemas. De esta forma se habla del sistema nervioso central, del sistema autónomo, endocrino, cardiovascular, gastrointestinal, e inmune, entre otros. De igual modo ocurre con el subsistema psicosocial, en el que la personalidad, el estilo individual de vida, las relaciones interpersonales son tomados como sistemas, relativamente independientes.

Los subsistemas componentes deben lograr una estructuración y un funcionamiento armónico en diferentes niveles tanto dentro de los respectivos subsistemas biológico y psicosocial, como en el sistema en su conjunto. La resultante de este proceso, convencionalmente ha sido denominada estado de salud.

En segundo lugar, admitir al hombre como unidad biopsicosocial, significa que ambos subsistemas, biológico y psicosocial, y sus respectivos componentes, mantienen interrelaciones e influencias recíprocas y multidireccionales en los diferentes niveles de funcionamiento, tanto macro como microscópicos del sistema a través de mecanismos psicobiológicos determinados.

La implicación más inmediata que se hace evidente cuando se habla del sistema biopsicosocial radica en la necesaria aceptación de la influencia que ejercen los factores biológicos sobre los psicosociales e inversamente de estos últimos sobre los primeros.

Al hablar de factores biológicos se hace operacionalmente referencia a las características morfológicas, estructurales y a los patrones de funcionamiento e interrelación de los sistemas funcionales del organismo, de sus órganos componentes, de sus tejidos, de los grupos celulares y de cada una de las células características del individuo, considerado este en términos de especie. Estos sistemas funcionales maduran y completan su normal desarrollo en interrelación con el ambiente físico y particularmente humano en el caso de algunos de ellos. Por ejemplo, el sistema nervioso central, en ausencia de una estimulación psicosocial adecuada, y en especial sensorial y afectiva en etapas tempranas de la vida, puede retrasar su desarrollo, inclusive con carácter irreversible.

Los factores psicosociales por su parte deben ser conceptualizados, tanto en la dimensión intrapsíquica como en la interpsíquica, las cuales a pesar de sus íntimas relaciones mantienen su especificidad. Tanto las dimensiones inter como intrapsíquica son influidas por condiciones objetivas, ambientales, sociales, económicas y de otros tipos. Ambas dimensiones convergen y se refractan en el estilo individual de vida, el que a su vez refleja el tipo de organización familiar, el de la comunidad en sentido más amplio, así como la propia organización de la sociedad en su conjunto (Rancel, comunicación personal, 1994).

En este contexto, se destaca la relativa independencia de la personalidad, de su estilo habitual de vida y del sistema de relaciones interpersonales del individuo. El estilo individual de vida del hombre no constituye una proyección somatotópica ni de su personalidad, ni del conjunto de relaciones sociales que subyace en la estructura de esta. En personalidades con rasgos y estilos de afrontamiento similares desde el punto de vista fenomenológico, pueden ser esperados modos de vida diferentes y de igual manera, modos de vida fenomenológicamente muy parecidos, que como es sabido corresponden a personalidades diferentes.

A lo anterior debe añadirse que resultados y experiencias análogas derivadas de las conductas inherentes a un determinado estilo de vida individual no ejercen en todos los sujetos la misma influencia sobre la personalidad.

Como antes fue dicho, lo que inicialmente trasciende al definir al hombre como un sistema biopsicosocial, es la aceptación de la influencia recíproca de ambos componentes del sistema, aún y cuando en todo momento sus respectivos roles no tengan el mismo peso específico a lo largo de la vida, en lo que a estructuración y funcionamiento del sistema se refiere.

Se propone que los factores biológicos afectan los componentes psicosociales de la naturaleza humana, básicamente a través de dos mecanismos, los que vistos individualmente, actúan en direcciones opuestas.

Uno de ellos sustenta el efecto que las alteraciones funcionales, estructurales o ambas de diferentes sistemas del organismo, cuando alcanzan un determinado grado, pueden inducir, en el sistema nervioso central, en los mecanismos y procesos nerviosos. Se incluyen aquí, desde aquellos tipos de actividad nerviosa responsables de mantener el nivel de vigilia, hasta los mecanismos que sirven de base material a las funciones psíquicas superiores privativas del hombre. El otro mecanismo actuaría en sentido contrario y el mismo podría ser analizado como mínimo en tres momentos diferentes. Cada uno de ellos caracterizado por un determinado nivel de influencia de lo biológico sobre lo psicosocial, así como de este último factor sobre el funcionamiento del organismo, lo que le confiere al proceso un carácter continuo.

En el primero de estos momentos, se realiza por el individuo una valoración cognitiva que implica el establecimiento de la significación personal que sus alteraciones funcionales, estructurales o de ambos tipos, comportan para él. Esta valoración conlleva determinadas reacciones emocionales y a su vez se asocia a "un perfil de respuestas fisiológicas" que es característico de cada emoción,[1-11] y que necesariamente ejerce influencia sobre el estado del organismo.

En el segundo momento, el individuo valora qué puede hacer para enfrentar con éxito la demanda. Este proceso va asociado a un balance que está basado en el análisis por el individuo de las características de aquellas alteraciones que padece y que en su consideración actúan en calidad de estresor. Estas características se refieren a la intensidad, duración, ambiguedad, posibilidad de modificación de este estresor específico entre otras y a los recursos disponibles, personales y de soporte para enfrentarlo con éxito. De igual manera que en el caso anterior, esta segunda valoración va acompañada de un conjunto de respuestas fisiológicas que logran un determinado impacto sobre la salud.

Por último, el tercer momento comporta la valoración del individuo sobre los resultados logrados en sus afrontamientos con la demanda en cuestión. Estos resultados pueden expresarse en términos de reafirmación, incremento o deterioro de la autoestima, de las creencias sobre sí mismo, sobre la autoeficacia, sobre los recursos personales y de soporte para los afrontamientos con este tipo de estresor, y sobre las creencias en relación con las demandas y con la disponibilidad de apoyo de los otros significativos.

Este tercer momento también implica una determinada movilización de recursos del organismo, que modifican el comportamiento biológico del individuo. Los repertorios de respuestas fisiológicas provocados en cada uno de estos momentos, actuando sinérgicamente con factores ambientales, genéticos y psicosociales, pueden en unos casos favorecer la recuperación de la salud y en otros obstaculizar este proceso o contribuir a deteriorarla más. Las valoraciones que el individuo realiza, antes, durante y después de su afrontamiento con el estresor biológico específico, expresan un tipo particular de relación de mayor o menor controlabilidad de este sobre aquellos aspectos de su ambiente que el estresor representa.

Las dos primeras valoraciones tienen una importancia decisiva en lo que al éxito del afrontamiento en si mismo se refiere. Ellas inducen un determinado nivel de funcionamiento de los sistemas del organismo que repercute en sentido favorable o no sobre el estado del individuo, tanto desde el punto de vista biológico, como intra e interpsíquico.

Sin embargo, la valoración que finalmente el sujeto realiza sobre su autoeficacia en el dominio del estresor, es el factor más influyente en todo este proceso, en el que el afrontamiento constituye un mediador de las emociones y de la salud.

En resumen, podría hablarse, en el primer caso de un mecanismo de influencia de lo biológico sobre lo psicosocial, que se vale de mediadores biológicos.

En el segundo, la mediación del impacto de lo biológico sobre lo psicosocial va a ser realizada básicamente por la personalidad del individuo y por sus recursos personales y de soporte para realizar los afrontamientos.

El hecho de dicotomizar el anterior proceso de influencia de lo biológico sobre lo psicosocial responde únicamente a propósitos didácticos. En realidad, como anteriormente se explicó, todo el proceso es un continuo y los mecanismos descritos convencionalmente por separado se integran en un proceso único.

De esta suerte, las alteraciones de las funciones psíquicas superiores, que en última instancia reflejan las repercusiones sobre el sistema nervioso central de las alteraciones de otros sistemas funcionales, pueden afectar la calidad de las valoraciones, de los afrontamientos, e incluso de la valoración de los resultados obtenidos. Esto podría depender de varios factores, entre ellos:

1. Cuáles son las funciones psíquicas tomadas.
2. Cuál la profundidad de las funciones psíquicas dañadas.
3. Cuál el carácter reversible o no del daño de las funciones psíquicas.

Los factores psicosociales por su parte adquieren la importantísima función de modular las respuestas de los sistemas biológicos del organismo, en unos casos de forma directa y en otros indirectamente. Es precisamente en calidad de moduladores directos que actúan cuando inducen diferencialmente determinadas respuestas de los sistemas biológicos a diferentes tipos de estimulación psicosocial. También pueden funcionar como mediadores indirectos de las respuestas biológicas, que por su intensidad alcanzan el umbral de la conciencia.

Estas reacciones biológicas surgen en respuesta a la estimulación física, química, biológica propiamente, etc., en el organismo, y al hacerse conscientes son sometidas al proceso descrito de valoración y afrontamiento por el individuo, desencadenando otras respuestas biológicas que también ejercen sus efectos sobre la salud. Queda aún por demostrar si determinados factores psicosociales de igual forma que sirven como inductores de respuestas a nivel de los diferentes sistemas funcionales del organismo, a nivel de los órganos que integran dichos sistemas, a nivel de los tejidos que conforman los órganos, y aún más a nivel de las respuestas bioquímicas propias de la inmunología humoral y celular, pueden influir en alguna forma sobre el metabolismo, y particularmente sobre los mecanismos de réplica y crecimiento de la célula. Este último aspecto podría constituir una hipótesis sugestiva, pero con poca contrastabilidad en los seres humanos en las condiciones actuales de desarrollo.

A la luz de las anteriores reflexiones, debe ser admitido que la personalidad, su estilo individual de vida, el sistema de relaciones interpersonales de esta, deben tener un nivel de compromiso y participación determinado, tanto en el mantenimiento de la salud como en la iniciación y progresión de las enfermedades. Este grado de compromiso de la psiquis humana, puede variar tanto en el caso de diferentes enfermedades, como en el de un mismo grupo de estas, en diferentes etapas de la vida. Esta es una de las razones que justifica el concebir la psiquis humana como un modulador del funcionamiento del conjunto de sistemas biológicos del organismo.

En el núcleo de esta concepción ocupa un lugar central la idea que la repercusión de la psiquis sobre los sistemas funcionales del hombre está representada por un grupo de variables. Dentro de estas podrían incluirse: la valoración personal que el sujeto realiza de la autoeficacia que percibe en sus afrontamientos a los estresores de la vida cotidiana y la valoración de la eficacia que percibe en sus sistemas de soporte. Estas valoraciones como antes fue dicho incluyen tanto determinadas reacciones emocionales del individuo, como un repertorio de respuestas fisiológicas que a ellas se asocian.

Las valoraciones y revaloraciones que el individuo realiza en su encuentro con los estresores, no solo puede ser fuente de frustraciones vitales, sino que contribuyen, en esencial, a reforzar o deteriorar la autoestima con carácter más o menos estable. Las mismas se incorporan al individuo y condicionan futuros éxitos o fracasos y probablemente aumentan su vulnerabilidad a las enfermedades.

Es evidente que no todos los individuos reaccionan de igual forma ante la valoración de su ineficacia y la de sus sistemas de soporte. Las diferentes respuestas cognitiva, emocional y conductual de los sujetos ante esta ineficiencia, ya sea real o no, pero autopercibida, puede activar distintos sistemas fisiológicos y traer diferentes consecuencias tanto biológicas como psicosociales para el individuo.

Por supuesto que estas valoraciones no son formaciones totalmente estáticas a lo largo de la vida. No obstante, es de suponer que en la medida en que cada persona se va aproximando cada vez más a la edad adulta, debe consolidar y estabilizar sus valoraciones, formas de afrontamiento, revalorizaciones, así como las reacciones emocionales precedentes, concomitantes y resultantes de este proceso. Este conjunto de factores, pueden asumir funciones de mediadores psicosociales de la actividad del organismo, siendo en algunos casos por esta vía precursores de enfermedad.

Es posible que la tendencia a la estabilización en la edad adulta de patrones psicosociales que aumentan la vulnerabilidad del individuo, tengan algún tipo de relación causal con la mayor incidencia de algunos tipos de cáncer en esta etapa de la vida.

¿De qué podría depender que un determinado tipo de valoración sobre la autoeficacia percibida en el afrontamiento y en el control de los eventos y sobre la eficacia del soporte percibido, desencadenen respuestas biológicas favorecedoras de cáncer y no de otra enfermedad? La clave pudiera radicar en que las variables psicosociales mencionadas, otras o ambos grupos, desencadenan la activación de determinados sistemas funcionales del organismo, haciendo a este más vulnerable. Estas respuestas están en dependencia e interrelación con el estado biológico general del individuo, con factores genéticos y psicosociales y con la influencia de factores del ambiente físico y en sinergismo con estos, favorecerían la aparición de algún tipo de cáncer y no de otra enfermedad.

Este enfoque no tipológico intenta explicar muy resumidamente la aparición de diferentes enfermedades en aquellos individuos que sufren cáncer, por un mecanismo interactivo similar de factores biológicos, ambientales y psicosociales, pero en el que por la influencia de factores psicosociales, son diferencialmente activados determinados sistemas biológicos, responsables o facilitadores de la aparición de otras enfermedades no tumorales.

Este podría ser el caso de aquellos individuos que en algún momento de su vida enferman de cáncer y en otra etapa anterior, simultánea o posterior padecen por ejemplo de enfermedad arterial coronaria. Esta proposición intenta fundamentar una explicación de la coexistencia en una misma persona de enfermedades consideradas por las concepciones tipológicas descritas en este trabajo como enfermedades antagónicas y excluyentes, a partir del perfil psicológico del individuo.

En correspondencia con el enfoque biopsicosocial se propone la hipótesis que el cáncer en los seres humanos imbrica en su iniciación, curso y progresión un conjunto de factores psicosociales. Estos pueden actuar como condición necesaria, suficiente, contribuyente o alternativa en sinergismo con factores biológicos y ambientales, pudiendo variar dentro de estos rangos, pero no ser excluida su participación en la pluricausalidad que parece tener esta enfermedad. En este propio marco cabría la indagación sobre cómo explicar la participación de los factores psicosociales en la iniciación del cáncer en niños que están en edades de la vida tan tempranas, en las que no puede hablarse de una personalidad estructurada y más aún en aquellos seres humanos que nacen con esta enfermedad.

Aunque en estos casos podría parecer e incluso ser más ostensible el papel de los factores biológicos en la aparición del cáncer, no puede prescindirse de la influencia del ambiente tanto físico como humano y social en el medio intrauterino.

El feto está sujeto a las influencias neuroendocrina, neurovegetativa, metabólica, inmunológica y fisiológica en general de la madre, así como a los cambios y alteraciones de estos y otros indicadores, muchos de los cuales como ha sido demostrado también pueden ser inducidos por vía psicosocial.

De igual forma, el estilo individual de vida de la familia y particularmente de la madre ejerce un decisivo efecto sobre la formación del feto y sobre la modulación psicosocial de sus sistemas biológicos.

Es un hecho comprobado, que una vez que se produce la fusión de un óvulo y un espermatozoide humanos, se asiste al inicio de la probable formación de un ser social, el cual por su propia condición, dispondrá de un equipo biológico y de una determinada dotación genética humanas. Este individuo será o no viable gracias, en gran medida, al tipo particular de asimilación individual por parte de la madre, de los estímulos psicosociales y ambientales.

Como fue analizado en los anteriores capítulos, es lógico suponer que no todas las variables psicosociales en todas las personas y en todo momento desempeñan el mismo rol en lo concerniente a la aparición y progresión del cáncer.

Es muy probable que en diferentes épocas de la vida, y aún dentro de una misma época pueda haber un predominio de los mecanismos biológicos que participan en la aparición de la enfermedad. Pero aún en estos momentos que podrían ser llamados "de pico biológico" (Dujarric, comunicación personal, 1992) de acuerdo con el modelo conceptual adoptado sobre la salud y la enfermedad y con numerosas evidencias empíricas, es válido hipotetizar que determinados factores psicosociales conocidos o no, deben actuar al menos como condición necesaria en la iniciación del cáncer.

En la dirección antes señalada pueden resultar de interés los trabajos de Biondi y Pancheri[12, 13] en los que se establece que el sistema inmune está sujeto a una doble regulación representada en un primer nivel por "un mecanismo básico de regulación autónoma, genéticamente determinado y que es independiente de la influencia de otros sistemas del organismo".

Está sometido además a un segundo nivel de modulación psiconeuroendocrina, en el que el rol de mediador de la influencia psicosocial es desempeñado por el sistema neuroendocrino y sus vías, "y por los agentes adrenérgicos y colinérgicos del sistema nervioso autónomo".[12] En este último trabajo los autores establecen que el primer mecanismo, "determina las reglas biológicas básicas y el funcionamiento del sistema (reconocimiento de antígenos, procesamiento y respuestas eferentes, mecanismos que regulan el *feedback*, etc.)". El segundo nivel sustenta la capacidad del sistema inmune de responder y modificar su reactividad también sobre la base de la estimulación emocional, del estrés, y de la influencia psicosocial en general.[13]

La búsqueda de evidencias que en el nivel empírico den respuesta al problema formulado en la parte introductoria del presente trabajo: "Desempeñan los factores psicosociales un rol determinado en la sobrevida del enfermo de cáncer?", y que permitan confirmar o refutar la participación de la psiquis humana en la aparición de esta enfermedad, ha constituido a través de todo el estudio el hilo conductor del mismo. Los hallazgos obtenidos en esta búsqueda constituyen por su parte, la fuente indispensable de datos para la realización del procesamiento lógico de la información. De igual forma, para la integración de los resultados en el proceso de verificación de las hipótesis de trabajo, y en correspondencia, para la estructuración y formulación del sustento teórico de este. El último aspecto mencionado es uno de los propósitos fundamentales de los anteriores capítulos, el que es abordado en cada uno de ellos desde diferentes perspectivas.

En todos se ha tratado críticamente de encaminar la reflexión teórica en tres vertientes fundamentales apoyada en cada caso en las concepciones y en las evidencias experimentales obtenidas por prestigiosos investigadores, mundialmente reconocidos por la seriedad de su actividad científica. Estas variantes son:

1. Identificar los mecanismos psicobiológicos que podrían fundamentar la participación de determinadas variables psicosociales en el proceso de carcinogénesis.
2. Proponer algunos de los mecanismos psicobiológicos que pudieran explicar la influencia de la percepción de la calidad de vida por el enfermo de cáncer en la duración de la sobrevida.
3. Analizar aquellos mecanismos psicobiológicos que parecen servir de sustento al impacto positivo que tienen determinadas intervenciones psicosociales en la prolongación de la supervivencia y en particular de la supervivencia global del paciente oncológico.

El desarrollo alcanzado durante los últimos 20 años por la Psiconeuroinmunología ha permitido demostrar tanto en animales como en seres humanos, las analogías estructural, funcional y bioquímica del sistema neuroendocrino y del sistema inmune. Esto en otras palabras se traduce en el hecho de que el sistema inmune es susceptible de responder no solo a la estimulación biológica. A través de complejas interacciones, en las que el sistema neuroendocrino parece tener un papel relevante, el sistema inmune es capaz de responder a la estimulación psicosocial, tal y como confirman numerosos hallazgos, una parte de los cuales han sido expuestos en el presente trabajo.

Si se analizan los diferentes estudios consagrados a la búsqueda a través de la investigación experimental, de la relación causal propuesta entre algunas variables psicosociales y la carcinogénesis, puede extraerse un grupo relativamente amplio de factores psicosociales comúnes y al parecer esenciales en la base teórica sobre la cual descansan dichas investigaciones.

El estrés agudo y crónico es uno de estos factores. Otros parecen ser, el apoyo social inadecuado, la depresión psicológica cognitivamente elaborada y con frecuencia asociada al desamparo y a la desesperanza, provocados por frustraciones de las necesidades esenciales de la personalidad. También debe ser considerada en este grupo de factores, la ocurrencia de eventos vitales, tales como las pérdidas sensibles altamente valoradas por el individuo y en particular lo que algunas tipologías referidas a la relación personalidad-carcinogénesis[14, 15] han llamado "componente tóxico" de la constelación o de la personalidad Tipo C predispuesta al cáncer. Es decir, la tendencia a la supresión o represión de las emociones negativas, fundamentalmente de la ira y el miedo. No obstante los hallazgos que parecen confirmar el papel del estrés psicosocial en la aparición del cáncer, también deben ser tomados en consideración los criterios de otros investigadores.

Algunos de estos[16] sostienen que: "La relación causal entre el estrés, la deficiencia inmune y el incremento en el crecimiento tumoral es solo sugestiva". En el propio trabajo afirman que: "... solo algunos tumores son controlados por el sistema inmune y este control está a menudo limitado a ciertos estadios del desarrollo del tumor (por ejemplo, diseminación metastásica)".

En las concepciones tipológicas que vinculan la personalidad con la iniciación del cáncer, en otras focalizadas en las repercusiones sobre el individuo de los eventos vitales de la vida, así como en aquellas en las que el factor psicosocial es considerado solo como un favorecedor o predisponente de las enfermedades en general, se concede un importante rol a los recursos personales de que dispone el individuo para responder y enfrentar las demandas ambientales e intrapsíquicas. A aquellos recursos con los que se enfrenta a los estresores cotidianos, es decir: "... a aquellos esfuerzos para reducir los impactos negativos del estrés sobre el bienestar individual".[17]

Uno de los fundamentos esenciales de este trabajo, se estructura sobre la concepción del afrontamiento al estrés psicosocial. El estrés puede ser concebido en términos de la relación que se establece entre las habilidades del individuo para responder a las demandas, y la frecuencia, intensidad, duración y significación personal de estas.[1] Por su parte, el afrontamiento al estrés ha sido definido como "la discrepancia negativa entre el estado percibido por el individuo y el estado deseado" siempre que esta discrepancia sea considerada importante para la persona.[17] Al enfatizar en la definición dada por Edwards anteriormente, se pretende desplazar a un primer plano, por una parte el afrontamiento en si mismo como mediador de las respuestas fisiológicas que pueden ser desencadenadas por el estresor. Por otra, y en especial, la significación que como modulador de esas propias respuestas biológicas alcanza la valoración subjetiva y personalísima que realiza el sujeto tanto de los estresores como de su capacidad actuante y potencial para someterlos a control, con el menor daño posible de su autoestima y de su sentido de bienestar.

En este sentido, la percepción por el individuo de un insuficiente, deficiente o ambas variantes de apoyo social, es considerado un estresor que logra una doble repercusión negativa sobre el organismo.

En primer lugar por su propia condición y en segundo por limitar las posibilidades del individuo de búsqueda y utilización de estos amortiguadores externos del distres. La autopercepción por el sujeto de su ineficacia crónica y más o menos generalizada en el afrontamiento con aquellos estresores que amenazan la satisfacción de los motivos y necesidades más esenciales para la personalidad, puede hacer que este se autoperciba desamparado. La autovaloración asociada al desamparo, está igualmente influída por las características de incontrolabilidad y de inescapabilidad de los estresores que el individuo enfrenta, en relación con sus *recursos*. Al mismo tiempo, la ineficacia percibida en el soporte que recibe y brinda el individuo, constituye otro factor esencial en la autopercepción de su ineficacia.

Estos son probablemente los factores psicosociales más relevantes, que parecen inmovilizar emocionalmente a estos individuos en lo relativo a exteriorizar sus emociones negativas. Esta carga emocional es, por el contrario, dirigida hacia el propio individuo, adoptando entonces el carácter de depresión, la cual se asocia a la autopercepción de ineficacia, desamparo, y desolación. Este conjunto generalizado de respuesta individual podría constituir a nivel psicológico, el disparador que en sinergismo con factores biológicos y ambientales contribuye a poner en marcha a través del sistema neuroendocrino y sus vías, así como del sistema autónomo y sus mecanismos, de diferentes procesos metabólicos y bioquímicos, el deterioro de la inmunidad que parece estar seriamente involucrada, no solo con el crecimiento y la diseminación de los tumores malignos, sino con la iniciación de estos en los seres humanos.

¿En ausencia de la participación de estas variables descritas, podría iniciarse el cáncer en los seres humanos?

La respuesta lógica es que de no participar las variables que han sido mencionadas, participarían otras variables psicosociales *conocidas o no*. La psiquis está necesariamente comprometida en la iniciación de toda enfermedad, en un nivel que por supuesto no puede ser precisado prescindiendo de la investigación teórica y empírica.

Con respecto a la calidad de vida, solamente han sido analizados algunos de sus indicadores, los que se consideran más esenciales y fueron particularizados en el estudio del efecto que tienen los afrontamientos a la enfermedad, la conservación de roles sociales, así como la eficacia percibida en el soporte que el individuo recibe y en particular en el que brinda.

Se ha prestado especial importancia a esta doble dimensión del apoyo social, por ser suficientemente conocido el valor que adquiere el sentido de responsabilidad con la pareja, y con la familia, como inductor de conductas de esfuerzo activo, en el afrontamiento con la enfermedad y en la superación de sus consecuencias.

Se ha asociado íntimamente el concepto de calidad de vida con el de bienestar percibido por el individuo, en tanto se acepta que cualquier factor que afecte el sentido de bienestar es al mismo tiempo un obstaculizador de una adecuada calidad de vida. Obviamente el sentido de bienestar, y la calidad de vida se analizan como productos tanto de las valoraciones cognitivas realizadas por el sujeto de las consecuencias, molestias y síntomas de la enfermedad, como de la eficacia en el afrontamiento a estos estresores, en dirección a someterlos a control activo. Numerosos hallazgos han demostrado la repercusión sobre el funcionamiento del organismo de algunos indicadores de la calidad de vida. Tal es el caso del apoyo social, uno de los componentes esenciales de la calidad de vida que ha demostrado desempeñar un importante rol en la salud y en la enfermedad.[18]

Se ha corroborado una significativa correlación entre la capacidad de los individuos para enfrentarse con estresores de la vida diaria y la actividad citotóxica de las células Natural Killer (NK).[19] Aquellos individuos con más baja capacidad o habilidad para el afrontamiento, fueron los que mostraron mayor disminución en la actividad citotóxica del referido efector celular.

En este último trabajo sus autores textualmente expresan: "... el apoyo social y la función de la familia, juegan un rol en el afrontamiento del individuo con eventos estresantes, el cual es de igual forma, reflejado en el nivel de citotoxicidad de las células Natural Killer (NK)".

Es a partir de evidencias como las antes mencionadas que la calidad de vida del enfermo de cáncer, puede ser concebida como un mediador de la supervivencia de estos pacientes.

En lo relativo a las intervenciones psicológicas con los enfermos oncológicas estas han sido encaminadas en dos vertientes fundamentales:

1. Mejoramiento de la calidad de vida, incluyendo alivio de síntomas y especialmente del dolor, a través del control activo de este, del incremento de la autoestima y del apoyo social entre otros indicadores.
2. Incremento de la sobrevida.

Existen fuertes evidencias de que la relajación,[20-22] la inducción de la autoeficacia,[23] la relajación combinada con imaginación guiada,[24-25] tienen un significativo incremento sobre la inmunidad celular, en particular sobre el funcionamiento de la actividad de las células Natural Killer (NK). Este efector como es sabido parece estar seriamente comprometido no solo en la defensa contra las infecciones y el cáncer en los seres humanos, sino que de acuerdo con los hallazgos, "parece tener valor pronóstico en las recaídas, en las respuestas al tratamiento y especialmente en el tiempo de sobrevida sin metástasis" en los enfermos de cáncer.[24]

El entrenamiento de la autonomía[26-28] demostró su efectividad en la prolongación de la sobrevida de enfermas de cáncer en etapa avanzada, lo que fue atribuido al incremento de la inmunidad celular comprobado en dichas pacientes.

La experiencia de Spiegel y colaboradores,[29-31] también con enfermas de cáncer de mama y metástasis visceral, demostró la eficacia de la terapia psicológica en grupos, en el incremento de la supervivencia global.

Se podría suponer con arreglo a los resultados de distintos investigadores que han logrado establecer condicionamientos en el sistema inmune,[32] así como los investigadores antes mencionados que han logrado inducir cambios positivos en la inmunidad por vía psicoterapéutica que en las intervenciones psicosociales, que han demostrado su efectividad en el incremento de la supervivencia global de enfermos de cáncer, subyace presumiblemente un condicionamiento del funcionamiento inmune. En el mismo probablemente por vía psiconeuroendocrina se induce una estimulación de la llamada[33] "función sensorial que cumple el sistema inmune", así como un incremento de la actividad de destrucción de las células neoplásicas por los linfocitos T, por las macrófagas y por las células Natural Killer (NK).

Un probable vínculo entre la inmunidad y el control del cáncer avanzado, podría descansar en el incremento de la citotoxicidad de las células Natural Killer (NK). En dicho incremento podrían no solo participar aquellos factores que son considerados modificadores de la respuesta biológica (BRM), sino también aquellas intervenciones psicosociales que han demostrado repercutir favorablemente sobre la inmunidad, y en particular sobre la actividad de este propio grupo celular.

El fundamento del presente trabajo excluye la posibilidad que pueda distorsionadamente valorarse, que en el mismo se proponen las intervenciones psicoterapéuticas, en calidad de tratamiento alternativo de cualesquiera de los tratamientos médicos existentes en la actualidad para los enfermos de cáncer: cirugía, radioterapia, quimioterapia y en particular el tratamiento inmunológico, el que ha sido objeto de especial atención en los últimos años. A partir de los numerosos hallazgos a que se hace referencia en este estudio, sí constituye un propósito del mismo, destacar el vínculo que parece establecerse entre diferentes intervenciones psicoterapéuticas y el incremento de la inmunidad por una parte. Por otra, enfatizar la necesidad de utilizar aún con los enfermos en etapas avanzadas este recurso, por sus favorables repercusiones sobre la calidad de vida y por el efecto sinérgico que ha demostrado tener con los tratamientos biológicos en el control de la enfermedad.

Es evidente que no todas las personas son por igual susceptibles de ser influidas por las numerosas modalidades psicoterapéuticas conocidas. Parece haber sido suficientemente fundamentada[10] la nocividad del psicoanálisis ortodoxo en el proceso de iniciación del cáncer.

Podrían hipotetizarse tres mecanismos psicobiológicos al menos a través de los cuales explicar los efectos positivos de la psicoterapia sobre la calidad de vida y la supervivencia de los enfermos de cáncer. Todos ellos presuponen la modulación por vía psiconeuroendocrina y autonómica sobre:

1. La inmunidad.
2. El metabolismo celular.
3. Ambos sistemas.

Se considera que cualquier modalidad de intervención psicológica que sea capaz de:

1. Estimular la autoeficacia percibida en el afrontamiento con los estresores de la vida cotidiana y en especial con la enfermedad.
2. Fortalecer el sentido de control sobre la propia vida y sobre el cáncer.
3. Incrementar la autoestima, la independencia, y la autonomía del enfermo, así como el desempeño de roles sociales personalmente significativos.
4. Combatir la desesperanza, el desamparo, la depresión, la indefensión, el desaliento y la desmoralización frente al cáncer.
5. Contribuir a que el paciente reciba y brinde eficientemente soporte emocional, y aprenda a expresar sus emociones negativas.

Debe ejercer efectos positivos sobre los sistemas del organismo que están encargados de evitar la diseminación tumoral en los enfermos de cáncer.

La generalización de las evidencias que se ofrecen en este estudio, brinda soporte a la hipótesis inicial de trabajo de acuerdo con la cual la psiquis humana, operacionalmente tipificada en la personalidad y expresada en las conductas inherentes al estilo individual de vida, adquiere una función moduladora del conjunto integrado de sistemas biológicos del organismo que participan directa e indirectamente en la preservación de la salud y en la aparición de esta enfermedad.

Esta afirmación, no obstante, incluye la necesidad de precisar diferencialmente en los distintos tipos de cáncer, en cada una de las etapas de la vida y de la enfermedad, cuáles son las variables psicosociales que participan y cuál es el nivel de compromiso particular de unas y otras. De igual forma deberá ser precisado el tipo de relación que dichas variables en cada caso específico establecen con otras variables, tanto psicosociales como biológicas y ambientales.

En opinión de Glaser y colaboradores,[34-35] los datos "muestran que el estrés o distrés puede contribuir directamente a la carcinogénesis a través del deterioro de la capacidad de reparación del DNA dañado, así como también indirectamente por afectar negativamente la vigilancia inmune y la destrucción de las células tumorales". No se hace sin embargo, énfasis en el anterior estudio al llamado "primer nivel de defensa jerárquico del organismo" contra la exposición a carcinógenos. Este primer nivel como es conocido está basado en la destrucción por las enzimas de los carcinógenos químicos. Consideraciones de gran relevancia siguiendo esta dirección, son realizadas por este investigador en trabajos posteriores.[20-22]

En los seres humanos, como es sabido se han logrado repercusiones similares del estrés sobre otros indicadores de la inmunidad. Este es el caso de la disminución en la producción de interferón como consecuencia del distres psicosocial, con el correspondiente decrecimiento de la actividad de las células Natural Killer (NK).[21-22]

Todas las evidencias apuntan sin dudas, a la posibilidad de que en la investigación interdisciplinaria de la Psiconeuroinmunología y de la Psicooncología, y particularmente en la identificación de su objeto común, podrán encontrarse elementos claves para la profilaxis y el tratamiento del cáncer en los seres humanos.

Una de las tareas más importantes de la ciencia consiste en la réplica de investigaciones, tanto de aquellas cuyos resultados son coincidentes, como las que arriban a conclusiones discrepantes, total o parcialmente, con el sustento teórico y las hipótesis iniciales de trabajo que han sido establecidas con anterioridad, en una línea o campo de investigación.

En el país existen las condiciones esenciales para reproducir con rigurosidad los estudios que se seleccionen, ya sean prospectivos-longitudinales, transversales o de otro tipo y utilizar la comparación de los resultados con diferentes estrategias de acuerdo con las variables psicosociales escogidas. Esto permitiría investigar en la población cubana, esencialmente distinta a las estudiadas en los trabajos que han sido referidos, el valor que pueden o no asumir determinadas variables psicosociales en la iniciación del cáncer y en el pronóstico del enfermo.

En este momento algunos aspectos por su trascendencia teórico-práctica se imponen como objeto de un breve análisis. Dentro de ellos por su significación merece destacarse la necesidad de encaminar los esfuerzos en lo relativo a la unidad conceptual del sustento teórico, así como en lo concerniente a la aproximación metodológica para el desarrollo de la investigación empírica en el campo de la Psicooncología.

De igual forma deberá prestarse particular atención, a los métodos de investigación, a la definición operacional de los términos, a los instrumentos concretos a utilizar, a las unidades de medición de las variables psicosociales que de acuerdo con las evidencias, parecen estar seriamente comprometidas con la iniciación y progresión de algunos tipos de cáncer de determinada localización. Estos últimos han sido prácticamente focalizados por la investigación psicooncológica en el cáncer de mama, de pulmón, en el melanoma maligno de piel, en la enfermedad de Hodgkin, mencionando solo algunos de los más estudiados.

Otra consideración de importancia que debe ser realizada, se relaciona con la posibilidad de extender la práctica en el país del Programa de Cuidados Paliativos existente, para los enfermos de cáncer en etapa terminal. En este podrían participar equipos interdisciplinarios de profesionales de la salud y en especial los especialistas en Medicina General Integral, e incluir como problema medular, no solo el tratamiento y alivio del dolor, sino el adiestramiento y apoyo a la familia y el control tanto de los síntomas físicos como emocionales del paciente, mejorar su calidad de vida dentro de los límites posibles y de igual manera ofrecer a la familia soporte emocional durante esta etapa de la enfermedad del individuo y especialmente cuando ocurre la muerte.

Antes de concluir, se considera oportuno enfatizar, que este trabajo no busca ni absolutizar ni hipertrofiar el papel de la Psicología en la investigación del proceso salud-enfermedad. Por el contrario, aspira a contribuir en alguna medida a que esta ciencia continúe ocupando el lugar que le corresponde, a partir del rol que ha demostrado ser capaz de desempeñar en la investigación multi e interdisciplinaria de los procesos que directa e indirectamente parecen estar involucrados en la iniciación y progresión del cáncer en los seres humanos, así como en el enfoque humanístico del tratamiento de las personas que sufren esta enfermedad.

BIBLIOGRAFÍA

[1] Lazarus, R. S.: *Cognitive and Coping Processes in Emotion. Cognitive Views of Human Motivation*, pp. 21-32, New York, 1974.
[2] Folkman, S. and R. S. Lazarus: "Stress Processes and Depressive Symptomatology." *J. of Abnormal Psychology*, 6; 95(2):107-13, 1989.

3   Folkman, S.; R. S. Lazarus; C. Dunkel-Schetter; A. De Longis and R. J. Gruen: "Dynamic of a Stressful Encounter: Cognitive Appraisal, Coping and Encounter Outcomes." *J. of Personality and Social Psychology*, 50(5):992-1003, 1986.

4   Folkman, S.; R. Lazarus; R. J. Gruen and A. De Longis: "Appraisal, Coping, Health Status and Psychological Symptoms." *J. of Personality and Social Psychology*, 50(3):571-79, 1986.

5   Dunkel-Schetter, C.; S. Folkman and R. S. Lazarus: "Interpersonal Relations and Group Processes. Correlates of Social Support Receipt." *J. of Personality and Social Psychology*, 54(3):486-95, 1988.

6   Folkman, S. and R. S. Lazarus: "The Relationship Between Coping and Emotion: Implications for Theory and Research." *Soc. Sci. Med.*, 26(3):309-17, 1988.

7   De Longis, A. and R. S. Folkman: "The Impact of Daily Stress on Health and Mood: Psychological and Social Resources and Mediators." *J. of Personality and Social Psychology*, 54(3):486-95, 1988.

8   Lazarus, R. S. "Cognition and Motivation in Emotion." *Am. Psychologist*, 46(4):352-67, 1991.

9   _____: "Progress on Cognitive-Motivational-Relational Themes and the Emotions." *American Psychologist*, 46(8):8119-34, 1991.

10 _____: "Coping Theory and Research: Past, Present and Future." *Psychosomatic Medicine*, 55:234-47, 1993.

11 Smith, C. and R. S. Lazarus: "Appraisal Components, core Relational Themes and the Emotions." *Cognition and emotion*, 7(3-4):233-69, 1993.

12 Biondi, M. and P. Pancheri: "Stress, Personality, Immunity and Cancer: A Challenge for Psychosomatic Medicine." In: *Behavioral Epidemiology Disease Prevention*. Edited by R. M. Kaplan, and M. H. Criqui, Plenum Publishing Corporation,1985.

13 _____: "Mind and Immunity. A Review of Methodology in Human Research." *Advances in Psychosomatic Medicine*, 17:234-51, 1987.

14 Contrada, R. J.; H. Lowenthal and A. O'Leary: "Personality and Health." L. A. Pervin Ed. *Handbook of Personality: Theory and Research*, pp. 648-94. New York: Guilford Press, 1990.

15 Temoshok, L.: "Personality, Coping Style, Emotion and Cancer: Towards Integrative Model." *Cancer Surveys*, 6:545-67, 1987.

16 Ben-Eliyahu, S.; R.Yirmiya; J. C. Liebeskind; A. N. Taylor and R. P. Gale: "Stress Increases Metastatic Spread of a Mammary tumor in Rats: Evidence for Mediation by the Immune System." *Brain, Behavior and Immunity*, 5:193-205, 1991.

17 Edwards, J. R.: The Determinants and Consequences of Coping with Stress." In: C. L. Cooper and R. Payne Ed. *Causes, Coping and Consequence of Stress at Work*, pp. 233-63, 1988.

18 Solomon, G. F.; L. Temoshok; A. O'Leary and J. Zich: *An Intensive Psychoimmunologic Study of Long-surviving Persons with AIDS. Pilot Work, Background Studies, Hypotheses and Method.* Annals of the New York Academy of Sciences, 1987. Neuroimmune Interactions: Proceedings of the Second International Workshop on Neuroimmunomodulation, 496:647-655.

19 Schlesinger, M. and Y. Yodfat: "The Impact of Stress ful events on Natural Killer Cells." *Stress Medicine*, 7:53-60, 1991.

20 Kiecolt-Glaser, J. and Glaser R.: "Psychoneuroimmunology and Cancer: Fact or Fiction? *Eur. Journal Canc*, 35(11):1603-7, Oct, 1999.

21 _____: "Psychoneuroimmunology and Health Consequences: Data and Shared Mechanisms." *Psychosomatic Med*, 57(3):269-74, May-Jun, 1995.

22 _____: "Psychoneuroimmunology and Immunotoxicology Implications for Carcinogenesis." *Psychosomatic Med*, 61(3):263-70, May-Jun, 1999.

23 Bandura, A.: *Self-Efficacy: Thought Control of Action*, pp. 354-94. Hemisphere Publishing Corporation. Washington, Philadelphia, London,1992.

24 Walker, L. G; M. B. Walker; K. Ogston *et al.*: "Psychological, Clinical and Pathological Effects of Relaxation Training and Guided Imagery During Primary Chemotherapy." *Br. J. Cancer*, 80(1-2):262-8, Apr, 2000.

25 Zachariae, R.; J. S. Kristensen; P. Hokland; J. Ellegaard; E. Metze and M. Hokland: Effect of Psychological Intervention in the form of the Relaxation and Guided Imagery on Celular Immune Function in Normal Healthy Subjects." *Psychother. Psychosomatic*, 54:32-39, 1990.

26 Grossarth-Maticek, R. and H. J. Eysenck: *Personality and Cancer; Prediction and Prophylaxis. Anticarcinogenesis and Radiation Protection 2.*, Edited by O.F. Nygaard and A. C. Upton, Plenum Press, New York, 1991.

27 _____: "Creative Novation Behavior Therapy as a Prophylactic Treatment for Cancer and Coronary Heart Disease." Part. I, *Description of Treatment. Behav. Res. Ther.* 29(1):1-16, 1991.

28 _____: "Creative Novation Behavior Therapy as a Prophylactic Treatment for Cancer and Coronary Heart Disease." Part. II, *Effect of treatment. Behav. Res. Ther.*, 29(1):17-31, 1991.

29 Turk, D. C. and D. H. Meichenbaum: "A Cognitive Behavioral Approach to pain Management." In: *Textbook of Pain.* Edited by Melzack R. Markedes and C. L. Cooper. John Wiley and Sons. Ltd. 1989.

30 Spiegel, D.; G. R. Morrow and C. Classen: "Group Psychotherapy for Recently Diagnosed Breas Cancer Multicenter Feasibility Study." *Psychooncology*, 8(6):482-93, Nov-Dec, 1999.

31 Spiegel, D. and R. Moore: "Imagery and Hypnosis in the Treatment of Cancer Patients." *Oncology (Hungtingt)*, 11(8):1179-95, Aug, 1997.

32 Ader, R. and N. Cohen: "Conditionin of the Immune Response." *Netherlands Journal of Medicine*, 39:263-73, 1991.

33 Blalock, J. E.: "A Molecular basis for Bidirectional Communication between the Immune and Neuroendocrine Systems." *Physiol Reviews*, 69:1-32, 1989.

34 Glaser, R.; J. Kiecolt-Glaser; C. E. Speicher and J. E. Holliday: "Stress, Loneliness and Changes in Herpesvirus Latency." *J. of Behavioral Medicine*, 8:249-60, 1985.

35 Glaser, R.; B. E. Thorn; K. L. Tarr; J. Kiecolt-Glaser and S. M. D'Ambrosio: "Effects of Stress on Methyltransferase Synthesis: An Importante DNA Repair Enzyme." *Health Psychology*, 4(5)403-412, 1987.

GLOSARIO

Con el propósito de facilitar una más rápida comprensión de algunos términos utilizados por parte de los profesionales de las distintas especialidades que se interesen por el tema, se ha elaborado el glosario siguiente.

Calidad de vida del enfermo de cáncer: Bienestar físico, emocional y social del paciente que incluye el nivel de desempeño físico, validismo e independencia personal, la capacidad de autodeterminación y el grado de realización psíquica y social dentro de la familia, de la comunidad y de la sociedad como sistema de instituciones.

La calidad de vida en estos pacientes está condicionada en gran medida por el impacto de la enfermedad y del tratamiento sobre sus condiciones físicas, funcionales, psicológicas, sociales y económicas.

Por otra parte los recursos personales del individuo para enfrentar eficientemente la enfermedad y el tratamiento, y el soporte social que recibe y brinda constituyen algunos de los factores determinantes de la calidad de su vida.

Personalidad "hardiness": Patrón de personalidad caracterizado por su fortaleza, por su sentido de responsabilidad para consigo mismo, por la capacidad del individuo para enfrentar con éxito y controlar los estresores y las demandas.

Este tipo de personalidad, experimentalmente correlaciona de forma significativa, con el incremento, en un importante indicador inmunológico en los seres humanos de la actividad de las células Natural Killer (NK). Estos hallazgos han sustentado la hipótesis de que los individuos con este patrón de personalidad son menos vulnerables a aquellas enfermedades en las que la inmunidad parece estar más comprometida.

Personalidad predispuesta a la inmunosupresión: Muestra como característica psicológica más relevante, la incapacidad del individuo para expresar sus emociones y en especial las emociones negativas tales como la ira y el miedo.

En diferentes estudios experimentales, estos sujetos han demostrado ser inmunológicamente más vulnerables al estrés psicosocial y a las infecciones virales.

Personalidad "conformista o respetuosa": Se caracteriza por mostrar estilos de afrontamiento al estrés de pasividad, desamparo, conformismo o respeto. Parece constituir un factor de riesgo en la aparición de neoplasia cervical intraepitelial, de acuerdo con algunos autores.

Personalidad Tipo A: Ha sido llamada frecuentemente "conducta Tipo A". El componente nuclear o tóxico de esta personalidad es la hostilidad y la agresividad. Se caracteriza además por manerismo motor y lenguaje vigoroso: rápido, acelerado, ruidoso, con corto período de latencia y entonación verbal explosiva.

Se considera promotora de ateroesclerosis coronaria, hipertensión arterial e infarto del miocardio, por provocar en el individuo una hiperreactividad simpática a los estresores psicosociales, así como probablemente una mayor frecuencia y duración de la actividad simpática.

Personalidad Tipo C: Es considerada un patrón de personalidad que predispone al cáncer. Se ha descrito como opuesta al Tipo A por distintos autores. Estos individuos tienen una conducta que se caracterizan por ser muy conciliadores, poco afirmativos, pacientes, evitadores de conflictos y por no expresar emociones negativas, en particular la hostilidad y la agresividad. Experimentan desamparo y desesperanza crónicos, aún cuando no lo reconozcan conscientemente.

Este patrón de personalidad ha sido objeto de numerosos estudios, en particular con enfermos de melanomas malignos cutáneos.

Personalidad Tipo 1: Con algunas diferencias, este patrón de personalidad en lo esencial es muy similar a la personalidad Tipo C antes descrita. Los individuos con este patrón se caracterizan por su dependencia emocional de personas y objetos, con los cuales fracasan en su relación. Este fracaso les provoca sentimientos de desamparo y desesperanza, facilitadores de inmunosupresión. Por esta vía se considera es favorecida la aparición de cáncer.

Apoyo social: Este sistema confiere estabilidad, bienestar, seguridad y consistencia a la vida, tanto desde el punto de vista físico, material y financiero, como desde la perspectiva comunicativa, informacional, emocional y social.

En el caso del enfermo de cáncer, es importante tener en cuenta que los tipos de apoyo que el paciente puede requerir van a depender tanto de la enfermedad en sí misma, de su estadio y tratamiento, como de las particularidades del individuo, de sus características de personalidad, y de sus mecanismos de afrontamiento y defensa a las demandas.

ÍNDICE

Este libro se terminó de imprimir en los talleres gráficos
de Quebecor World Bogotá S.A., Bogotá, Colombia.